文史哲學集成

陳雄勳著

三蘇及其散文之研究

文史哲出版社印行

國家圖書館出版品預行編目資料

三蘇及其散文之研究 / 陳雄勳著. -- 初版. --
臺北市：文史哲, 民 80
頁： 公分.（文史哲學集成；244）
參考書目：面
ISBN 957-547-085-0 (平裝)

1.（宋）蘇洵 – 作品集 – 批評, 解釋等
2.（宋）蘇軾 – 作品集 – 批評,解釋等
3.（宋）蘇轍 – 作品集 – 批評,解釋等
4. 中國散文 - 歷史與批評 - 北宋(960-1126)
825.51 80004278

文史哲學集成 244

三蘇及其散文之研究

著者：陳雄勳
出版者：文史哲出版社
http://www.lapen.com.tw
登記證字號：行政院新聞局版臺業字五三三七號
發行人：彭正雄
發行所：文史哲出版社
印刷者：文史哲出版社
臺北市羅斯福路一段七十二巷四號
郵政劃撥帳號：一六一八〇一七五
電話886-2-23511028・傳真886-2-23965656

實價新臺幣四五〇元

中華民國八十年（1991）十一月初版
中華民國九十四年(2005)十二月 BOD 初版再刷

ISBN 957-547-085-0

蘇文公

公常嘆曰。知我者惟吾父與歐陽公也。歐陽公作公墓誌銘。述其詳而美公文博辯宏偉。又謂為純明篤實君子。且及其善與人交急難恤孤之賢。

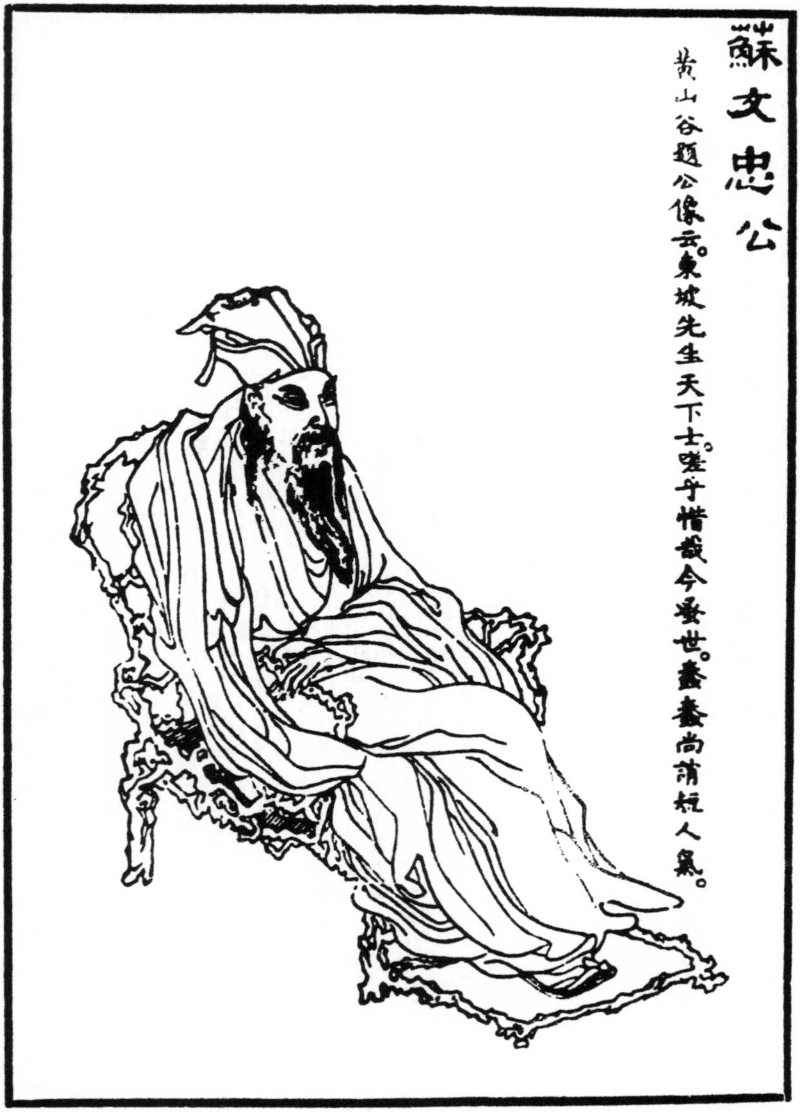
蘇文忠公
黃山谷題公像云。東坡先生天下士。嗟乎惜哉今無世。蠢蠢尚請婦人氣。

蘇文定公

東坡先生跋公老子解後，謂不意老年見此奇特。於栢賢堂記則謂：讀之便如在堂中見水石陰森草木膠葛。至書超然堂賦後，則以為子由之文詞理精確有不及吾，而體氣高妙吾所不及。此文精確高妙，殆兩得之。記其所和八月四日詩則謂子由詩過吾遠甚。

三蘇及其散文之研究目錄

黃序

三蘇之稱，出於宋人王闢之，其澠水燕談錄云：「蘇氏文筆擅天下，目其文曰三蘇。」三蘇文筆聞名於世，其來久矣。然三蘇之文，各有其特點，蘇洵散文，論據有力，語言鋒利，縱橫恣肆，具有雄辯之說服力，歐陽修稱其文「博辯宏偉」，「縱橫上下」，蓋記實也。曾鞏亦盛贊其文「指事析理，煩而不亂」。東坡於散文，用力尤勤，故其爲文，議論則風生，氣勢充沛，寫景則描繪逼眞，境界若畫，自稱「吾文如萬斛泉源，不擇地而出。」誠非虛言。蘇轍生平學問，深受父兄之影響，其文得自於養氣，擅長政論，其風格汪洋澹泊，有秀麗深醇之氣。大抵三蘇文之，均以氣勝。故俱皆列名爲唐宋八大家。

吾友陳雄勳教授，研究三蘇文之文，歷有年所，有多種著述問世，近更深入探討，成三蘇及其散文之研究一書，詳述三蘇之思想淵源，考証其家世年譜著作，並論述其對文壇之影響，深得蘇文博辯宏偉之長，余拜讀之後，因綴數語即以爲序。

民國八十年三月十四日黃錦鋐書

自序

唐、宋八大散文家中，自來多尊韓柳，觀大學院校中文系中，有將韓柳文列爲選修，而三蘇文則未聞列爲選修者，可知其梗概。當前國家社會已趨向多元化，自由創作思潮早已有貫古今而通中外之勢，三蘇與其散文自更有一體研究之價値：

第一、三蘇文思想涵容之博大性：中華文化博大精深，在秦漢以前，除孔子儒家外，尙有老、莊之道家思想、申不害、愼到、韓非等之法家思想、公孫龍之名家思想、墨翟之墨家思想，其它如陰陽家、縱橫家等等，可謂羣賢並出，百家爭鳴；迨至漢武帝獨尊儒家之後，至唐之韓愈出，力排佛、老，柳宗元則尊儒而略涉老莊、歐陽修、王安石、曾鞏均尊儒而排佛，獨蘇家父子渾涵各家，熔冶中華文化精華於一爐，談復興中華文化而不研究三蘇及其散文者，其可乎！

第二、三蘇文爲文藝自由創作之指引明燈：當前文藝創作自由之思潮洶湧澎湃，正指引政治奔向民主，經濟奔向自由之道邁進，三蘇文崇尙自由創作，不拘限於一家一派，實爲文藝創作之指引明燈，故若論自由文藝而不研究三蘇及其文者，豈非買櫝而遺其珠乎！此余所以費十餘年之時光，致力於三蘇及其散文之研究，雖年逾耳順而不自知也。

本書分九章：第一章、緒論，說明研究三蘇文之動機，時人研究之概況，與個人研究之方法；第二章、三蘇年譜，以明三蘇之生平，從而知其文學生命成長之過程；第三章、三蘇著述之考徵，以明三蘇著作之豐及其版本之同異，而有所採擇；第四章、三蘇與北宋散文運動發生之原因，從而論定三蘇實集北宋散文運動之大成；第五章、論述三蘇文之淵源；第六章、論述三蘇文之特色；第七章、論述後世學者對三蘇文之評價；第八章、論述三蘇文對後世文壇之影響；第九章、結論。

中華民國八十年元月十日知止陳雄勳自序於台北

第一章　緒　論

第一節　研究三蘇文之動機

唐、宋八大散文家，余獨取三蘇文作爲研究之對象，其動機有二：

第一、三蘇文藝思想之超越時空性，迥非他家所可比擬。現代散文家常有所謂古典散文與現代散文之稱，此或多或少係囿於時空觀念使然。焦循雕菰樓文集文說云：「學者以散行爲古文，散行者，質言之者也，其質言之何也。有所以言之者，而不可不以質言也。夫學充於此，而深有所得，則見諸言者，自然成文，如河之水，隨高下屈折以爲波瀾，水不知也。」今人據此以謂「古文」乃「散文」之精者，即是一例。其實「古文」、「散文」乃先後取名之異耳，同是以別於四六對偶有聲律之駢文而言之一種文體。且「散文」一詞早見宋人羅大經鶴林玉露：「四六特拘對耳，仍貴渾融有味，與散文同。」並非譯自西洋prose與essay而來①。桐城鉅子劉大櫆論文偶記中，強調散文之準則，以「神氣」行文，講求「自然」，字句之短長，聲調之抑揚高下，以及辭義之排比，均無一定之規律，但求參差而多變化，用字措詞務出於已意②。此實淵源於三蘇父子之文藝論。西人霍夫曼（C. Hugh

Halman）所編之 A Hand Book to Literature 一書謂「prose」四大要素：1.不必有規律準確之韻律；2.須合乎文法與邏輯，且敘述清楚；3.且有一般共識之文字風格；4.任何事物皆可入之，不受限制，亦不出三蘇文論之範疇。明允謂風水相遭，自然成文，乃天下之至文③；東坡則謂其文曰：「吾文如萬斛泉源，不擇地而出，在平地滔滔汩汩，雖一日千里無難；及其山石曲折，隨物賦形，而不可知也。所可知者，常行於所當行，止於不可不止，如是而已，其它非吾所知也。」④在策略總敘讚美戰國散文「其言語文章雖不能屬通於聖人，而皆卓然屬於可用，以於其意之所謂誠然者。」「屬意而不求於言，信己而不役乎人。」而責斥「忘己以徇人」之射策決科之學。在思堂記中云：「言發於心，而沖於口，吐之則逆人，茹之則逆予。以爲寧逆於人也，卒吐之。」子由則在上樞密韓太尉書中謂：「文者氣之所形，然文不可以學而能，氣可以養而致。」以「太史公行天下，周覽四海名山大川。」故其文「疎蕩有奇氣。」亦即文心雕龍所謂：「屈平所以能洞鑒風騷之情者，抑亦江山之助乎」之意。由此可知三蘇父子之文藝觀，誠可謂古今一理，中外相通，三蘇文益顯其超時空性之價值矣。

第二，三蘇文影響之深遠，爲諸文家之最：唐、宋八大散文家中韓愈、柳宗元首舉散文運動之大纛，而有唐人傳奇之產生，厥功固偉。但不旋踵而西崑崛起，唐代散文運動即漸告式微。歐陽修以主貢舉之權，力矯西崑頹弊，散文運動又蓬勃開展，王安石、曾鞏卓然散文名家，但均囿於儒家之道，而拒斥佛、老之學，故其影響之深遠，遠不及眉山三蘇父子。歷代以父子三人同享文壇盛譽者，宋代有三蘇，三蘇之前有魏國三曹—曹操、曹丕、曹植，三蘇之後有明代三袁—袁宗道、袁宏道、袁中道。三曹以在朝之尊，倡導自易爲力。但建安諸子文行不一，其所創作，遠不逮三蘇。三蘇父子，出身田野，以文行一致，創作藝術卓絕，反能影響深遠，而非其它文家所可及。三袁公安體，即憲章三蘇文之流裔也。因歷代慕效蘇文者，層巒疊岫，連綿不斷，直至清季而不少衰，即民國八年五四新文藝運動，亦非散文運動之結果⑤，乃是開創散文運動之新生命。蓋五四運動，主以白話易文言，僅是表達語言方式之改革，而新文藝理論仍不脫三蘇文藝論之觀點。且所謂「文言」、「白話」，本無二致。袁宗道云：「時有古今，語言亦有古今；今人所詫異奇奧字句，安知非古之街談巷語耶？」吾人今日所謂之「文言」，實乃古人之「白話」，今日之「白話」，將爲後人之「文言」，此語言演變自然之理，故以「白話文學」之興起，即爲「散文運動」之結束，是猶謂有「自來水」，而無復有「地下水」矣，豈理也哉？故五四新文藝運動，實「散文運動」邁入一新境界，爲三蘇文開創新生命，增添新活力也。三蘇文藝思想因其超時空性，故其影響深遠，歷久而彌新，爲他家所未及也。

附註

①見國立編譯館中華叢書編審委員會五十五年六月出版，馮書耕、金仭千合著「古文通論」。

②見古典文學第五册游喚古典散文與現代散文引言。

③見蘇明允仲兄字文甫說。

④見宋史蘇軾本傳。

⑤黃春貴宋代古文運動探究，以爲民初文學運動，即唐、宋八大家古文功成而身退，爲白話所取代。筆者不敢苟同。

第二節　三蘇文研究概況與方法

時人研究三蘇者，以易蘇民之三蘇年譜彙證，用功最深，徵引譜主之著作書奏、制敕、敘傳、銘記、詞賦、題跋、筆記，並參稽同時人之文集、年譜、傳說、論述、隨筆、雜記、與夫正史、別史、雜史、頗求其詳，尤其紀年以宋紀元爲主，並繫地支、民元譜主年壽，甚有新意。易蘇民三蘇著述考，搜集三蘇著作亦頗用心；謝武雄蘇洵言論及其文學之研究，對明允之生平、著述、思想言論、文學風格與影響，均見其搜尋之勤，但微嫌繁雜，末附明允年譜，雖簡略，仍具有參考價值；曹銘之東坡詞編年校注及其研究，對東坡詞之特徵，風格及其寫作之藝術，多有詳析，其蘇詞之編年，多以王文誥蘇詩總案爲主，再參校他家，亦費心血。張健之蘇軾的文學批評研究，對東坡之詩文各有論列，並將東坡對歷代作家之批評逐一論述，當有其學術價值；曾棗庄之蘇洵評傳、三蘇文藝思想二書頗有見解，有參考價值。洪禹欽蘇東坡文學之研究，雖其章次有序，內容仍稍粗疏。其它散見於雜誌或專書中之單篇論著，或失之過簡，或失之輕率，或考據有誤，將於本書各章中分別述及。遍搜時人有關三蘇之研究，以屬於東坡者居多，子由則幾近闕如。筆者以三蘇父子之文，雖明允奇崛，東坡雄偉，子由疏宕，各具風格，但父子相師，思想一脈，不作一體之研究，不足以彰顯其「人傳元祐之學，家有眉山之書」之眞貌。故不揣謭陋，專以三蘇之生平背景與著述及其散文之思想淵源，特色對後世文壇之影響，作一體系完整之研究而成斯書。

　　夫欲明一文學家之成長歷程，必先明其譜系，詳其家世與生平，故對三蘇年譜，曾作充分之考徵，務求其正確，於是以易蘇民三蘇年譜彙証為基礎，王文誥蘇詩總案為輔助，再校以王宗稷東坡先生年譜，永樂大典孫汝聽蘇潁濱年表、續資治通鑑，曹樹銘東坡先生年譜、曾棗庄蘇洵評傳、蘇潁濱年譜、蔡上翔王荊公年譜考略以及三蘇詩、文、詞集、諸家文集、筆記等、補其缺漏，去其繁冗，正其謬誤，明其源委，使人瞭解譜主一生之心路歷程。

　　三蘇之著述，經元祐黨禁之厄，而益顯其光輝，正如日月麗天，雖雲霧掩於一時，終破晦而摛暳也。楊萬里誠齋集卷八十三杉溪集後序云：「仁宗時則有若六一先生主斯文之夏盟；在神宗時則有若東坡先生傳六一之大宗；在哲宗時則有若山谷先生續國風、雅、頌之絕絃。視漢之遷、固、卿、雲，唐之李、杜、韓、柳，蓋奄有而包舉之矣。中更羣小崇姦，絀正目為僻學，禁而錮之，蓋斯文至此而一厄也。惟我廬陵，有瀘溪之王，杉溪之劉，兩先生身作金城，以郛此道。自王公遊太學，劉公繼至，獨犯大禁，挾六一坡谷之書以入，晝則庋藏，夜則繙閱。每伺同舍生息燭酣寢，必起坐吹燈，縱觀三書。逮暇，或哦詩句，或續古文，每一篇出，流布輦轂，膾炙薦紳，紙價為高，……今兩先生遠矣。……是時，書肆畏罪，坡谷三書，皆毀其印，獨一貴戚家刻印之，率黃金斤易坡文十，蓋其禁愈急，其文愈貴也。」②

世之慕效三蘇之著述者夥，轉相篡鈔，難免魯魚亥豕，眞僞互見。尤以東坡著述爲甚。東坡答劉沔都曹書云：「世之蓄軾詩文者多矣，率眞僞相半，又多爲俗子所改竄，讀之使人不平。然亦不足怪，識眞者少，蓋自古所病。……李太白、韓退之、白樂天詩文，皆爲庸俗所亂，可爲太息。今足下所示二十卷，無一篇僞者，又少謬誤。」又與陳傳道五首中云：「錢塘詩皆率然信筆，一一煩收錄，祇以暴其短耳。某方病市人逐利，好刋某拙文，欲毀其板，矧欲更令人刋耶？當俟稍暇，盡取舊詩文，存其不甚惡者爲集，以公過取其言，當令錄一本奉寄。今所示者，不惟有脫誤，其間亦有他人文也。」本書論述之前，既考其眞僞，故僞作於本書不再贅述。而後世評選箋註之作，各就其意，加以采輯評註，或薈萃衆說，或獨抒己見，如斯之類，更難數計，其傳刻者，或據古本，或據近刻，恣意增删，逞臆妄改，故本書撰述，去其僞作，遍檢宋以降諸家書目，及台灣各圖書館庋藏三蘇著述，略依四部順序排比，述其內容及刻板源流，記其板式行款，勘其優劣同異，庶幾與年譜相印證焉。

觀三蘇年譜，而知其著述之心路；讀三蘇著述，可知其集北宋散文運動之大成，更從而索知其散文之淵源，研味其散文之特色，或掀髯而歡愉，或扼腕而慨喟，心通其微，神合其莫矣；故後世學者對其散文與學養，均給予最高之評價，其於後世文壇影響之既深且遠，爲他家所不逮，誠非偶然也。筆者即依此脈絡撰述斯書，未敢言有一得之愚，謹以質諸賢者。

附註

①見明一統志。

②見四部叢刊本頁六九五—六九六。

第二章　三蘇年譜

第一節　三蘇譜系

明允嘉祐集族譜後錄上篇云：

蘇氏之先，出於高陽，高陽之子曰稱。稱之子曰老童，老童生重黎及吳回。重黎爲帝嚳火正，曰祝融，以罪誅，其後爲司馬氏，而其弟吳回復爲火正。吳回生陸終，陸終生子六人：長曰樊，爲昆吾；次曰惠連，爲參胡；次曰來言，爲會人；次曰安，爲曹姓；季曰季連，爲芊姓。六人者，皆有後。其後各分爲數姓。昆吾始姓己氏，其後爲蘇、顧、溫、董。當夏之時，昆吾爲諸侯伯，歷商而昆吾之後無聞。至周有忿生爲司寇，能平刑以教百姓，周公稱之，蓋書所謂司寇蘇公者也。司寇蘇公與檀伯達皆封於河，世世仕周，家於其封，故河南河內，皆有蘇氏。六國之際，秦及代厲，其苗裔也。至漢興，而蘇氏始徙入秦。或曰：高祖徙天下豪傑，以實關中，而蘇氏遷焉。其後曰建，家於長安杜陵，武帝時爲將，以擊匈奴有功，封平陵侯，其後遂家於其封。建生三子：長曰嘉，次曰武，次曰賢。嘉爲封車都尉，其六世孫純，爲南陽太守，生子曰章，當順帝時，爲冀州刺史，又遷爲幷州，有功於其人，其子孫遂家於趙郡。其後至唐武后之世，有味道，味道聖曆初爲鳳閣侍郎，以貶爲眉州刺史，遷爲益州長史，未行而卒。……自益州長味道，至吾之高祖，其間世次皆不可紀，而洵始爲族譜。①

仙溪傅藻東坡紀年錄云：

蘇氏出自高陽，而蔓延天下。唐神龍（唐中宗年號，公元七〇五年至七〇七年）初，長史味道刺眉，一子留眉，眉有蘇氏自此始。（**勳案**：近人費海璣文學研究續集第三〇〇頁蘇軾研究云：「蘇洵族譜，說他的遠祖是蘇味道，『唐刺眉州，卒於官，一子留於眉，眉之有蘇氏自此始。』他這話一開口便錯了。味道相武后，名聲不好，何得說作唐高祖朝臣？」費海璣誤神龍爲神堯，一字之差，下驚人之異斷，不可不辨正。）公高大父祜，曾大父杲，大父序，三世皆不顯。序三子：曰澹、曰渙、曰洵。洵，字明允，公父也。澹、渙皆以文學舉進士，而渙至都官郎中。序以渙官，故任大理評事致仕，累贈尚書職方員外郎。……公曾以大父以公與子由登朝，贈太子太保，大父贈太子太傅，父贈太子太師。②

唐書宰相世系表云：

蘇氏出自己姓，顓頊裔孫，吳回爲重黎，生陸終，生樊，封於昆吾，吾之子封於蘇，其他鄴西蘇城是也。蘇忿生爲周司寇，世居河內，後徙武功杜陵。至漢，代郡太守建，徙扶風平陵，封平陵侯。三子：嘉、武、賢。嘉奉車都尉。六世孫南陽太守甲陵鄉侯純，字桓公，生章，字孺文，幷州刺史。五世孫魏東平相都亭剛侯則，字文師，四子：恬愉遁擾，愉字休豫，晉太常光祿大夫尚書，七世孫彤，二子：雅、振。……趙郡蘇氏，出自漢幷州刺史章之後，因官居趙州。③

可知蘇氏之先，出自高陽（按：古帝顓頊，佐少昊有功，國於高陽，因號高陽氏。），而眉州之蘇氏，則出自益州刺史味道。自味道至明允之高祖，其間二百餘年。嘉祐集族譜後錄下篇云：

蘇氏自遷於眉，而家於眉山。自高祖涇，則已不詳。自曾祖釿，而後稍可記。曾祖娶黃氏，以俠氣聞於鄉閭，生子五人，而吾祖祜最少、最賢，以才幹精敏見稱。生於唐哀帝之天祐二年，而歿於周世宗之顯德五年，蓋與五代相終始。歿之一年，而吾太祖始受命。是時王氏孟氏相繼據蜀，蜀之高才六人，皆不肯出仕，曰不足輔，仕於蜀者，皆其年少輕銳之士，故蜀以再亡。至太祖受命，吾祖不及見也。吾祖娶於李氏。李氏唐之苗裔，太宗之子曹王明之後世曰瑜，爲遂州長江尉，失官家於眉之丹陵。祖母嚴毅，居家肅然，多才略，猶有竇太后柴氏主之遺烈。生子五人，其才皆不同。宗善、宗晏、宗昪，循循無所毀譽，少子宗晁輕俠難制。而吾祖杲最好善，事父母極於孝，與兄弟篤於愛，與朋友篤於信，鄉閭之人，無親疏皆愛之，娶宋氏夫人，事上甚孝謹，而御下甚嚴，生子九人，而吾獨存。善治生，有餘財。……好施與。……卒之歲蓋淳化五年，推其年，則晉少帝之開運元年也。此洵嘗得之先子云爾。先子諱序，字仲先，生於開寶六年，而歿於慶曆七年，娶史氏夫人，生三子：長曰澹，次曰渙，季則洵也。④

明允娶程氏夫人，生三子：長曰景先，次曰軾，季曰轍。景先不幸早夭，而軾與轍皆能勉學有成。三女：長女、次女均不幸早夭，幼女八娘年十六適程之才，受虐待，十八歲即鬱鬱而死。軾娶鄉貢進士王方之女弗，於英宗二年（公元一〇六五年）卒。繼室即王弗從女弟閏芝，字季章。軾生子三人：長曰邁，次曰迨，季曰過，皆承務郎。妾朝雲生子遯，早夭，無子嗣。（勳案：遯早夭，無子，易蘇民三蘇年譜彙証三蘇系圖，以筌爲遯子，謝武雄從之，均誤。）孫男十二人：簞、符、箕、籌、籥、籍、節、笈、箄、竺、箾。轍娶史氏夫人，生子三人：長曰遲，次曰適，季曰遠。孫男十人：籀、簡、策、筥、範、筞、筠、箴、箱、簦。子孫繁衍，世代綿延。茲將蘇氏譜系繪表如次：

蘇氏譜系表

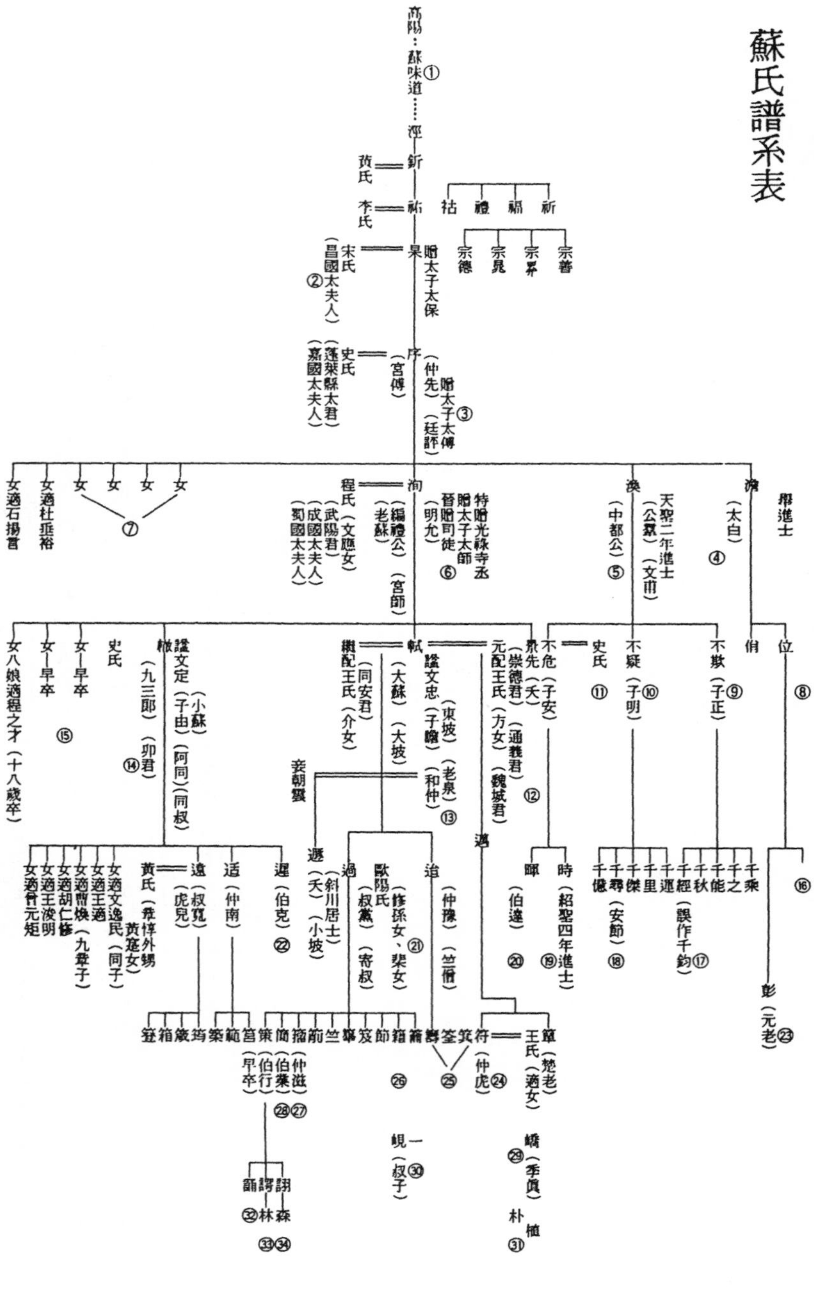
高陽：蘇味道①……涇
新 黃氏
祐 李氏
杲 贈太子太保 宋氏（昌國太夫人）②
祜 禮 福 祈
宗德 宗晁 宗昇 宗善
序（仲先）（廷評）贈太子太傅③（宮傅） 史氏（蓬萊縣太君）（嘉國太夫人）
女適石揚言 女適杜垂裕 女 女 女 女 ⑦
洵（明允）特贈光祿寺丞 贈太子太師 晉贈司徒⑥（老蘇）（編禮公）（宮師） 程氏（文應女）（武陽君）（成國太夫人）（蜀國太夫人）
渙（中都公）⑤ 天聖二年進士（公羣）（文甫）
澹（太白）④ 舉進士
女八娘適程之才（十八歲卒） 女—早卒 女—早卒 ⑮
史氏 轍（小蘇）諡文定（子由）（同叔）（阿同）（九三郎）（卯君）⑭
軾（東坡）（子瞻）諡文忠（老泉）（和仲）⑬（大蘇）（大坡）
元配王氏（方女）（崇德君）（通義君）（魏城君）⑫ 繼配王氏（同安君）（介女） 妾朝雲
不危（子安） 史氏 ⑪ 不疑（子明）⑩ 不欺（子正）⑨ 位 ⑧ 佾
女適曾元矩 女適王浚明 女適胡仁修 女適曹煥（九章子） 女適王適 女適文逸民（同子）
黃氏（寔女）（充悼外甥）
遠（叔寬）（虎兒） 适（仲南） 遲（伯克）㉒
遯（天）（小坡） 過（叔黨）（斜川居士） 歐陽氏（修孫女、棐女）㉑ 迨（仲豫）（竺僧） 邁（伯達）⑳
時（紹聖四年進士）⑲ 畢
千乘 千之 千能 千秋 千經（誤作千鈞）⑰ 千運 千里 千傑 千尋（安節）⑱ 千億
⑯ 彭（元老）㉓
篔 箱 敞 筠 築 範 筥 策（早卒） 簡（伯行）（伯業）㉘ 籀（仲滋）㉗ 篤 竺 節 箋 節 籍㉖ 符（仲虎）㉔ 簞（楚老） 王氏（適女）
㉕
嶠（季眞）㉙ 峴 一㉚（叔子）
詡 誦 諤
森 林 ㉝㉞ ㉜
朴 櫃 ㉛

附註

①見中華書局四部備要嘉祐集卷十三。

②嘉祐集明巾箱本，明天啓元年刊本，蘇轍欒城集東坡墓誌銘明各刊本，宋史蘇軾傳均作「宋氏」，商務萬有文庫嘉祐集作「朱氏」顯誤。

③見嘉祐集蘇廷評行狀，及曾鞏元豐類稿職方員外蘇君墓誌。

④嘉祐集商務版作希白誤。此從東坡先生墓誌銘作太白。

⑤見欒城集伯父墓表。

⑥見歐陽修故霸州文安縣主簿蘇君墓誌銘。

⑦嘉祐集族譜後錄下篇云「（宮傅）生子九人」。惟蘇東坡集蘇廷評行狀僅云：「生三子。……女二人，長適杜垂裕，幼適石揚言」蓋族譜後錄係包括早亡者在內，蘇廷評行狀則否。

⑧見嘉祐集祭姪位文。

⑨見蘇東坡集祭堂兄子明文。

⑩見蘇東坡集題伯父謝啓後。

⑪見蘇東坡集與史氏太君嫂。

⑫見欒城集東坡先生墓誌銘、宋史蘇軾傳，王文誥蘇詩編年總案、及王宗稷「東坡年譜」、傅藻（一作澡）「東坡紀年錄」、查慎行「東坡先生年表。」（附）崇德君，見「記先夫人不發宿藏」

；魏城君，見「安節將去詩十四首」之八。

⑬老泉被誤認爲明允之字，從南宋人始，今人曹銘蘇氏譜系，費海璣蘇軾研究文、謝武雄蘇洵言論及其文學之研究均亦從其誤。實則老泉乃東坡晚年之號，此與東坡同時之葉夢得石林燕語即已明載其詳：「蘇子瞻謫黃州，號東坡居士，東坡其所居地也。晚又號老泉山人以眉山先塋有老人泉，故云。」復據明人黃燦黃煒重編嘉祐集紀事云：「一夕余舉老泉文相質，先生（馬元調）爲析大旨，笑曰：『而亦以老泉爲明允乎？非也。老泉，固子瞻號也。吾嘗見子瞻墨跡矣，其圖書記曰：『東坡居士，老泉山人。』八字合爲一章，且歐、曾諸大家所爲誌銘哀挽詩具在，有號明允以老泉者乎？」余唯唯。然老泉之名，童而習之，一旦歸之長公，竊疑其別自有說。已而閱辨證諸書，則所以糾此誤者，援據詳實，凡三四見，而葉少蘊燕語更明列其故，葉、蘇同時，當必不謬。已又檢法書，至子瞻陽羨帖，則向所稱圖書記，允已照耀碑版矣。」所說尤詳。

⑭見宋史蘇軾傳、欒城集、潁濱遺老傳。「九三郎」見陸游老學菴筆記引東坡語。「卯君」見蘇東坡全集子由生日詩。「阿同」、「同叔」見蘇東坡全集感舊詩及注。

⑮嘉祐集祭亡妻文云：「有子六人，今誰在堂，唯軾與轍，僅存不亡」。文云：「三女皆早卒」。明允於幼女死後之八年尚作自尤長詩一首，敘文中曾謂幼女八娘幼而好學。但此詩嘉祐集未收入。

⑯歐陽修故霸州文安縣主簿蘇君墓誌銘嘉祐集祭姪位文有「汝之二孺」一語。

⑰欒城集伯父墓表云：「孫十二人……（列舉人名，因已見譜系，從略）。王文誥蘇詩編年總案，

（卷二十一第五—六頁）誥案引王注「分類東坡先生詩」：「以千乘、千之、千能、千秋、千鈞五人爲子正之子。而千鈞，墓表不載。查註併爲十三人，尤誤」。按此自應從欒城集、伯父墓表。王注所以溢出「千鈞」，似係「千經」之音誤。至於銘不疑「千鈞」爲「千尋」之音誤，說見註十八。

⑱王文誥蘇詩總案云：「詳玩（公贈安節）詩意，則安節之名，在此十（按漏二字）人中，惜無從辨別耳」。蘇東坡全集文與可有詩見寄云：「待將一段鵝溪絹，掃取寒梢萬尺長。次韻答之」，末有「世間那有千尋竹，月落庭空影許長」之句，因此斷定「安節」爲「千尋」之字。

⑲見蘇東坡全集與史氏太君嫂。

⑳王文誥蘇詩編年總案蘇邁傳云：「軾卒，葬嵩山下，因家於許，依轍爲鄰。大觀元年，起知嘉禾。又四年，罷。轍聞邁歸，有詩。是年轍亦卒，蓋政和二年也。……仕至駕部員外郎」。

㉑王文誥蘇詩編年總案蘇迨傳云：「軾卒，敦守舊學，抱遺編者十載。政和元年，年四十有二，始爲武昌管庫官，過送別，而爲之敍。」

㉒蘇遲，字伯克。建炎中，直秘閣，知婺州。見陸心源宋史翼及中國人名大辭典一七八二頁蘇遲條。子由三子欒城集作「遠」，蘇東坡全集作「遜」，以從「遠」爲正。

㉓「元老」名見蘇東坡全集，蘇轍欒城集。按蘇東坡全集與元老姪孫之「元老」。曹銘以論語「竊比於我老彭」，斷「元老」即「彭」之字，甚當。

㉔王文誥蘇詩總案蘇符傳云：「符字仲虎，幼能詩，軾呼爲作詩孫。……建炎初，由宣教郎，補國子監，遷司農承，出知蜀州。紹興中，召爲司封員外邪，試秘事少監，擢太常少卿，遷中書舍人

，兼資善堂翊善，拜給事中。八年，秦檜主和議，王倫偕金使至，詔曰：「金國遣使入境，欲朕屈己就和，命侍從臺諫詳思條奏」。符與尹惇、薛徽言及御史方廷實力言不可。九年八月，充金國賀正旦使。十二月見兀朮於東京。兀朮方謀復取河南，止之。明年三月，符知其渝盟，急歸，報兀朮分兩道入寇矣。尋試禮部侍郎，拜禮部尚書，兼侍讀。罷知遂寧府，復敷文閣待制，知饒州。乞奉祠，提舉台州崇道觀。加敷文閣直學士，起知邛州。二十六年十月乙亥卒。……」

㉕王文誥蘇詩總案云：「箕筌等乃邁迨之子，不可辨」。

㉖王文誥蘇詩總案蘇軾傳附過傳後引合註云：建炎以來繫年要錄止載紹興十年八月右丞事郎蘇籍爲太常主簿。十二年二月以詩論典禮不詳，罷。二十五年四月，以右朝散郎爲荊湖南路提點刑獄。餘俱無考」。

㉗中國人名大辭典蘇籀條云：「籀，遲子，字仲滋。年十餘歲，侍祖轍於潁昌，首尾九載，未嘗去側。官至監丞。有欒城遺言，雙溪集」。復考：蘇轍六孫名字說：「遲之子，長曰簡，幼曰策」。「適之子，長曰籀，幼曰範」。「遜之子，長曰筠，幼曰築」。蘇轍年表則謂：「遲二子簡、策。適三子籀、範、築。遜四子均、箴、箱、策。」互有出入，未知孰是。

㉘中國人名大辭典蘇簡條云：「簡，籀弟，字伯仲，有山堂集」。

㉙王文誥蘇詩總案云：「曾孫嶠，字季眞，乾道九年，孝宗既製敘贊，崇贈太師，特賜嶠（進士）出身，擢爲臺諫」。

㉚蘇過斜川集附錄上引周省齋書，乾道丁亥（西元一一六七）（宜興）泛舟游山錄云：「新大府寺丞蘇峴叔子，東坡曾孫，而過之孫，居潁昌，陷金。尚書符奉使，挈以歸。今爲駕部迨之後」。

又王案：東坡集，本傳附過傳後誥案略同。

㉛王文誥蘇詩總案云：「元孫植，官宣教郎，見建炎以來繫年要錄。元孫朴。陸放翁周平園（必大）皆與嶠朴游，故於其跋語屢見之，以是知嶠之字，朴之名」。

㉜欒城集跋：「今以家傳舊本前、後幷第三集，合爲八十四卷，皆曾主手自編類者。謹與同官及小兒輩校讎數過，侵版于筠之公帑云。時淳熙己亥中元日，曾孫朝奉大夫權知筠州軍詡謹書。」按：謌，誦既爲蘇策之子，則詡當爲蘇簡之子。

㉝宋史翼卷四：「謌子林，字伯茂，以祖（蘇簡）恩，初任紹興嵊縣主簿，再中漕舉知嚴州建德縣，建築進奏院。丁父憂，免喪，添差通判秀州，幹辦諸軍糧料院，司農寺主簿，將作函，補外知衢州，福建提舉，就除通判，轉朝議大夫。」

㉞欒城集跋：「森無所肖似，濫承人乏。到官之初，重念先君（蘇詡）所刋家集遭際，一夜之觀，實爲榮遇。其板以歲久殆不可讀，今撙節浮費，乃一新之。……開禧丁卯上元日四世孫朝奉郎權知筠州軍州事蘇森謹書。」

第二節　明允先生年譜

宋眞宗大中祥符二年己酉（公元一〇〇九年）一歲

宋史卷四四三文苑傳云：「蘇洵字明允，眉州眉山人。」

勳案：歐陽修故霸州文安縣主簿蘇君墓誌銘幷序：「君以疾卒，實治平三年（公元一〇六六年）四月戊申也，享年五十有八。」治平三年回溯五十八年，則爲宋眞宗大中祥符二年（公元一〇〇九年）。

宋眞宗大中祥符三年庚戌（公元一〇一〇年）二歲

勳案：先生之妻程氏生。司馬光程夫人墓誌銘：「夫人以嘉祐二年（公元一〇五七年）四月癸丑終於鄉里，其年十一月庚子葬某地，年四十八。」其年先生四十九歲，可見程氏小先生一歲。嘉祐二年回溯四十八年即爲大中祥符三年（公元一〇一〇年）。

宋眞宗大中祥符四年辛亥（公元一〇一一年）三歲

宋眞宗大中祥符五年壬子（公元一〇一二年）四歲

宋眞宗大中祥符六年癸丑（公元一〇一三年）五歲

蘇位生。

勳案：據先生祭侄位文：「昔汝之生，後余五年。」又據先生「蘇氏族譜」所列世系表，位爲蘇澹長子。與羣兒戲父側，並與石昌言相親近。易蘇民三蘇年譜彙証據王文誥蘇詩總案，繫於天禧元年，誤。姑就明允送石昌言北使引：「昌言舉進士時，吾始數歲，未學也。憶與羣兒戲先府君側，昌言從旁取棗栗啖我。家居相近，又以親戚故，甚狎。昌言舉進士，日有名。吾後漸長，亦稍知讀書，學句讀、屬對聲律，未成而廢。昌言聞吾廢學，雖不言，察其意甚恨。後十餘年，昌言及第第四人，守官四方不相聞」一段推斷：「司馬光石昌言哀辭云：『眉山石昌言，年十八進士，倫輩數百人，昌言爲之首，聲震西蜀。四十三乃及第。及第十八年知制誥。又三年，以疾終。光爲兒時，始執卷則知昌言名，已而同登進士第。』考司馬光年譜，司馬光與石昌言『同登進士第』，在寶元元年（公元一〇三八年），逆數四十三年，則石昌言當生於至道二年（公元九九六年），年十八舉進士，則當在大中祥符六年（公元一〇一三年）。觀此可知：1.『昌言舉進士時，吾始數歲。』『數歲』應是五歲。2.『吾漸長，知讀書，學句讀、屬對聲律。』可知明允少時，亦曾爲應試而讀書。3.往昔學『成』與否，大抵係指是否科舉及第。所謂『未成而廢』，應指進士未及第而廢學。石昌言於寶元元年進士及第，明允時年三十。設若明允十八歲初舉進士不中，至石昌言及第爲十二年與『後十餘年，昌言進士及第』正合。

一

宋眞宗大中祥符七年甲寅（公元一〇一四年）六歲

宋眞宗大中祥符八年乙卯（公元一〇一五年）七歲

宋眞宗大中祥符九年丙辰（公元一〇一六年）八歲

宋眞宗天禧元年丁巳（公元一〇一七年）九歲

宋眞宗天禧二年戊午（公元一〇一八年）十歲

宋眞宗天禧三年己未（公元一〇一九年）十一歲

宋眞宗天禧四年庚申（公元一〇二〇年）十二歲

宋眞宗天禧五年辛酉（公元一〇二一年）十三歲

父蘇序折廟毀神像。

勳案：據李廌師友談記載東坡語：「太傅（蘇序）忽乘醉呼村僕二十許人入廟，以斧钁碎其像，投溪中，而毀折其廟屋，竟無所靈，後三年，伯父初登第，……」，而蘇渙登第於天聖二年（公元一〇二四年），逆數三年，則蘇序折毀眉州茅將軍神廟應在天禧五年。

宋仁宗乾興元年壬戌（公元一〇二二年）十四歲

春正月改元，二月眞宗崩。

宋仁宗天聖元年癸亥（公元一〇二三年）十五歲

兄蘇渙就鄉試。

勳案：子由伯父墓表：「……天聖元年始就鄉試，通判州事，蔣公堂就閱所爲文，嘆其工曰：『子第一人矣。』公曰：『有父兄在，楊異，宋輔與吾遊，不願先之。』蔣公益以此賢公。……」蘇渙卒於嘉祐七年（公元一〇六二年）享年六十有二，故應生於宋眞宗咸平四年（公元一〇〇一年），天聖元年（公元一〇三三年）就鄉試，應爲二十三歲。

宋仁宗天聖二年甲子（公元一〇二四年）十六歲

蘇渙進士及第，影響鉅大。曾鞏贈職方員外郎蘇君墓誌銘：「蜀自五代之亂，學者衰少，又安其鄉里，皆不願出仕，君獨叫其子渙受學，所以成就之者甚備。至渙，以進士起家，蜀人榮之，意始大變，皆喜文學。及其後，眉之學者至千餘人，蓋自蘇氏始。」

宋仁宗天聖三年乙丑（公元一〇二五年）十七歲

兄渙爲鳳翔寶雞主薄。

勳案：據子由伯父墓表：「年廿四，登進士第授寶雞主簿。」其之任應爲天聖三年。有列在天聖二年者，未安。

宋仁宗天聖四年丙寅（公元一〇二六年）十八歲

先生初舉進士不第。考見大中祥符六年年譜。

宋仁宗天聖五年丁卯（公元一〇二七年）十九歲

先生娶妻程氏。

勳案：據司馬光程氏夫人墓誌銘：「夫人姓程氏，眉山人，大理寺丞文應之女。年十八歸蘇氏。」程氏少先生一歲，十八歲歸先生，應在先生十九歲時。

宋仁宗天聖六年戊辰（公元一〇二八年）二十歲

先生長女夭折。

勳案：據極樂院造六菩薩記云：「始余少年時，父母俱存，兄弟妻子備具，終日嬉遊，不知有死生之悲。自長女之夭不四、五年，而丁母夫人之憂，蓋年二十有四矣。」二十四歲回溯四、五年，當在二十歲時。

宋仁宗天聖七年己巳（公元一〇二九年）二十一歲

宋仁宗天聖八年庚午（公元一〇三〇年）二十二歲

先生遊玉局觀，得張仙子畫像，祈嗣。重刊嘉祐集第十八卷題張僊畫像：「洵嘗於天聖庚午（按即天聖八年）九日至玉局觀無礙子卦肆中，見一畫像，云張仙也，有感必應。因解玉環易之，且必焚香以告。逮數年，得軾，性嗜書，乃知眞人，急於接物，而無礙子之言不妄也。」

宋仁宗天聖九年辛未（公元一〇三一年）二十三歲

宋仁宗明道元年辛酉（公元一〇三二年）二十四歲

十一月改元明道。

先生母史氏夫人卒。極樂院造六菩薩記云：「自長女之夭，不四、五年。而丁母夫人之憂，蓋年二十又四矣。」

勳案：族譜後錄下篇：「史氏夫人……先公（蘇序）十五年而卒。」蘇序卒於慶曆七年（一〇四七年），逆溯十五年，即明道元年（一〇三二年）又子由伯父墓表：「（蘇渙）爲永康錄事參軍。……以太夫人憂去官。」

宋仁宗明道二年癸酉（公元一〇三三年）二十五歲

勳案：先生是年，始知專心向學，據先生上歐陽內翰第一書云：「洵少年不學，生二十五歲，始知讀書，從士君子遊。」發憤向學，係二十七歲時，諸家年譜均繫於二十五歲之時，誤。

宋仁宗景祐元年甲戌（公元一〇三四年）二十六歲

先生長子景先或生於是年，考見寶年元年年譜。

宋仁宗景祐二年乙亥（公元一〇三五年）二十七歲

先生是年始大發憤，刻厲向學，據歐陽修故霸州文安縣主薄蘇君墓誌銘幷序云：「年二十七，始大發憤，謝其素所往來少年，閉戶讀書，爲文辭。」

張方平文安先生墓表亦云：「年二十七，始讀書，不一、二年，出諸老先生之右。」

傅藻紀年錄云：「明允少不喜書，年二十有七，始發憤讀書，六年而大究六經百家之書。」

宋史文苑傳云：「年二十七，始發憤爲學。」

宋仁宗景祐三年丙子（公元一〇三六年）二十八歲

勳案：程夫人懷東坡，夢僧托宿，釋洪冷齋夜話載東坡語：「先妣方孕時，夢僧來托宿，記其頎然而眇一目。」

傅藻紀年錄云：「公姓蘇，諱軾，字子瞻。一字仲和。眉州眉山人也。十二月十九日卯時，公生於眉山縣紗縠行私第。」

東坡送沈逵：「嗟我與君同丙子。」東坡答徑山林長老：「與公同丙子，三萬六千日。」

勳案：王宗稷誤以徑山林長老爲長蘆長公，詳見東坡年譜案語。

宋仁宗景祐四年丁丑（公元一〇三七年）二十九歲

程夫人命乳母任采蓮哺乳東坡。

三月詔禮部貢舉。先生再舉進士，不中。

歐陽文忠公集卷三十四蘇君墓誌銘云：「年二十七，始大發憤……，歲餘，舉進士，再不中，又舉茂材異等，不中，」

勳案：先生死於明道元年（一〇三二年），「其後五年」，即景祐四年（一〇三七年）。先生因舉進士，東出巫峽入京，次年落榜西越秦嶺返蜀。易蘇民、謝武雄據王文誥蘇詩總案以先生應制科試，繫於慶曆五年，均誤。先生憶山送人詩，對此旅程記之甚詳，其理由：

一、慶曆五年入京應試，落第後於慶曆七年初「自嵩洛入廬山。」足見非慶曆五年越秦嶺入川。

二、詩中述東出三峽，西越秦嶺返川後云：「歸來顧妻子，壯抱難留連。遂使十餘載，此路常周旋。」而慶曆五年入京，慶曆七年因聞父喪，自虔州（今江西贛州）返川後，乃是「到家不再出，一頓俄十年。」如將此兩次行程混爲一談，則從慶歷五年至七年，僅時隔二年，何來「十餘載」？慶曆七年返川後，十年「不再出」，何來「常周旋」？三、嘉祐四年，先生攜二子入京，途中三人皆賦有「荊門惠泉詩」。先生詩云：「當年我少年，繫馬弄潺湲。愛此泉旁鷺，高姿不可攀。今逾二十載，我老泉依舊，臨流照衰顏，始覺老且瘦。」嘉祐四年先生已五十一歲。從二十九歲應進士試經此，至此時卻已逾二十載。若如王文誥所記，則慶曆五年，先生經此，則僅十四年，不得謂「逾二十載」。於此確証先生「荊門惠泉」詩爲「憶山送人」所記東出三峽入京，西越秦嶺返蜀，乃景祐四年至寶元元年，應進士試時之事。

宋仁宗寶元元年戊寅（公元一〇三八年）三十歲

先生與眉山史彥輔兄弟交遊。

勳案：據先生祭史彥輔文：「輟哭相思，念初結交，康定寶元。子以氣豪，縱橫放肆，隼擊鵬騫。」「康定寶元」實係「寶元康定」之倒文，以與「騫」壓韻。王文誥蘇詩總案，未加詳察，以此條繫於康定元年，誤。

長子景先卒，極樂院造六菩薩記云：「丁母夫人之憂，蓋年二十有四矣。其後五年，而喪兄希白，又一年，而長子死。」

勳案：子由次韻子瞻寄賀生日詩：「弟兄本三人，懷抱喪其一。」時，東坡二歲。景先長於東坡而又尚在「懷抱」，可能僅三、四歲，應生於景祐元年，或其前後。

石昌言進士及第。考見大中祥符六年本譜。

宋仁宗寶元二年己卯（公元一〇三九年）三十一歲

兄渙移判閬州，先生往視之，留數月。

子由生於二月二十日。孫汝聽蘇潁濱年表：「仁宗寶元二年己卯，二月丁亥，蘇轍生。」

勳案：東坡與程正輔提刑書：「其中乃是子由生日香合等，他是二月二十日生。」子由和子瞻沈香山子賦；「仲靑仲林，子由於是生。東坡老人居於南海，以沈水香山遺之，示以賦曰：『以爲子壽。』乃和而賦之，其詞曰：『我生斯晨，閱歲六十。』」東坡此賦作於紹聖五年（公元一〇九八年），時貶官雷州，逆數六十年，則子由當生於寶元二年。

先生與董儲交遊。

勳案：據東坡「董儲郎中嘗知眉州，與先人遊，過安丘，訪其故居，見其子希甫，留詩屋壁」

；王注引堯卿曰：「董儲，密州安邱人，寶元二年以都官員外郎知眉州。」

先生與陳公美交遊，拜陳爲兄。

勳案：先生答陳公美：「念昔居鄉里，……拜君以爲兄，分蜜誰能開？齒髮俱未老，未至衰與頹。我子在襁褓，君猶無嬰孩。」以「我子在襁褓」推估，當繫於寶元二年，蓋時東坡僅三歲，子由僅一歲也。

宋仁宗康定元年庚辰（公元一〇四〇年）三十二歲

先生通六經百家之說，下筆頃刻數千言。

勳案：據歐陽修云：「（洵）益閉戶讀書，絕筆不爲文辭者五六年，乃大究六經百家之說，以考質古今治亂成敗聖賢窮達出處之際，得其精粹，涵蓄充溢，抑而不發。久之，慨然曰：可矣。由是下筆頃刻數千言，其縱橫上下，出入馳驟，必造於微深而後止。蓋其稟也厚，故發之達，志之鑿，故得之精。」復據宋史文苑傳云：「閉戶、益讀書，遂通六經百家之說，下筆頃刻數千言。」當繫於康定元年。

宋仁宗慶曆元年辛巳（公元一〇四一年）三十三歲

十一月改元大赦。

先生幼姊（即適石昌言者）卒。

勳案：極樂院六菩薩記：「長子（景先）死，又四年而幼姊亡。」景先死於寶元元年（公元一〇三八年）至此爲四年。易蘇民、謝武雄據王文誥蘇詩總案繫於慶曆二年，誤。

宋仁宗慶曆二年壬午（公元一〇四二年）三十四歲

孫叔靜生，後從先生學。

時東坡七歲，始讀書。

東坡上梅直講書：「軾七、八歲時始知讀書。」當繫慶曆二年。

宋仁宗慶曆三年癸未（公元一〇四三年）三十五歲

宋仁宗慶曆四年甲申（公元一〇四四年）三十六歲

先生與張俞交遊。

勳案：東坡張白雲詩跋：「張俞少愚，西蜀隱君子也。與予先君遊居岷山下白雲溪，自號白雲居士。本有經世志，以自重難合，故老死草野。」王稱東坡事略張俞傳：「張俞字少愚，益之郫人也。少嗜書，好爲詩，西戎犯邊，上書陳攻取十策。宰相呂夷簡曰：『魏元忠所上書不及也。』詔以爲校書郎，召俞赴闕，俞不起。乃上書夷簡，夷簡亦重其言。又下詔敦促，大臣屢薦，凡六詔起之，卒不起。遂隱居青城山之白雲溪。」宋史文彥博傳：「元昊來寇，圍城十日，知有備，解去。遷天章閣待制……知秦州，轉益州。……召拜樞密副使，參知政事。」又宋史宰相表慶曆七年欄：「文彥博……知益州加右諫議大夫，除樞密副使，丁酉，除參知政事。」可見石室先生年譜謂慶曆四年至七年文彥博知益州甚正確。而文知益州後始爲張俞置青城山白雲溪杜光庭故居，則明允與張俞游白雲溪，當在此時或其後。王文誥繫此事於寶元元年，實誤。

先生作蘇氏族譜。

勳案：明允自慶曆五年出川，至慶曆七年父死始返蜀，故蘇氏族譜當作於慶曆五年前。

父蘇序戒其子孫勿執事學中。

曾鞏蘇序墓誌銘：「慶曆初，詔州縣立學取士，爭欲執事學中。君獨戒其子孫退避。」

宋仁宗慶曆五年乙巳（公元一〇四五年）三十七歲

先生遊京師，有史彥輔同行，並見石昌言於長安。先生祭史彥輔文：「……旅游王城，飲食寤寐，相恃以安。」

勳案：先生送石昌言北使引：「又數年游京師，見昌言長安……出文十數首，昌言甚喜稱善。……今十餘年，又來京師。」該文作於嘉祐元年（一〇五六年），上溯至慶曆五年，正十年有餘。

先生遊學在外，程氏夫人親授東坡兄弟以書。

先生次女卒。

勳案：極樂院六菩薩記：「幼姊亡，又五年，而次女卒。」先生幼姊亡於慶曆元年，「又五年」即慶曆五年。又子由東坡先生墓誌銘：「公生十年，而先君宦學四方，太夫人親授以書。」又司馬光程夫人墓誌銘：「夫人喜讀書，皆識其大義。軾、轍之幼也，夫人親教之。」

宋仁宗慶曆六年丙戌（公元一〇四六年）三十八歲

夫人程氏，僦居紗縠行宅。

勳案：東坡幼居紗縠行宅，初不知始於何時。乃考先夫人不發宿藏事云：「先夫人僦居於眉之紗縠行，二婢熨帛，足陷於地，視之深數尺。有一甕，覆以烏木板，夫人命以土塞之，甕中有物，如人咳聲，凡一年而已。人以爲有宿藏物欲出也，夫人之侄之問聞之欲發焉。會吾遷居，之問遂僦此宅，掘丈餘不見甕所在。」以此知在先生游學四方之後也。明年先生歸，始改南軒爲來風軒，今據此定爲慶曆六年事。

宋仁宗慶曆七年丁亥（公元一〇四七年）三十九歲

先生與史彥輔同舉制策，皆不中。

勳案：先生祭史彥輔文云：「慶曆丁亥，詔策告罷，子將西轅，慨然有懷，吾親老矣；甘旨未完，往從南公，奔走乞假，遂至于虔。」旋歸蜀。憶山送人詩：「歸來顧妻子，壯抱難留連。遂使十餘載，此路常周旋。」可知歸後十年不復出。自嘉祐四年再出，逆數至慶曆七年丁亥，正十餘年。曾棗庄將其繫在慶曆六年，誤。而易蘇民據王文誥蘇詩總案，以先生再出蜀，繫於嘉祐元年，亦誤。

先生落第，兄蘇渙作詩相贈。先生自嵩洛游廬山。

勳案：王文誥蘇詩總案，慶曆七年條下云：「宮師與史經臣同舉制策，中都公（蘇渙）閬中解還，遇於都門，賦詩送宮師下第有『人稀野店休安枕，路入靈官穩跨驢』之句，遂自嵩洛之廬山，游東西二林。」

先生父序五月十一日乙酉卒於家。

勳案：東坡蘇廷評行狀：「慶曆七年五月十一日終於家，享年七十有五。」又與曾子固書：「軾逮事祖父。祖父之歿，軾年十二矣。」東坡生於仁宗景祐三年（公元一〇三六年）至仁宗慶曆七年（公元一〇四七年）正十二歲。又穎濱年表亦云：「慶曆七年丁亥五月十一日轍祖文序卒。」姜亮夫歷代名人年里碑傳總表、楊家駱主編歷代人物年里通譜，均據曾鞏贈職方員外郞蘇君墓志銘，以蘇序之死，爲慶曆五年，誤。

先生欲游五嶺，八月聞父卒，匆匆返蜀。

兄蘇渙亦赴喪返蜀，東坡兄弟始識伯父渙。

先生作名二子說，勉東坡兄弟。改南軒爲來風軒。先生以鼂繹先生詩文示東坡（見鼂絳先生文集敍），又命東坡擬作謝宣詔赴學士院仍謝對衣，金帶及馬表。

宋仁宗慶曆八年戊子（公元一〇四八年）四十歲

先生以家艱閉戶讀書，因以行學，授二子曰：是庶幾能明吾學者。

二月，葬父於眉山安道里先塋之側。（見蘇廷評行狀）又：欒城集伯父墓表云：「職方君歿，葬逾月，芝生於墓木，鄉人異焉。」

宋仁宗皇祐元年己丑（公元一〇四九年）四十一歲

先生杜門家中。

宋仁宗皇祐二年庚寅（公元一〇五〇年）四十二歲

幼女適表兄程之才。

勳案：宋殘本類編增廣老蘇先生大全文集卷二：「壬辰之歲而喪幼女。」「既適其母之兄程濬之子之才，年十有八而死。」「生年十六已嫁，日負憂責無歡欣。」壬辰歲即皇祐四年（公元一〇五二年），時幼女十八歲；十六歲適程之才，當在皇祐二年。

先生拜見知益州守田況。

勳案：據續資治通鑑卷五十一仁宗皇祐二年十一月戊戌條載：『召知益州田況權御史中丞……況在蜀踰二年……蜀人愛之。』可知田況知益州當在慶曆八年下半年至皇祐二年十一月期間，先生見田況應在皇祐二年間。

宋仁宗皇祐三年辛卯（公元一〇五一年）四十三歲

先生兄弟居喪期滿，兄渙除祥符令。子由伯父墓表云：「服除，遷知祥符，祥符多富貴家，公均其繇賦，而平其爭訟，民便安之。」

宋仁宗皇祐四年壬辰（公元一〇五二年）四十四歲。

幼女因受虐待，鬱鬱而死。

勳案：極樂院六菩薩記：「先君去世……又六年而失其幼女。」先生父序卒於慶曆七年，「又六年」即爲皇祐四年，王文誥蘇詩總案繫之於皇祐五年，誤。

先生自尤詩并敘：「濬本儒者，然內行有所不謹，其妻尤好爲無法。吾女介於其間，因爲其家之所不悅。適會其病，其夫與留力，姑遂不之視而急棄之，使至於死。」

宋仁宗皇祐五年癸巳（公元一〇五三年）四十五歲。

宋仁宗至和元年甲午（公元一〇五四年）四十六歲。

三月，改元。

先生爲長子東坡娶妻王氏。王氏名弗，眉州青神貢士王方之女。

十一月張方平鎮蜀，訪知明允其人。

宋仁宗至和二年乙未（公元一〇五五年）四十七歲

先生上書張方平。

遊成都，謁張方平，方平一見，以國士遇。

先生訪雷簡夫於雅州。

勳案：王文誥蘇詩總案，繫此事於慶曆七年，謂：「慶曆丁亥，宮師遊廬山，謁雷簡夫；越九年，重見雅州。」斷言「明允與雷簡夫訂交於九江。」而先生憶山送人詩：「昨聞廬山郡，太守雷君賢。往求與識面，復見山岳蟠。」明言係廬山郡守雷君，王文誥蓋誤廬山郡爲廬山所致。宋史、東都事略均有雷簡夫傳，只載雷簡夫字太簡……康定中樞密使杜衍薦之，召見以祕書省校書郎答書秦州觀察判官……知坊州，徙閬州，用張方平薦，知雅州。」從無出知九江之事。宋史、地理志五：「雅州，上，盧（嘉祐集誤刋盧爲廬）山郡。」廬山郡即雅州也。（見讀史方輿紀要，四川）再細觀憶山送人詩全無言及謁簡夫事，而爲自廬山歸省「一頓俄十年」之後，始言及「往求與（雷）識面。」也。

雷簡夫致書張方平，勸其再薦先生。

先生送吳照鄰赴闕，吳攜先生文致歐陽修。

勳案：王文誥蘇詩總案因誤憶山送人詩中之吳君為吳中復，而繫此事於皇祐三年（公元一〇五一年）。吳中復為興國永興（今湖北陽興）人，而憶山送人詩所送之吳君，詩中已明言為「潁川秀」，即今河南許昌人。王文誥張冠而李戴，顯而易見。又先生送吳職方赴闕引：「吳侯有名於世三十年，而猶於此為遠官，今其東歸，其不碌碌為此官也哉！」東坡跋先君送吳職方引：「先伯父乃第吳公榜中。先君家居，人罕知之。公攜其文至京師，歐陽文忠始見而知之。」蘇渙與吳照鄰同科及第於天聖二年（公元一〇二四年），至至和二年（公元一〇五五年）為三十一年。先生言「吳侯有名於世三十年。」乃言其整數。故吳攜先生文赴闕，當在此時。

先生為子由娶妻史氏

宋仁宗嘉祐元年丙申（公元一〇五六年）四十八歲

九月，改元。

正，先生畫張方平像於淨衆寺，作「張益州畫像記」。

三月，先生攜二子赴京秋試。史沆已卒，而經臣亦病廢，強起餞之。

雷簡夫致書歐陽修、韓琦，推薦明允。

張方平資送先生父子上京，離成都，經閬中出褒斜，發橫渠鎮，同遊崇寺院。入鳳翔驛；驛壞不可居，出次逆旅。有「途次長安上都曹傅諫議」詩。至河南、馬死二陸間，騎驢至澠池，止於奉閑僧舍。五日，抵京師，館於興國寺浴室老僧德香之院，其侍者則惠清也。九月，上「歐陽內翰第一書」，並上「洪範史論」七篇，修已聞於吳照鄰，乃攜雷簡夫，張方平書往謁。修大愛其文辭，以爲賈誼、劉向不過也，遂上諸朝。並上書韓琦，琦禮其人而不用其議，上富丞相書，上田樞密書。上余青州書。十九日作「送石昌言使北引」，以賀其使契丹。韓琦以宰執集私第，先生以所著權書及雷簡夫書上韓琦，先生以布衣預會賦詩。又作「歐陽永叔白兔」詩。陳景回治園囿於蔡宮，欲居洛而志未遂；遂作「道卜居意贈陳景回」詩。

歐陽修故霸州文安縣主簿蘇君墓誌銘序曰：「當至和嘉祐之間，與其二子軾、轍偕至京師；翰林學士歐陽修得其所著書二十二篇，獻諸朝，書既出，而公卿士大夫爭傳之。其二子舉進士，皆在高地，亦以文章稱於時。眉山在西南數千里外，一日，父子隱然名動京師，而蘇氏文章，遂擅天下。……自來京師，一時後生學者，皆尊其賢，學其文以爲師法，以其父子皆知名，故號老蘇以別之。」張方平曰：「君然僕言，永叔一見，大稱歎，以爲未始見夫人也。目爲孫卿子，獻其書於朝，自是名動天下，士爭傳誦其文，時文爲之一變，稱爲老蘇。」時相韓公琦聞其風，而厚待之，嘗與論天下事，亦以爲賈誼不能過也。然知其才而不能用，初作昭陵凶禮廢闕，琦爲大禮使，事從其厚，調發輒辦，州縣騷動，先生以書諫韓琦且再三，至引華元不臣以責之，琦爲變色，然顧大義，爲稍省其過甚者，及先生沒，韓亦頗自咎恨，以詩哭曰：『知賢而不早用，愧莫先於余者矣。』先生亮直寡合，有倦游之意，獨與其子居，非道義不談，至於名理稱會，自有孔顏之樂，一廛一區，侃侃如也。」

曾鞏曰：「嘉祐初，始與其二子軾、轍復去蜀游京師，今參知政事歐陽公，爲翰林學士，得其文而異之；以獻於上；既而歐陽修爲禮部，又得其二子之文，擢之高第，於是三人之文章，盛傳於士，得而讀之者，皆爲之驚，或歎不可及，或慕而效之，自京師至於海隅障徼，學士大夫，莫不人知其名，家有其書。」

脫脫曰：「至和嘉祐間，與其二子軾、轍皆至京師，翰林學士歐陽修上其所著書二十二篇。既出，大夫爭傳之，一時學者競效蘇氏爲文章。所著權書衡論機策，文多不可悉錄。」

先生上張侍郎第二書，言甚淒切。

勳案：審視書中所言，「昨聞車馬至此有日，西出百餘里迎見。雪後苦風。」可知張方平還京，當是在是年冬天。又據續資治通鑑卷五十六嘉祐元年八日條載：「詔端明殿學士，知益州張方平爲三司使。」亦可推知張方平到京之行程，約達兩個多月。

先生於歐陽修席上初見王安石，並拒與王交游。

勳案：張方平文安先生墓表：「嘉祐初，王安石名始盛，黨友傾一時。……歐陽修亦善之，勸先生與之遊，而安石亦願交於先生，先生曰：『吾知其人也，是不近人情者，鮮不爲天下患。』」據龔頤正芥隱筆記，葉夢得避暑後錄及邵博聞見後錄諸書所載，王蘇交惡，應係起於文字筆墨及治學政事見解不同所致。芥隱筆記：「荊公在歐陽座，分韻……老蘇得『而』字，押『談詩究乎而』而荊公乃又作『而』字二詩……最爲工。君子不欲多上人，王蘇之憾，未必不稔於此也。」避暑後錄：「蘇明允本好言兵，見元昊反，西方久事無功，天下事有當改作。因挾其著書，嘉祐初來京師，一時推其文章。王荊公爲知制誥（其實王安石時任羣牧判官，非知制誥），方談經術，獨不嘉之，屢詆於衆，以故明允惡荊公，甚於讎敵。」聞見後錄：「洵機策，衡論文甚美，然大抵兵謀、權利、機變之言也。」易蘇民據王文誥蘇詩總案，繫此條於嘉祐五年，已非嘉祐初年矣，誤。

宋仁宗嘉祐二年丁酉（公元一〇五七年）四十九歲

二月，以翰林學士歐陽修知貢舉，東坡兄弟同科進士及第。

先生上書韓絳。

勳案：先生上韓舍人書：「時或作爲文章，亦不求人知……是以逾年在京師，而其平生所願見如君侯者，未嘗一至其門。有來告洵以所欲之之意，洵不敢不見。……君侯爲兩制大臣，豈欲見一布衣與論閒事耶？此洵所以不敢遽見也。自閒居十年，人事荒廢，漸不喜承迎……今君侯辱先求之，此必有以異乎時俗者也。」「逾年在京師」，可知此書作於嘉祐二年。「兩制大臣」主動求見先生，足見其文名之大。

四月八日夫人卒於家。司馬光作程夫人墓誌，並見王宗稷年譜，及傅藻紀年錄。

五月，先生與吳照鄰遇於都門，及訃至，變出不意（按：費海璣蘇軾研究一文，據此謂程夫人爲自殺，喜作新奇之臆測，與先生祭亡妻文前後語意不一致。），父子三人，倉皇歸眉山，葬夫人武陽安鎮山下。其右爲老翁泉，構亭泉上，有「老翁井銘」。幷爲文告墓，有「祭亡妻文」，並作「老翁泉詩」（案：宋殘本類編擴增老泉先生文集載有此詩，台灣坊本嘉祐集無此詩。）史經臣病亡，有祭史彥輔文。先生爲其立後治喪，作祭文，並致書吳照鄰照顧其遺孤。

宋仁宗嘉祐三年戊戌（公元一〇五八年）五十歲。

先生作木假山記，以樹木遭際之不幸自況。

勳案：東坡木山幷敘：「吾先君子嘗蓄木山三峯，且爲之記與詩。詩人梅二丈聖俞見而賦之，今三十年矣。」東坡此詩作於元祐三年，逆數三十年，則爲嘉祐三年。王文誥蘇詩總案，謂作於治平元年，誤。

十月，得雷簡夫書，聞召命將至。十一月五日召命於本州，發遣赴闕，稱病不起。十二月一日「上皇帝書」，並「答雷簡夫」及「與梅聖俞書」。歐陽修曰：「初修爲上其書，召試紫闕閣，辭不至。」張方平曰：「又數年，召試紫金閣下，不至。」曾鞏曰：「既而，明允召試舍人院，不至，特用爲秘書省校書郎。」脫脫曰：「宰相韓琦，見其書善之，奏于朝。召試舍人院，辭疾不赴。」

石昌言卒。

宋仁宗嘉祐四年己亥（公元一〇五九年）五十一歲

梅聖俞題詩寄先生，勸先生入京。

五月先生作自尤詩，哀幼女之死。

勳案：先生自尤詩幷敘：「……是以五十有一而未始有尤於人，而人亦無以我尤者，蓋壬辰之歲，而喪幼女，始將以尤夫家，而卒以自尤也。」壬辰之歲爲皇祐四年（公元一〇五二年），其後八年應爲嘉祐四年（公元一〇五九年）。王文誥蘇詩總案皇祐五年，「作族譜亭記及自尤詩」，誤。

六日，召命再下，上「與歐陽內翰第四書」。

八月，宋君用辭先生赴京師，作「送宋君用遊輦下」詩。

九月，將赴京師，造大悲心像龕，置極樂院中，並作「極樂院造六菩薩記」。

十月，離家赴京師，東坡、子由侍行。至鄷都縣，訪知縣李長官，作「王荊州畫象贊」，「丹稜楊君墓誌銘」。

宋仁宗嘉祐五年庚子（公元一〇六〇年）五十二歲

先生父子三人在荊州度歲，正月五日離荊州，各作荊門惠泉詩。

二月十五日先生父子抵京師，暫住西岡。

勳案：東坡與楊濟甫書：「爲別已半歲。……自離關到荊南，數次奉書，計並聞達，前月半已至京師……得臘月所惠書，甚慰遠意。現在西崗賃一宅子居住。」據此推算，先生父子三人於嘉祐四年十月離家，「爲別忽已半載」，可知王文誥蘇詩總案二月條：「十五日抵京師寓於西岡。」甚當。

六月十日侄位卒，爲祭侄位文祭之。

先生全家移居杞縣。

勳案：先生謝趙司諫啓，賀歐陽樞密啓，子由辛丑除日寄子瞻詩均提及住杞縣事。先生謝啓作於嘉祐五年八月，賀啓作於同年十一月，子由寄子瞻詩作於嘉祐六年年終，足見三蘇至京未久即移居杞縣，至少住有一年，王文誥蘇詩總案於嘉祐六年條未提及移居杞縣事，殆係不知趙司諫即趙抃之故。

八月七日除秘書省校書郎宋史脫脫曰：「除秘書省試校書郎，會太常修纂建隆以來禮書，乃以爲文安縣主薄，與陳州項城令姚闢同修禮書。」

先生研究周易，開始作易傳。

勳案：先生上韓丞相書：「自去歲以來，始復讀易，作易傳百餘篇。此書若成，則自有易以來，未始有也。」此書作於嘉祐六年，去歲即嘉祐五年。

十一月，歐陽修爲樞密副使，先生上書致賀。

先生送吳中復知潭州。

勳案：王文誥蘇詩總案載此事於皇祐三年，誤。據續資治通鑑卷五十四載，吳中復因御史中丞孫抃薦，由潭州通判入朝任監察御史里行，在皇祐五年十二月。則蘇詩總案所載，乃指吳中復由犍爲令改潭州通判時事。而先生詩題則爲送待制復中知潭州，而非通判潭州。復據吳中復傳載，吳於皇祐五年入朝後，先後任監察御史里行，遷殿中侍御史，改右司諫，同知諫院，遷侍御史知雜事，戶部副使，擢天章閣待制，知潭州。續資治通鑑卷五十九嘉祐五年七月壬子條：「命翰林學士吳奎，戶部副使吳中復，度支判官王安石，右正言王陶相度牧馬利害以聞。」據此確知吳中復由戶部副使擢天章閣待制出潭州，當是嘉祐五年七月後事，先生詩中「十年曾爲犍爲令」乃謂吳十年前曾作犍爲令，從皇祐五年到嘉祐五年恰爲十年。

宋仁宗嘉祐六年辛巳（公元一〇六一年）五十三歲

東坡兄弟應制科試。

先生上書韓琦，以不獲重用感喟。

兄渙知漣水軍，未行，以前樞密副使孫汴薦擢提點利州路刑獄。

閏八月二十一日，歐陽修參知政事提舉纂禮書事，先生上議修禮書狀。強調史貴眞實，不宜任意竄改。

勳案：先生議修禮書狀：「右洵先奉敕編禮書，後聞臣僚上言，以爲祖宗所行，不能無過差不經之事，欲盡芟去，無使存錄。洵竊見議者之說，與敕意大異何者，前所授敕，其意曰：『纂集故事，使後世無忘之耳。』非曰制爲典禮，而使後世遵而行之也。然則洵等所編者，是史書之類也。遇事而記之，不擇善惡，詳其曲折，而使後世得知，而善惡自著者，是史之體也。若夫存其善而去其不善，則是制作之事，而非職之所及也。而議以責洵等，不已過乎？……」知先生史論已見之行事也。

東坡於宜秋門內得南園，奉父徙居其中。先生以木山三峯置庭前，鑿池引水，約任孜與其弟伋來回游飲，並作送師中任清江詩。

宋仁宗嘉祐七年壬寅（公元一〇六二年）五十四歲

四月，東坡得吳道子四菩薩，以獻其父。

八月，兄渙提點利州刑獄，患病，旋暴卒，年六十二歲。

孫叔靜兄弟請學於先生。

宋仁宗嘉祐八年癸卯（公元一〇六三年）五十五歲

仁宗崩，韓琦爲山陵使，欲厚葬仁宗，先生上書韓琦，引華元不臣以諫，韓琦爲色變，然顧大義，爲稍損其過甚者。

先生作辨姦論以刺王安石。

勳案：張方平文安先生墓表：「安石之母死，士大夫皆弔之，先生獨不往，作辨姦論一篇。……先生沒三年，而王安石用事，其言乃信。」據此可知辨姦論之作，應在嘉祐八年。日本兒島獻吉郎所作唐宋八大家系圖並年譜，亦以爲是此年所作。王文誥以之繫於嘉祐五年，易蘇民三蘇年譜考証從之，誤。

宋英宗治平元年甲辰（公元一〇六四年）五十六歲

宋英宗治平二年乙巳（公元一〇六五年）五十七歲

正月，東坡還朝，與子由同侍父於南園。

五月，東坡妻王弗卒於京師，年二十七。

九月，太常因革禮修成。

宋仁宗治平三年丙午（公元一〇六六年）五十八歲

四月，先生編禮書成，奏上之。作易傳未完，疾革，命子述其志。又以兄澹早亡，子孫未立爲囑，二子泣受命。二十五日卒，年五十八。事聞，英宗哀之，詔賜銀絹。東坡辭賜，求贈官。

六月九日，特贈光祿寺丞，又特敕有司，具舟載喪歸蜀。時范鎮在陳、夢來別，與韓琦、歐陽修致厚賻，辭不受，琦作挽詞送之。

歐陽修蘇君墓誌銘：「與陳州項城縣令姚闢同修禮書，爲太常因革禮一百卷。書成，方奏未報，而君以疾卒，實治平三年四月戊申也。享年五十八歲。天子聞而哀之。特贈光祿寺丞。敕有司具舟載其喪，歸於蜀。」

張方平文安先生墓表：「書成，奏未報，而以疾卒。享年五十有八，實治平三年四月。英宗聞而傷之，命有司具舟載其喪歸葬於蜀。所著文集二十卷，謚法三卷，易傳十卷。」

曾鞏蘇明允哀詞：「治平三年春，明允上其禮書，未報，四月戊申以疾卒，享年五十有八。自天子輔臣至閭巷之士，皆聞而哀之。明允所爲文有集二十卷行於世，所集太常因革禮有一百卷，更定謚法二卷，藏於有司。又爲易傳未成。讀其書者，則其人之所存可知也。明允爲人聰明辯智過人，氣和而色溫，而好爲策謀，務一出己見，不肯躡故跡。頗喜言兵，慨然有志於功名者也。二子，軾爲殿中丞直史館，轍爲大名府推官。」

宋史文苑傳：「其家縑銀二百，子軾辭所賜，求贈官，特贈光祿寺丞。敕有司具舟載其喪歸蜀。有文集二十卷，謚法三卷。」

東坡兄弟護喪返蜀，於治平四年八月葬明允於眉州彭山縣安鎮鄉可龍里老翁泉側。先生有子女六人，長子景先和三女均早卒。先生著述有文集二十卷，謚法三卷，與姚闢合著太常固革禮一百卷，作易傳百餘篇未全書。

第三節　東坡先生年譜

宋仁宗景祐三年丙子（公元一〇三六年）一歲。

先生於是年十二月十九日乙卯時，生於眉山紗縠行私第。先生送沈逵詩：「嗟我與君皆丙子。」答徑山林長老詩：「與公同丙子，三萬六千日。」

勳案：據世界書局蘇東坡全集後集卷七五四二頁答徑山林長老詩：「與君皆丙子，各已三萬日，一日一千偈，電往那容詰？大患緣有身，無身則無疾。平生笑羅什，神咒眞浪出。」台灣商務印書館萬有文庫薈要蘇東坡集亦同。可證王宗稷引贈長蘆長老時，即答徑山林長老詩。

玉局文：「十二月十九日東坡生日，置酒赤壁磯上。」志林：「退之以磨蝎爲身宮，而僕以磨蝎爲命宮，若以磨命推之，則爲卯時生。」議者以先生十二月爲辛丑，十九日爲癸亥日，丙子、癸亥水向東流，故才汗漫而澄清。子卯相刑，晚年多難。

勳案：據志林載：是歲同生者無富貴中人，惟馬夢得與先生爲之冠。但亦量移南北，不能久安其職，與先生同。父明允爲先生命名曰：「輪輻蓋軫，皆有職乎車，而軾獨若無所爲者。雖然去軾則吾未見其完車也。軾乎！吾懼汝之不外飾也。」或謂「知子莫若父。」其明允之知先生乎！

祖父序六十三歲，伯父澹、渙。父明允時二十八歲。母程氏，眉山人，大理寺丞文應之女，十八歸蘇氏。兄景先。

乳母任氏，名採蓮，眉川眉山人。

宋仁宗景祐四年丁丑（公元一〇三七年）二歲。

伯父澹卒。

宋仁宗寶元元年戊寅（公元一〇三八年）三歲。

十一月改元。

兄景先卒。

宋仁宗寶元二年己卯（公元一〇三九年）四歲。

弟子由生。

宋仁宗康定元年庚辰（公元一〇四〇年）五歲。

二月改元。

伯父渙移判閬州。

父明允學成。

宋仁宗慶曆元年辛巳（公元一〇四一年）六歲。

十一月改元。

伯父渙移判閬州，祖父序往視。

勳案：渙移判閬州，王文誥繫年於康定元年，易蘇民蘇譜彙證改繫於寶元二年，曾棗庄於慶曆元年載此，謂應在此年前後。觀東坡蘇廷評行狀：「渙嘗爲閬州，公往視其規畫措置良善，爲留數月。」等語，推算時間，應以王文誥繫年較當。

宋仁宗慶曆二年壬午（公元一〇四二年）七歲。

先生已知讀書，並聞歐陽修及梅堯臣文名。

先生上韓魏公梅直講書：「自七、八歲知讀書，聞今天下有歐陽公者，如古孟軻、韓愈之徒。而又有梅公者從之游，而與之上下其議論，其後益壯，始能讀其文詞，想見其爲人。」

先生長短句集洞仙歌自序：「僕七歲時，見眉州老尼，姓朱，年九十餘，能知孟昶宮中事。」

勳案：洞仙歌成於壬戌，先生時年四十七。洞仙歌首二句「冰肌玉骨，自清涼無汗。」即朱尼爲誦花蕊夫人避暑摩訶池詞之句，餘爲先生自己續成者。全詞如下：「冰肌玉骨，自清涼無汗，水殿風來暗香滿。繡簾開，一點明月窺人，人未寢，欹枕釵橫鬢亂。起來攜素手，庭戶無聲，時見疏星渡河漢。試問夜如何？夜已三更。金波淡，玉繩低轉。但屈指，西風幾時來。又不道流年，暗中偷換。」

宋仁宗慶曆三年癸未（公元一〇四三年）八歲。

先生入小學。以天慶觀道士張易簡爲師。已知詢石守道慶曆聖德詩內之人物，自是想見其爲人。

宋仁宗慶曆四年甲申（公元一〇四四年）九歲。

宋仁宗慶曆五年乙酉（公元一〇四五年）十歲。

父明允游學在外，程夫人親授先生兄弟以書。

宋仁宗慶曆六年丙戌（公元一〇四六年）十一歲。

先生讀書於紗縠行宅之南軒。有夢南軒記。

宋仁宗慶曆七年丁亥（公元一〇四七年）十二歲。

五月十一日祖父序卒，享年七十五。

勳案：世界書局歷代人物年里通譜、台灣商務印書館歷代名人年里碑傳總表，並採曾鞏贈職方員外郎蘇君墓誌銘，謂序卒於慶曆五年五月十一日。易蘇民蘇譜彙證，則以據先夫人不發宿藏事考之，當爲慶曆六年事。第據明允祭史親家母文、先生蘇廷詳行狀、先生與曾子固書、先生曾子翼哀辭諸文所記，均確定序卒於慶曆七年。姜亮夫商務歷代名人年里碑傳總表、楊家駱世界歷代人物年里通譜、曹樹銘東坡先生年譜採曾鞏之說，及易蘇民蘇譜彙証，均誤。

八月父明允在臨江聞訃，還家服喪。

伯父渙亦罷歸服喪。

父明允改南軒爲來風軒。先生兄弟並從父學於其中。

奉父命作夏侯太初論

勳案：王宗稷東坡先生年譜繫此條於慶曆五年，易蘇民蘇譜彙證，亦從王宗稷譜据大全集載先生少時語：「秦少章：東坡十來歲，老蘇曾令作夏侯太初論：有人能碎千金之璧；能搏猛虎，不能無變色於蜂蠆之語。老蘇愛此論，年少所作故不傳。」而譜於是年，誤。蓋大全集已明言「十來歲」，而非確指「十歲」此其一；父明允八月聞訃還家，精心教授二子，必於此時令先生作夏侯太初論，而非在明允離家之前令作此文也明矣。此其二。王文誥亦以此條譜在慶曆七年，甚當。

明允誦歐陽修謝賜對衣金帶馬表，令先生擬作，有：「匪伊垂之帶有餘，非敢後也，馬不進」句，喜曰：「此子他日當自用之。」

勳案：王文誥蘇詩總案、王宗稷東坡先生年譜、易蘇民蘇譜彙證，均依侯鯖錄：「東坡年十歲，在鄉里見老蘇誦歐公謝宣召赴學士院仍謝賜對衣金帶及馬表，老蘇令坡擬之，其間有匪伊垂之帶有餘，非敢後也，馬不進。老蘇喜曰：『此子他日當自用之。』將其繫於慶曆五年，誤。蓋細校侯鯖錄原文，乃「十餘歲」，而非「十歲」，自以譜在慶曆七年為宜。

宋仁宗慶曆八年戊子（公元一〇四八年）十三歲。

先生與子由及家勤國、定國、安國同游學於西社劉巨。

二月父明允及伯父渙葬祖柩於眉山縣修文鄉安道里先塋之側。

宋仁宗皇祐元年己丑（公元一〇四九年）十四歲。

宋仁宗皇祐二年庚寅（公元一〇五〇年）十五歲。

宋仁宗皇祐三年辛卯（公元一〇五一年）十六歲。

伯父渙除祥符令。

宋仁宗皇祐四年壬辰（公元一〇五二年）十七歲。

先生始與劉仲達往來於眉山。

父明允因其幼女事外家，不得志而死，與其婿程之才絕。

宋仁宗皇祐五年癸巳（公元一〇五三年）十八歲。

宋仁宗至和元年甲午（公元一〇五四年）十九歲。

三月改元。

先生始娶眉州青神王方女，名弗，時年十六。

勳案：先生作亡妻王氏墓誌銘序：「治平二年五月丁亥，趙郡蘇軾之妻王氏，卒於京師……。生十有六年而歸於軾。其死也蓋年二十有七」。據此推算，可知王氏甲午年年歸先生也明矣。王宗稷東坡先生年譜作「生十有九歲而歸於某。」誤。

宋仁宗至和二年乙未（公元一〇五五年）二十歲。

侍父明允，以所業，謁張方平，一見待以國士。

弟轍娶史氏，年十五，父曰瞿。

勳案：孫汝聽蘇潁濱年表：「至和二年乙未，轍娶史氏，年十五，父曰瞿。」子由寄內詩：「與君少年初相識，君年十五我十七。上事姑嫜旁兄弟，君雖少年少過失。」可知史氏之賢淑也。

宋仁宗嘉祐元年丙申（公元一〇五六年）二十一歲。

九月改元。

先生與弟轍同舉進士。

勳案：據明允上張侍郎第一書、途次長安上都漕傅諫議及轍追和張安道贈別絕句并引，可知先生是年三月偕子由侍父明允出蜀，經閬中，出褒斜谷，發橫渠鎮，入鳳翔驛，過關中，有「關右題壁詩」。經河南澠池，與弟轍曾留題奉閑僧舍壁上。五月抵京，八月舉進士，試景德寺。榜出，袁轂首選，先生第二，弟子由亦與焉。遇富弼、韓琦於道，望其容貌，心嚮往之。明允上歐陽修書，並上洪範史論七篇。修大愛其文辭，遂上諸朝。

宋仁宗嘉祐二年丁酉（公元一〇五七年）二十二歲。

正月應禮部試，名列第二。復以春秋對義，居第一。

三月御試崇政殿，十四日以第二名進士及第，子由亦與選。其後晉謁試官，俱待以國士。

勳案：歐陽修知貢舉，龍圖閣直學士梅摯，翰林學士王珪，起居舍人知諫院范鎮，知制誥韓絳，同權知禮部貢舉，修辟國子監直講梅堯臣等爲編排詳定等官，同入試院，時舉子爲文，磔裂詭異相尚，或至不能句讀，修患之。凡文涉雕刻者皆黜。堯臣得先生刑賞忠厚之至論以薦，修驚喜，欲冠多士，猶疑其客曾鞏所爲，抑置第二。復以春秋對義居第一。三月放榜，八月引試。仁宗御崇政殿，試進士。民監賦，鸞刀詩，重申巽命論。十四日以進士第二名及第，章衡居首。弟轍與曾鞏、葉溫叟、林旦、朱光庭、蔣之奇、晁端彥、邵迎、刁璹、蘇舜舉、張琥、程筠、傅才元、鄧文約、馮弋、家定國、吳子上、陳侗、莫君陳、蔡元道、蔡宗禧、張師道、楊壽祺、金京、黃好古、單錫、李惇等並賜同進士出身有差。初省榜出，劉幾輩皆黜落，士論洶洶，至是乃定。先生乃有「謝歐陽內翰書」、「謝梅龍圖書」、「謝王內翰啓」、「謝范舍人書」、「謝韓舍人啓」、「上梅直講書。」修以書示堯臣曰：「讀軾書不覺汗出。快哉，快哉！老夫當避此人，放出一頭地。」已而謂發奕等曰：「汝曹識之，更三十年無人道著我也。」先生受知於歐陽修如此，宰相文彥博、富弼、樞密使韓琦，皆以國士待，蓋實至而名自歸也。

四月八日母程氏終於眉山鄉里。

五月偕子由侍父明允歸眉山服喪。

父明允葬母程氏於眉山安鎮鄉可龍里老翁泉上。

宋仁宗嘉祐三年戊戌（公元一〇五八年）二十三歲。

先生服母喪。

十一月五日召命父明允赴闕，試舍人院，辭不至。

十二月一日父明允上皇帝書。

宋仁宗嘉祐四年己亥（公元一〇五九年）二十四歲。

六月召命再下，父明允上歐陽修書。

九月除母服。

十月偕子由侍父明允自蜀還朝，舟行適楚，凡六十日，過郡十一，縣二十有六。

十二月八日抵江陵驛，作南行集前敘，留荊州度歲。

是年長男邁生。

宋仁宗嘉祐五年庚子（公元一〇六〇年）二十五歲。

正月五日自荊州出陸，由荊門、宜城，經襄、鄧、唐、許諸州。

三月十五日氐京師，暫寓西岡，旋移居杞縣。

勳案：正月五日先生侍父離荊州，各作荊門惠泉詩。由荊門、宜城，經襄、鄧、唐、許諸州。據新渠詩自敘：「庚子正月予過唐州，太守趙侯始復三陂疏召渠，招懷遠人，散耕於唐。予方爲旅人，不得親執壺漿簞食，以與侯勸迎四方之來者，獨爲新渠詩五章，以告於道路，致侯之意。」則新渠詩當作於過唐州之時無疑。而先生三月十五日始抵京師，暫寓西岡，旋移居杞縣。是月授福昌縣主簿，弟子由授澠池縣主簿，俱不赴。王文誥蘇詩總案含混，蓋不明謝趙司諫啓之趙即趙抃之故。明允謝啓：「寓居雍邱，無故不至京師望君子。」雍邱即杞縣。

八月七日父明允除試校書郎。

宋仁宗嘉祐六年辛丑（公元一〇六一年）二十六歲。

正月先生與弟子由既中制科，移居懷遠驛中，有應制科上兩制書。言時之所患在於用法太密而不求情，好名太高而不適實。上富丞相書進策論五十篇。又上曾丞相書獻文十篇。

七月詔以起居舍人同知諫院司馬光，同知諫院楊畋知制誥與沈遘等爲秘閣考官。秘閣試六論，舊不起草，故文多不工。先生使具草，文義粲然，時以爲難。

七月父明允除文安縣主簿，與陳州項城令姚闢同修建隆以來太常因革禮書。伯父渙知漣水軍，未行，擢提點利州路刑獄，先生送別於西郊。一夜風起雨作，中夜翛然，先生方讀韋蘇州詩，至「那知風雨夜，復此對床眠」句，惻然感之，乃相約早退爲閑居之樂。八月廿五日赴崇政殿試，先生對制策，復入三等，自有制策試以來，得列三等者唯吳育與先生。弟子由收入四等。除大理院評事，於宜秋門得南園，奉父明允定居其中。十月，先生除鳳翔府簽判，子由除商州軍事推官，王安石不肯撰辭，告未下，因留京侍父詩書。十一月先生赴鳳翔任，馬夢得隨行，子由送至鄭州西門外，十九日天未明馬上別，留詩與子由有「夜雨何時聽蕭瑟」句。十二月十四日到鳳翔府簽判任。十六日謁孔廟，歷觀岐陽石鼓，有石鼓詩云：「冬十二月歲辛丑，我初從政見魯叟。」及鳳翔八觀，鳳鳴驛記，及喜雨亭記。

宋仁宗嘉祐七年壬寅（公元一〇六二年）二十七歲。

先生在鳳翔任。

二月十三日，受命赴寶雞、虢、郿、盩厔四縣，減決囚禁，因畢事朝謁太平宮，宿南溪堂，並游大秦寺、延生觀、仙游潭，十九日歸，二十日至府。因記凡所經歷者五百言，以寄子由。三月先生赴郿，禱於太白山上清宮，有鳳翔太白山祈雨祝文。四月聞吳奎拜樞密副使，先生作賀啓。

八月，聞伯父渙卒，作祭伯父提刑文。

九月聞子由得告不赴商州軍事推官，有病中聞子由得告不赴商州三首。
九月二十日微雪懷子由弟二首。
十二月以歲暮思歸而不可得，賦餽歲、別歲、守歲三首詩寄子由。子由有次韻子瞻秋雪見寄詩、次子瞻記歲暮鄉俗三首。

宋仁宗嘉祐八年癸卯（公元一〇六三年）二十八歲。
先生在鳳翔任。二月至長安。
三月過寶雞，重遊終南。有重遊終南子由有詩見寄，次韻和子由寒食。記覽開元寺吳道子畫佛滅度以答文殊題文殊普賢詩。
六月與陳慥訂交於岐山。
七月二十四日，禱雨於蟠溪，經虢縣。二十五日渡渭、蟠谿，廿七日自陽平至斜谷起行經陽平至斜谷憩下馬磧，北山僧舍。
九月赴終南太平宮谿堂讀道藏。有讀道藏詩，十六日遊扶風縣天和寺，而因有感於嘉祐之法弊，作思治論。是年以覃恩，遷大理寺丞。

宋英宗治平元年甲辰（公元一〇六四年）二十九歲。
先生任官鳳翔。
正月遇文同於岐山下，遂定交。有文與可畫墨竹屏風贊一首，石室先生畫竹贊一首。
三月王彭字大年，與談佛法，由是知喜佛書。

七日遊岐山周公廟，有觀周公廟後潤德泉詩，和子由所記園中草木二首。

八月十一日夜宿府學。

十二月十七日，罷鳳翔簽判任，赴長安、驪山、華陰，在華陰度歲。

宋英宗治平二年乙巳（公元一〇六五年）三十歲。

先生於去歲十二月罷鳳翔簽判任，正月還朝與子由同侍父明允於南園。差判登聞鼓院。英宗欲以唐故事，召入翰林院知制誥，宰相韓琦以為年少資淺不可驟用。

二日召試學院，試二論（孔子從先進論、春秋定天下邪正論）。復全入三等，得直史館，作謝館職啓。與王益柔、杜介、李師中共事，有夜直秘閣呈王敏甫，謝蘇自之惠酒詩。

三月子由出為大名府推官。

五月二十八日元配王氏（通義君）卒，二十七歲。父明允曰：「婦從汝於艱難，他日汝必葬之其姑之側」，先生敬諾。

六月六日停殯於京城之西。

勳案：易蘇民蘇譜彙證，依據王文誥蘇詩總案謂葬於京城之西，以停殯為下葬，誤。

王震字子發以文來質，先生和震詩云：「攜文過我治平間。」遇休沐日訪僧懷璉於京師十方淨因禪院。

宋英宗治平三年丙午（公元一〇六六年）三十一歲。

正月先生在直史館，送懷璉赴金山。遇范純禮於京師。

四月，父明允編禮書成，奏上之。作易傳未完，疾革，命先生述其志，又以兄澹早亡，子孫未立爲囑，先生泣受命。是月二十五日卒，年五十八。英宗聞而哀之，六月六日特贈光祿寺丞，又特敕有司具舟載喪歸蜀。元配王氏（通義君）柩隨載而行，時范鎮在陳夢明允來別晨起訃聞。韓琦與銀三百兩，歐陽修二百兩，皆辭不受。琦作挽詞送之。（均見宋史文苑傳、歐陽修蘇君墓誌銘張方平文安先生墓表）遂與子由扶護出都。自汴入淮，泝江而上，抵江陵初識劉摯，復道遇李師中。

宋英宗四年丁未（公元一〇六七年）三十二歲。

先生服喪。

正月二十日與子由及侃師遊雲安，下嵓題名，記杜子美雲安詩。過仙都觀，讀陰長生石刻金丹訣，但未敢判眞贋。

四月與子由護喪還家。偶閱家中書，見父明允疏錄祖父序事跡數紙，似欲爲行狀未成者。知父明允意未嘗不在此也，因加整理，爲蘇廷評行狀。狀既成，錄本授鄧文約，以告於曾鞏，作求墓碣書。

七月十六日，合葬父柩於眉之東北彭山縣安鎮可龍里老翁泉側，另葬通義君於合墓之西北八步，遵父明允命也。

勳案：明允之葬期，歐陽修蘇君墓誌銘作十月壬申，張方平文安墓表作八月壬辰。王宗稷東坡年表亦作八月壬辰，蓋本張方平之說。孫汝聽蘇潁濱年表作十月壬申，蓋本歐陽修之說，均誤。考宋史治平四年正月庚戌，三月遇閏，八月丁未朔，以上連閏，祇三月小盡，是史家書朔未誤，則壬辰在七月十六日，八月無壬辰也。且是年正月八日丁巳英宗崩，八月二十七日癸酉葬永厚陵，此最易稽考之月日也。王文誥蘇詩總案之辨正，甚當。

趙成伯罷丹稜令，訪先生於眉。

九月，惟簡自成都來，得子由河朔蘭亭本，將持歸入石。

九月十五日，作摹本蘭亭後記。再爲惟簡作中和勝相院記。

宋神宗熙寧元年戊申（公元一〇六八年）三十三歲。

正月甲戌朔改元。

先生服喪在家。

五月次男迨生。

七月服除，始爲姑杜氏營窀穸，蓋遵父明允遺命也。王箴字元直以文來質，先生愛之，稱於賢良侯元叔。元叔時爲成都學官，見而奇之，召致門下，二十八日與侯元叔（溥）會食於嘉祐寺，觀佛牙，作油水頌。侯元叔跋其後。

十月二十六日，以載歸吳道子畫四菩薩版，施予惟簡，惟簡以錢百萬度爲大閣以藏之，且畫父明允像其上，爲作四菩薩閣記。

十月娶王介幼女，名閏之，字季璋爲繼室，時年二十一歲，爲同安君，乃通義君之堂妹也。

十二月先生與弟子由還朝，挈家累去，以墳隴、田宅、灑掃、支納、戚鄰、弔祭、酬卹各事，委付比鄰之總角交楊濟甫掌之，又囑堂兄子安董其成。王淮奇、蔡褒、楊宗文來送。蔡褒爲種荔樹，以期先生之早歸也，往視正信和尚疾，遂行。經成都，至中和勝相院，惟度已化去矣。惟簡作僧統，爲留旬日。同惟簡過壽寧院觀孫知微所畫四堵湖灘水石，囑蒲永昇臨之。讀賀遂亮成都學館記，書賀遂亮詩。遂自閬中至鳳翔，不及游二曲，使人問訊董傳。因趨長安。十月二十九日與范純仁、王頤、子由會於毋清臣家。頤出觀先生所跋醉道士圖，則章惇繼其後矣，爲之大噱再題其後。過陳漢卿家觀其所藏吳道子畫釋迦佛。三十日，先生在韓琦座上，觀王頤、石蒼舒草書，琦曰：「二子一似向馬吹笛也。」退而記之。在長安過歲。

宋神宗熙寧二年己酉（公元一〇六九年）三十四歲。

先生還朝監官告院。烏臺詩話云：「熙寧二年，某在京授差遣，與王詵寫詩賦及蓮華經。」

宋神宗熙寧三年庚戌（公元一〇七〇年），三十五歲。

送曾子圖倅越詩分韻「燕子」字。烏臺詩話云：「舊例館圖補外，同舍餞送，必分韻。」又有寄劉貢甫詩。

宋神宗熙寧四年辛亥（公元一〇七一年），三十六歲。

先生任監官告院兼判尚書祠部。

王荊公欲變科舉，上疑焉，使兩制三館議之，先生上議學校貢舉狀，神宗悟，荊公之黨不悅，命攝開封府推官。上元敕府市浙燈，先生上諫買浙燈，神宗即下詔罷之。

二月，上神宗書。

三月，再上神宗書皆不報。御史謝景溫、李定等，誣奏先生過失，先生未嘗一言以自辯，但乞外任避之。

六月先生以太常博士通判杭州。

七月先生出京，赴陳州與子由相聚，初遇崔度及張耒。

九月，先生離陳州，子由送至潁州，因同謁歐陽修於里第，遂與子由別，作潁州初別子由詩。

十月二日出潁口，初見淮公。至壽州，李定出餞城東龍潭上，並有詩。過濠州作有詩，過臨淮，作泗洲僧加塔及龜山詩。十六日至山陽、揚州，與劉攽、孫洙、劉摯會於錢公輔座上，作三同舍詩。

十二月二十八日，先生到杭州通判任。作初到杭州寄子由兩絕。

勳案：先生到任翌日，除夕夜值都廳，因杭州守沈立行新法，地方騷然，囚繫皆滿，先生日暮不得返舍，題一詩於壁。王宗稷東坡年譜作十一月到壬，誤。

宋神宗熙寧五年壬子（公元一〇七二年），三十七歲。

正月，先生城外探春，作浪淘沙詞。高麗使者淩蔑州郡押伴使臣，皆本路筦庫，乘勢驕橫，至與鈐轄亢禮。先生使人謂之曰：遠夷慕化而來，理必恭順，今乃爾暴恣，非汝導之，不至是也。不悛當奏之，押伴者懼，爲之小戢。使者發於官吏，書稱甲子，先生卻之曰：「高麗於本朝，稱臣而不稟正朔，吾安敢受？」使者亟易書熙寧，然後受之。

三月二十三日，與杭州太守沈立觀花於吉祥寺，作吉祥寺賞牡丹詩。
三月二十四日沈立出所某牡丹亭記，先生爲其作敘。
四月雨中遊天竺靈感寺，觀音院，和蔡準遊湖。
六月二十七日，登望湖樓醉中作詩。
七月七日，出城，至餘杭，宿法喜寺後錄堂。
七月八日，望吳興諸山，寄孫覺詩。
孫立節使其子勰來質所業，勰願留投經門下，先生命與邁同學。
八月監舉人試於平和堂。
八月十七日，重登望湖樓，是日榜出，與試官兩人復留，並和詩。
九日聞歐陽修訃，哭於孤山惠勤之室，爲文祭之。
勳案：歐陽修卒於是年閏七月，王宗稷東坡先生年譜繫於元祐六年，誤。
十月赴湯村，督開運鹽河。夜宿水陸寺，有寄懷北山清順詩。
十一月赴湖州，湖守孫覺出黃庭堅詩相質，聳然異之。作贈莘七絕，及作山村五絕。過道場山、何山、秀州、永樂而歸。
十二月三男過生。

宋神宗熙寧六年癸丑（公元一〇七三年），三十八歲。

在杭州通判任。

元月元日，先生次韻張先和七夕寄孫覺詩。

元月二十一日，先生病後陳襄邀往城外尋春，有餉官法酒者約陳襄移廚湖上，初晴復雨，山色空濛，並紀以詩。

元月先生行部富陽新城，晁補之始謁先生於新城。

五月，因次子迨三年尚不能行，命迨落髮於觀音座下，辯才爲祝之，取名竺僧。

六月立秋日，先生禱雨於上天竺，作靈感觀音院禱雨文。夜宿靈隱寺，有詩。

六月二十一日，先生與陳襄、蘇頌、孫奕、黃顥、曾孝章游石屋洞題壁。

七月，先生病中獨游淨慈寺，周邠以詩至，次韻答之。

八月十五日，觀潮題詩，再游風水洞，作臨江仙詞。

八月先生以提點至臨安，與蘇舜舉迎見於太平寺。游徑山、玲瓏山、海會寺。

九月初，先生自徑山歸，又病。

十一月，先生赴常潤賑饑。

除夕，野宿常州城外，作詩。

宋神宗熙寧七年甲寅（公元一〇七四年），三十九歲。

在杭州通判任。

正月遊風水洞，推官李泌先行三日，留風水洞相待，有詩題壁。

八月十八日觀潮，以捕蝗至臨安、於潛、新城、晁補之再謁先生於新城。

九月先生回杭州。納妾朝雲，姓王氏，字子霞，時年十二。

勳案：朝雲墓誌銘：「朝雲姓王氏，錢塘人；事先生二十有三年，……紹聖三年七月壬辰卒於惠州，年三十四歲。」以歲月考之，熙寧甲寅至紹聖丙子，恰二十三年。

九月，先生以子由在濟南求爲東州守，得以太常博士直史館知密州。

勳案：先生勤上人詩集序：「熙寧七年，余自錢塘赴高密。」先生辛未別天竺觀音詩序：「余昔通守錢塘，移蒞膠西，以九月二十日，來別南北山道友。」乃知先生以秋末去杭。又據先生記遊松江詩：「吾昔自杭移高密，與楊元素同舟，而陳令與、張子野皆從余過李公擇於湖；遂與劉孝升俱至松江，夜半月出，置酒垂虹亭上，子野年八十五以歌詞聞於天下，作定風波令，及道過常州，爲錢公輔作哀辭。先生與段屯田詩：「龍鍾三十九，勞生已強半，歲暮日斜時，還未昔人嘆。」師子屏風贊云：「潤州甘露寺有唐李衛公所留陸探微畫師子版，余自錢塘移守膠西，過而觀焉。」是年先生在潤州道上過除夜，則師子贊必在是年矣，有潤州道上過除夜二首及常潤道上有懷錢塘五首。

宋神宗熙寧八年乙卯（公元一〇七五年），四十歲。

先生到密州任，進謝上表。

勳案：據先生在潤州道上過除夜詩，可知先生到密州任，當在熙寧八年。易蘇民三蘇年譜彙證譜在熙寧七年十一月三日，曹樹銘東坡年表從之，誤。

先生到郡二十餘日，時方行手實法，因上韓丞相論災傷書，極言手實法之酷。並論密州鹽稅之患，請用五等古法補救之。後杞菊賦序：「余任官十有九年，家日益貧，移守膠西，而齋除索然。」先生丁酉年登第，至是恰爲十九年。是年有送劉孝升吏部詩，及和李公擇來字韻詩，及常山祈雨感立雩泉。

十一月葺超然臺寫超然臺記，子由在濟南聞而賦之，且名其台曰超然。又於濰水之上作快哉亭，子由作寄題密州新作快哉亭記。

勳案：易蘇民三蘇年譜彙證、曹樹銘東坡年表、曾棗庄蘇潁濱年譜均譜於是年，獨王宗稷東坡年譜繫於熙寧九年，以密州、濟南兩地來往時程考之，子由快哉亭記，當作於是年歲杪或熙寧九年初。

宋神宗熙寧九年丙辰（一〇七六年）四十一歲。

先生在密州任，作刻秦篆記：「熙寧九年丙辰，蜀人蘇某來守高密。」

中秋，歡飲達旦，作水調歌頭，懷子由；作薄薄酒二章；祭常山神文，書膠西蓋公堂照壁畫贊，及作山堂銘、表忠觀碑。

十月，先生弟子由罷齊州掌書記，還京。

十二月以祠部員外郎直史館，移知河中府。

十二月上旬離密州任，過安邱除夜大雪，止濰州。

宋神宗熙寧十年丁巳（公元一〇七七年），四十二歲。

正月，先生發濰州、青州經濟南，赴任河東府，子由子遲、适、遜候見雪中。

勳案：據東坡將至筠先寄遲、适、遠三猶子詩：「憶過濟南春未動，三子出迎殘雪裏，我時移守古河東，酒肉淋漓渾余喜。」可知先生已於熙寧九年冬，離密州，復據子由逍遙堂，會宿二首并引：「子瞻通守餘杭，淮陽，濟南，不見者七年。熙寧十年二月始復會於澶、濮之間。」足證東坡於熙寧九年歲杪已離密州任所。王宗稷東坡先生年譜以先生「在密州任，就差知河中府。」誤。

二月，子由由京師來迎，相約赴河東，因同至京師，抵陳橋驛，告下，以尚書祠部員外郎直史館，從知徐州軍州事。時不得入國門，寓范鎮東園，因爲邁娶婦。

四月先生偕子由同行，四月二十一日至徐州任所。先生有詩送前任徐州守江仲達，子由亦有詩。

八月四日先生偕子由同游石經院，有留題石經院詩三首，子由有和詩。

八月十五日先生偕子由泛舟呂洪。

八月十六日子由赴南京留守簽判任。作詩以別。

七月十七日黃河決口，八月二十一日水及徐州城下。

九月，水高於城中，而外小城東南隅不沈者三板，因起急夫，親率武衛營卒長，廬於城上，過家不入，築東南長堤九百八十四丈，城賴以全。

十月五日，水退，河復故道，先生作河復詩。

宋神宗元豐元年戊午（公元一〇七八年）四十三歲。

先生在徐州任。

二月四日先生以治水有功，獲朝廷降敕獎諭，賜錢發粟，因改築徐州外小城，並起黃樓。

勳案：先生獲獎諭時，在元豐元年二月，王宗稷譜在熙寧十年，誤。

四月秦觀赴京應舉途中，攜李常書投長篇來見先生。同月，黃庭堅自京上書先生，並以古風爲贄。

八月十一日黃樓成，十二日長孫簞生。

九月九日先生大合樂於黃樓，以子由黃樓賦刻石，先生書其後。

十月，上皇帝書，乞不禁利國監鐵，團冶戶爲衛，並移南京新招騎射指揮，兼領沂州兵甲巡檢公事自效，皆不報。終以利國監無備，使冶戶各以其長爲隊，每月兩衙，習於知監之庭，以示有備。

宋神宗元豐二年己未（公元一〇七九年）四十四歲。

正月，先生在徐州任。

正月七日先生獵於城南，會者十人，有詩。

同月上乞醫療病囚狀。

二月，先生罷徐州任，改知湖州。

三月離徐州。往南都見子由，爲留半月。有罷徐州往南京馬上走筆寄子由五首。

勳案：孫汝聽蘇潁濱年表：「二月丁巳以蘇軾知湖州，有和軾自徐移湖將至宋都途中見寄五首。」據此可知先生罷徐州任是在元豐二年二月。離徐州當在三月時。王宗稷東坡先生年譜據靈壁張氏園庭記：「余自彭城移守吳興，由宋登舟，三宿而至其下。……元豐二年三月二十七日記。」斷爲三月先生罷徐州守，徙湖州。易蘇民蘇譜彙證、曹銘年表從之，誤。

四月二十日先生到湖州任。進謝上表。

勳案：據先生湖州謝上表：「蒙恩就移，前件差遣，已於今月二十日到任上訖者。」可知先生到任之日爲二十日，易蘇民蘇譜彙證、曹樹銘年表均作二十一日，誤。

五月往弔張先所居。

七月二十八日，先生以湖州謝上表有譏切時事之言，奉旨送御史臺根勘。長男邁徒步相隨。王適王遹送於郊外。權湖州事祖無頗等皆畏避，掌書記陳師錫獨出餞之。

八月十八日，先生赴臺獄，張方平、范鎮上疏論救。子由乞納在身官以贖兄罪。

十二月獄具，二十九日謫授檢校尚書水部員外郎。充黃州團練副使，本州安置，不得簽書公事。子由謫監筠州鹽油稅務。先生再寄子由詩有「百日歸期恰及春。」先生自八月入獄至是踰百日矣。

宋神宗元豐三年庚申（公元一〇八〇年）四十五歲。

正月元日先生挈邁出京至陳州，子由自南京來別。先生作子由自南都來陳三日而別詩。發蔡州、新息、渡淮，經光山。各有詩。

正月二十日，度關山、麻城、故縣、岐亭，各有詩。二十五日與陳慥遇，遂過其家，留五日。

有詩一首。

二月一日到黃州貶所，徐大受禮遇甚殷，寓居定惠院，閉門卻掃，有初到黃州詩。是日子由伴嫂王夫人及迨、過等自宋登舟，繞道江淮來黃。

五月二十七日，先生至巴口迎子由、王夫人及迨、過，有曉至巴河迎子由詩。二十九日遷居臨皐亭。有遷居臨皐亭詩。

六月，與子由渡樊口，同游武昌寒溪西山寺，至九曲嶺亭。有古詩一首。九日伴子由渡劉郎洑，飲別於王齊愈家，子由經江州赴筠。

是月陳慥首次來訪先生。

八月六日，先生與邁棹小舟至赤壁而還。是月乳母任氏卒，年七十二年。

九月獨游赤壁，作游赤壁記。

是月，堂兄子正中舍卒，十月聞訃。

勳案：據先生與秦少游書云：「堂兄中舍九月中逝去。」王文誥斷為十月中聞訃，甚當。易蘇民蘇譜彙證、曹樹銘東坡年表均未載此事應予補列。

是月，葬乳母，任氏於黃州東阜黃岡縣之北，作乳母任氏墓誌銘。

十一月冬至日起借天慶觀道士堂，燕坐四十九日，初答李薦書，稱其文「正如川之方增，當極其所至，霜降水落，自見涯涘。」

宋神宗元豐四年辛酉（公元一〇八一年）四十六歲。

先生在黃州任，寓居臨皐亭。
正月往岐亭，訪陳季常。
二月故人馬正卿，憐先生困貧，爲請故營地數十畝，躬耕其中因取名東坡，作東坡詩。
四月陳慥二度來訪，王齊愈、齊萬、潘丙古等亦至，會於師古菴，再爲文以祭任伋，並作挽詞。
五月五日，先生過徐大受飲，作少年游詞。十一月爲唐坰作六家書跋。
六月二十三日，陳慥三度來訪，會客有善琴者，出所蓄寶琴彈之，爲書琴事。
七月二日，進謝放罪表。
九月二十二日，書歸去來集字詩。
十月九日，孟震置酒秋香亭，爲徐大受作定風波詞。赤壁懷古作念奴嬌詞。
冬，蘇渙之孫安節赴舉報罷。先生作與安節夜坐詩三首相慰。
是年冬，遵遺命續成易傳九卷，又成論語說五卷。
勳案：王宗稷東坡先生年譜據先生上文潞公書：「到黃州無所用心，覃思易、論語，若有所得。」以此推斷爲元豐三年初到黃州之歲所作。第先生自言「覃思」之力，其撰寫必然愼重之至。再考先生到黃，友朋過訪，與尋幽覽勝，與客詩酒往來，絡繹不絕，以僅半年餘之歲月，即成易傳九卷。論語說五卷應無可能。王文誥蘇詩總案以之繫於是年冬，易蘇民蘇譜案證、曹樹銘年表從之，第王文誥蘇詩總案將上文潞公書繫於元豐五年四月，謂易傳、論語說成書之次年，東坡始上之於文潞公，其說可從。

宋神宗元豐五年壬戌（公元一〇八二年）四十七歲。

先生在黃州寓居臨皋亭，就東坡築雪堂，自號東坡居士。記單驤以醫術進，正月王天麟來謁，爲言岳鄂間溺兒之俗，先生因書告鄂守朱壽昌，使立賞罰，以變此俗。復與古耕道爲育兒會，籌款，使安國寺僧繼蓮掌其籍，歲以爲常。

二月，筠守毛國鎮來訪，陳慥四度來訪，得廢圃於東坡之脅，築而垣之，葺堂五間。堂成於大雪中，因榜曰東坡雪堂，始自號東坡居士，作雪堂記。身耕妻蠶，將以卒歲。

三月三日，作陶淵明飲酒詩跋，七日游沙湖道中遇雨，作定風波詞。經蘄水、麻橋，就龐安常醫臂疾。復同游清泉寺，飲王羲之洗筆泉，作浣溪紗詞。是月米芾因馬夢得初謁先生於雪堂，始定交。

四月，上文潞公書。

勳案：先生上文潞公書云：「有自京師來轉示所賜書教，……御史符下，就家取文書，州郡望風遣吏發卒，圍船搜取，老幼幾怖死。既去，婦女恚罵曰是好著書，書成何所得而怖我如此，悉取燒之，比事定重復尋理，十亡其七八矣。到黃州無所用心，輒復覃思於易、論語，端居深念，若有所得，則此宿昔之心，掃除有盡者也。……」原書已悉燒之，「重復尋理，十亡其亡、八」復經「覃思」之功，可知易傳、論語說之成，最快在元豐四年冬，甚或在五年初始成，亦不無可能。於此更可說明王宗稷東坡年譜譜於元豐元年之不當也。

同月，楊繪來訪語及先生舊所贈詞有「天涯同是傷流落」句爲此日先兆。
五月，以怪石供佛印，作怪石供，陳慥五度來自岐亭相訪，以搢巾爲贈作詩。
是月，先生建武昌九曲亭，子由作記。
勳案：子由九曲亭記云：「（子瞻）居齊安三年，不知其久也。」又元：「大風雷電拔去其一（指古木），斥其所據，亭得以廣。」據此，當作於元豐五年，五六月盛夏之時。
六月中，先生與王齊愈、齊萬、和孔平仲、古耕道諸子往來雪堂臨臯之間，必道經黃泥坂，一日，大醉，作黃泥坂詞。
七月，與邁夜坐，作聯句詩，十二日，作中都公舉進士謝啓跋以歸子明。
七月十六日與十月十五日，兩與客遊赤壁，作前後赤壁賦。
八月十五日，作念奴嬌詞一闋。
九月九日，徐大受攜酒雪堂作醉蓬萊詞。
勳案：先生醉蓬萊詞題敘明言：「余謫居黃州，三見重九。每歲與太守徐君猷會於棲霞樓。今年公將去，乞郡湖南，念此惘然，故作是詞。」故詞中有「笑勞生夢，羈旅三年，又還重九。」句。先生於元豐元年二月一日到黃州。「三見重九」應是元豐五年壬戌，傅藻記年錄以是詞編於元豐六年，曹銘東坡詞編年及其研究從之，誤。
十月，轉運蔡承禧按臨，因爲營屋，即次年葺成之南堂。
勳案：先生新葺南堂成於元豐六年六月，有南堂詩五首，子由和詩有「江聲六月撼長堤，雪嶺千里過屋西」句。因和新葺南堂成於六月也。
十一月，書雪堂四戒。
十二月十九日先生生朝。郭遘、古耕道，置酒赤壁磯，李委弄笛。訪陳慥於岐亭。與李委泛舟赤壁，酒酣笛作，風起水湧，大魚皆出。
是年，爲崔閑作醉翁操。陸道士惟忠自眉山來訪，言陳太初得道事。太初蓋先生少時之同學也。

宋神宗元豐六年癸亥（公元一〇八三年）四十八歲。
先生在黃州任。
正月巢穀自蜀中來游，先生使迨、過從學，館於雪堂。
三月寒食日，與郭遘渡寒溪，吳亮提壺夜飲。
參寥自杭來訪，館於雪堂，同游武昌西山，記夢參寥飲茶詩。是春長夢得謫齊安。
勳案：據子由快哉亭記：「淸河張君夢得謫居齊安」是記作於是年十一月朔日，故知張夢得應於是年謫齊安也。
六月，新葺南堂成，先生作南堂詩五絕。
勳案：王文誥蘇詩總案，繫此條於是年五月，但據子由次韻子瞻臨皐新葺南堂五絕，南堂當成於是年六月，說見新豐五年十月轉運蔡承禧按臨條。
陳慥同王長官來訪。（按此爲陳慥六度訪先生也）

是月，先生患目疾，杜門僧齋。吳復古來訪，病乃甚。不盡款而行。
七月，作初秋寄子由和王鞏北歸詩。
勳案：欒城集卷十二，子由喜王鞏承事北歸詩有「同罪南遷驚最遠，乘流北上喜先歸」句。
七月十五日，孫鼛來訪，出觀宮師手蹟，乃跋而歸之。
八月，有詩與武昌主簿吳亮工。
九月二十七日朝雲首生男遯，小名幹兒。（按：遯爲先生第四子）。頎然穎異，先生作洗兒詩。
十月趙吉攜子由書來見，喜先生樂易，遂留焉。先生記趙吉與子由論神全。
十月十二日，日夜過承天寺訪張夢得，相與步月。
十一月九日爲孟震跋子由所作加子泉銘。
是月，徐大受卒於道，喪過黃州，先生拊棺一慟，爲文祭之，爲經紀其喪，作徐大正書，作徐大受挽詞。
十二月十九日，先生生朝，王適以詩來慶，先生寄茶二十一片，並答書巢谷辭歸眉山。
宋神宗元豐七年甲子（公元一〇八四年），四十九歲。
先生在黃州任。正月和秦觀、參寥梅花詩，夜過雪堂，聞崔閑彈曉角，記孟郊詩，翌日餽崔閑酒、作詩。
二月二日，與參廖、徐大正步自雪堂，沿柯池入乾明寺觀竹林，謁乳母任氏墳。

三月三日，與徐正大、參寥、崔閑攜酒出遊。

三月告下，特授檢校尚書水部員外郎，汝州團練副使，不得簽書公事。進謝上表。

四月一日將自黃移汝，留別雪堂鄰里二、三君子，王齊愈、齊萬兄弟、陳慥皆集、參廖、趙吉並從行。渡江，過武昌，夜行吳王峴，聞黃州鼓角，回望東坡，凄然泣下。至東湖，爲王齊愈留二日。十四日至慈湖。王齊愈、齊萬、齊雄子天常、潘革偕子鯁、丙、原、偕孫大臨、大觀、古耕道、郭遘、何聖可偕孫頡、韓毅甫、宗公頤，皆送別於慈湖，陳慥獨送至九江。與參寥游廬山。

四月晦至海昏，特到高安與子由相別。與離高安赴京應試之王適遇於途。在高安留十日別子由，過奉新。

勳案：據先生將至筠先寄遲、适、遠三猶子詩：「露宿風餐六百里，明朝飲馬南江水。……我爲乃翁留十日，掣電一歡何足恃？」子由次韻子瞻特來高安相別先寄遲、适、遠，卻寄邁、迨、過、遯詩：「老兄騎騾日百里，據鞍作詩若翻水。」子由次韻子瞻留別三日詩：「公來十日坐東軒，手自披雲出朝日。」先生書李志中文啓：「元豐七年軾舟行赴汝海，自富川陸走高安，別家弟子由，九日過奉新。」子由次韻子瞻行至奉新見寄詩：「十日留公談，欲作白蓮會。」依此推算先生至海昏，高安，應在四月晦，（孫汝聽蘇潁濱年表則誤四月爲三月。）至五月九日別子由過奉新，正十日也。王文誥蘇詩總案：「五月一日至海昏與王適遇於道中，過李莘常兄弟故居，發奉新寄子由書。將達筠以詩寄遲、适、遯……至筠寓於東軒」核與先生兄弟來往詩啓。前後時間不符。曹樹銘東坡年表作「八日與轍別」蓋亦從王文誥之誤。

六月參寥留別，遂挈家以行。九日邁赴饒之德興尉，送至湖口，同游石鐘山。經池州、蕪湖。

七月經當塗抵金陵，訪王安石於蔣山，安石以修三國志爲託。是月二十八日第四男遯病亡。子由作詩相慰。

八月數見王安石於蔣山，論西夏用兵及東南大獄等事。與金陵守王益柔游蔣山。十四日與王益柔同赴儀眞，訪眞守袁陟，因寄家於學舍。十九日發儀眞，滕元發乘舟來迎，適許遵、秦觀亦至，遂會於金山。與滕元發定議，乞常州住事。元發與許遵赴潮州任。秦觀辭歸高郵。

九月買宜興田。渡江至京口、毘陵、宜興。

十月六日還至京口，渡江至揚州。十九日上乞常州居住表。

勳案：先生上啓居住狀：「臣以家貧累重，須至乘船赴安置所。自離黃州，風濤驚恐，舉家重病，幼子喪亡，今雖已至揚州，而資用罄竭，無以出陸，又州無田業可以爲生，犬馬之生，饑寒爲急。……有薄田在常州宜興縣，粗給饘粥。欲望聖慈特許於常州居住。……」據此可知先生有長住常州，安貧以樂其道之意。惜此狀未蒙入奏。乃別作一狀於次年正月，遣人入京投下。其辭已多所改易矣。

十一月十三日訪竹西寺，邵伯埭、高郵與秦觀會。秦觀追送，渡淮。冬至日抵山陽，與秦觀淮上飲別。

十二月一日抵泗州，忽遇劉仲達，乃同至都梁山話舊。十八日浴於雍熙塔下。二十四日同泗守劉士彥字倩叔游都梁山，除夕在泗州度歲。雪中送酥酒作詩。

宋神宗元豐八年乙丑（公元一〇八五年）五十歲。

正月元日雪中過淮，作射堂詩。四日發泗州，再上乞常州居住表。

二月至南都，奉放歸陽羨之命，遂居常州，並訪張方平。

四月子由至績溪縣任。李廌自陽翟來謁。四月三日自南都還，經靈璧、楚川，哭蔡承禧，遇楚守田叔通。

五月一日經揚州，二十二日至常州貶所，歸宜興，仍還常州。

六月湖州賈收來訪。是月告下，復朝奉郎，起知登州軍州事。過潤州、眞州。

七月初游金山、焦山。

八月子由除校書郎。二十七日過揚州，訪揚守楊景略。

九月抵楚州。

十月過海州、漣水、懷仁、密州、登超然臺。十五日到登州任，趙倜爲交代。是月子由除右司諫，時仍在績縣任。二十日告下，以禮部郎中召還，遂罷登州任。

十一月二日，別登州人士，遂行，過萊州、青社，米芾專人至。過濟南、鄆州、南都、謁張方平，遇程懷立。

十二月上議登州水軍狀，乞罷登萊榷鹽狀。是月（此從王案，紀年錄作十一月。）抵京師，至禮部郎中任。因議免役法，與司馬光之政見相左。是月遷起居舍人。

宋哲宗元祐元年丙寅（公元一〇八六年），五十一歲。

正月庚寅改元。

正月以七品服入侍延和殿。

二月，子由至京就右司諫任。

勳案：據續資治通鑑卷七十九元祐元年二月癸酉條：「右司諫蘇轍始供職。」易蘇民蘇譜彙證、曹銘東坡先生年表均從王文誥蘇詩總案，以子由正月到京，任右司諫職，誤。

閏二月一日，先生上罷左右僕射蔡確、韓縝狀。

勳案：王譜：「二月六日罷免役復差役差官。」蓋先生上狀之功也。

訪歐陽棐辯兄弟，拜謁其母太夫人，以中子迨請婚棐女。

三月遷中書舍人，上辭免狀。

六月行呂惠卿安置建寧軍責詞。

七月，和子由送陳侗知陝州詩。

勳案：據續資治通鑑：「元祐元年六月，衛尉少卿陳同知陝州。」陳侗到任時當在七月。

八月四日乞不給散青苗錢斛狀。是月遷翰林學士知制誥。

九月子由除起居郎。

十一月子由除中書舍人。二十九日召試學士院、拔畢仲遊、黃庭堅、張耒、晁補之，並擢館職。

十二月右司諫朱光庭摭召試館職策問語，誣以人臣不忠，請正考試官罪。

十八日上辨試館職策問劄。詔特放罪。朱光庭、傅堯俞及王巖叟相繼疏論，皆不報。自是朋黨之禍起。

宋哲宗元祐二年丁卯（公元一〇八七年），五十二歲。

先生在京師。

正月傅堯俞、王巖叟、朱光庭等先後再上疏爭論，十二日有七旨堯俞、巖叟、光庭不須彈奏。

勳案：時司諫朱光庭等皆希合司馬光以求進，一再上疏。無累數十，宣仁后。聖斷確然，於古昔賢君何嘗多讓！

十七日再上辯劄。十九日待罪。四上劄請外。二十三日詔令供職。

三月，乞錄用鄭俠王斿狀。

四月十九日，上薦布衣陳師道。

勳案：先生狀中稱陳師道文詞高古，度越流輩，安貧守道。若將終身，考師道一生風義確是如此。

七月，告下兼侍讀。

八月一日，進兼侍讀。

十一月，子由除戶部侍郎。是月上舉黃庭堅自代狀。

十二月召試學士院，拔廖正一等置館職。是月患目疾。

宋哲宗元祐三年戊辰（公元一〇八八年），五十三歲。

先生在京師任翰林學士，和子由元日省宿致齋詩有「白髮蒼顏五十三」句。

正月二十一日，領禮部貢舉事，孔文仲同知貢舉事，辟黃庭堅、鄭君乘、上官均、單鍔、劉安世、李昭玘、廖正一、晁補之、舒煥、孫敏行、蔡肇、鄒浩、張耒、李公麟等爲參詳編排點檢試卷等官，同入試院。

二月三日，試禮部進士。

三月榜出，李廌獨見黜，爲詩送之。是月連上劄，以疾乞郡。

五月一日，與子由同轉對，條上三事。是月陳慥遠來訪問。

勳案：此係陳慥七度訪先生。

九月再引疾乞外，特降詔不允，遣使存問。

十月復以疾乞郡，臥病逾月，請郡不允，復値玉堂。

宋哲宗元祐四年己巳（公元一〇八九年），五十四歲。

正月，在京師任翰林學士。

三月十一日，除龍圖閣學士，知杭州。十五日以賜馬贈李薦，作馬券。

五月至南都，謁張方平。

六月陳師道自徐來謁，從至宿州，始別。渡淮，過山陽、潤州、湖州。是月子由除吏部侍郎，改翰林學士、兼吏部尚書。

七月三日，到杭州任，進謝上表。復游西湖，則葑合成田，半皆蕪沒。

勳案：先上謝上表云：「江山故國，所至如歸，父老遺民，與臣相問。」以先生去杭州通判任已十六年矣。觀西湖葑合成田，半皆蕪沒，益見先生治績，而慨北宋用人之不善也。

八月，子由爲賀遼使。

十月，王箴、仲天貺自蜀來訪，時方旱饑，用監稅蘇堅之議，浚鹽橋、茅山二河，以工代賑。

十一月，上乞賑浙西六州（杭州、湖州、秀州、蘇州、常州、潤州）狀。

十一月三日、十二日，論高麗進奉第一、第二狀。極言與高麗往來之害。

勳案：先生與高麗關係，始於熙寧五年（公元一〇七二年），時先生通判杭州，已不信高麗進貢之誠意，至元豐八年（公元一〇八五年）相去十四年，故狀詞中有「臣伏見熙寧以來，高麗人屢入朝貢，至元豐之末，十六、七年間」之語。而先生之積極介入宋與高麗之邦交，當亦始於斯時也。復按蘇東坡全集奏議卷六論高麗進奉第一狀、論高麗進奉第二狀、乞令高麗僧從泉州歸國狀，均分別書明寫於元祐四年十一月三日、十一月十二日、十二月三日，王宗稷東坡先生年譜譜於元祐五年，誤。

是月，子由自契丹回，知契丹盛傳三蘇文。

勳案：子由神水館寄子瞻兄四首，題下自注：「十一月二十六日，是日大風。」詩中有「誰將家集過幽州，逢見胡人問大蘇。」先生次韻子由使契丹，至涿州見寄四首：「顫毳年來亦甚都，時時駃舌問三蘇。」自注云：「予與子由入京時，北使已問所在。後余館伴，北使屢誦三蘇文。」又子由論北朝所見於朝廷不便事：「臣時初至燕京，副留守邢希古相接送，令引接殿侍元辛傳語臣轍云：『令兄眉山集，亦使流傳至此？』及至中京度支使鄭顓押宴，爲臣轍言先臣洵所爲文字，亦頗能盡其委曲。及至帳前，館伴王師儒謂臣轍：『聞常服伏苓，欲乞其方。』蓋臣作服伏苓賦，必此賦必亦已到北界故也。」足證三蘇文已盛行於契丹矣。

是年，趙令時自明州來謁。蘇堅子厗來謁，見其清江曲，大愛之。

元祐五年庚午（公元一〇九〇），五十五歲。

在杭州任。正月因旱饑，減價糶常平米，施聖散子。十四月上乞降度牒召人入中斛𣁾。出糶濟饑狀。

二月仲天貺、王箴辭歸蜀。

三月水旱之後，疾疫並作，乃裒羨緡，發私橐，置病坊於衆安橋，分坊治病，以僧主之。

四月二十日興築茅山，鹽橋二河堰閘，重使僧子珪修復六井。二十八日用錢塘尉許敦仁之議，開西湖，以工代賑。二十九日上乞度牒開西湖狀。

五月子由爲御史中丞。五日申三省，起請開西湖六條狀。

六月上應詔論事狀。十五日上浙西六州災傷第一狀。

八月西湖成，取葑山，積爲長堤八百八十丈，以通南北。中跨六橋，以疏諸港之水。復立三塔，以限菱田。橋上置九亭，以便行人。沿堤遍植芙蓉楊柳，杭人稱蘇公堤。

八月十五日乞禁商旅過外國狀。

勳案：王文誥蘇詩總案以先生此狀當與論高麗買書利害箚子三首合看，其論甚當。觀孝宗讀先生章疏，以當年執政者對先生七上狀疏均視為多事而不採納，為之恨恨者，可知先生見事之遠，慮事之誠，無異乎孝宗觀先生此類疏狀，對先朝執政者之愚昧恨恨久之。先生對高麗之疑懼，蓋戒慎於契丹也。然先生之名更因此而為高麗人所重。不因程朱理學，為高麗當時官學，而於先生有所貶損，豈不詭哉！

九月七日，上相度賑濟六州第一狀。十七日上相度賑濟六州第二狀。二十七日乞檢會詔所論四事狀行下。二十一日相度賑濟六州第三狀。

十一月二十一日上相度賑濟六州第四狀，前後四狀均不報。

十二月除夜庭事蕭然，三圄皆空。

宋哲宗元祐六年辛未（公元一〇九一年），五十六歲。

正月，在杭州任。

二月上乞相度開石門河狀。是月子由除尚書右丞。二十八日，先生以翰林學士承旨召還，林希為代，遂罷杭州任。

三月初，別杭州，以蘇湖被災獨甚，百聞不如一見，遂繞道赴湖州、德清、吳江、蘇州。

四月過潤州、揚州、高郵，沿途親察各地災情。

五月至南都，謁張方平。十九日歷陳仕跡，幷乞戍邊狀，詔下不允。二十四日與張方平別，遂行。是月二十六日，到闕上殿，館於興國東堂。二十九日赴閤門，受告命。

六月一日，詔賜對衣金帶馬，命供奉官宣召再入學士院，進謝上表。四月詔兼邇英殿侍讀。是月子由三上乞避兄箚，朝旨不許，遂遷東府與子由同居。

七月二日上論三吳水利，進單鍔書狀。六月上論朋黨之患，再乞郡箚。十二日乞將上供封樁斛㪷，應副浙西六郡，接續糶米箚。

八月再乞郡，子由亦上乞同出狀。是月八日，以龍圖閣學士知潁州，別子由出京，留尚書右丞。邁授河閒令。是月二十二日，到潁州任，與陸佃爲交代。

九月申三省論八丈溝利害不可開狀。

十月以潁民苦饑，乞留黃河夫修境內溝洫狀。

十二月聞張方平訃，於僧寺舉哀，用唐人服座主緦麻三月。二十五日論淮南盜賊，乞賜度牒，糶斛㪷，準備賑濟淮浙流民狀。

是冬汝陰大雪苦饑，用趙令時議，散義倉穀，及作院酒務柴炭，從事賑濟。

宋哲宗元祐七年壬申（公元一〇九二年），五十七歲。

正月在潁州任。遣李直方捕壽州盜，請以合轉一官與直方酬獎狀。

二月同趙令時通焦陂水，開濬西湖，並作清河西湖三閘。是月告下，以龍圖閣學士知揚州，晏知止來代，遂罷任。潮州守王滌專使來，求韓文公廟碑，答書。子由書至，約過闕上殿，不可。

三月初，去潁州，遊塗山、荊山，經濠州、壽州。十二日，抵泗州。晁補之以詩來迎，答詩。撰潮州韓文公廟碑。過山陽，十六日到揚州任。

四月，潁州西湖成。

五月，晁詠之具參軍禮入謁，挽而上之，顧謂坐客曰：「此奇才也」。十六日，上論兩浙、京西、淮南三路積欠六事四事箚子。

六月，子由拜門下侍郎，即參知政事。十六日上再論積欠六事四事箚子。

七月，詔免積欠。二十七日上論綱梢欠折利害，幷劾倉部金部發運官吏情罪狀。

八月一日，上乞罷眞、揚、楚、泗四州轉般倉斗子倉法狀。詔復舊法，如所請。五日乞罷稅務歲終賞格狀。是月以兵部尚書召還，兼差充南郊鹵簿使，趙祠部奉命來代，遂罷任。

九月初，離揚州，經臨溪、都梁、宿州、靈壁鎭、南都，過張方平樂全堂，爲文祭之。上乞過郊禮仍除一郡狀。是月將至都門，子由奉詔來迎，到兵部尚書任，詔兼侍讀，館於興國院東堂。

十一月四日，再論潁州李直方補賊功效乞推恩箚，又不報。

勳案：據先生箚云：「李直方本以進士及第，母年九十餘，只有直方一子相頊爲命，而能奮不顧身，躬親持刀刺尹遇，又能多出家財，緝知餘黨所在，分遣弓手前後補獲，功效顯著。」而朝廷竟以「小不應格」不予推賞，如此孤恩，無怪北宋朝廷，終亡於靖康之世也。

七日，乞免五穀力勝稅錢箚。十二日爲鹵簿使。上乞越州箚，二十六日告下，遷端明殿學士，兼翰林侍讀學士，守禮部尚書。上辭免仍除一郡狀。降詔斷來章。

十二月到新任，因謝上爲諫表。

宋哲宗元祐八年癸酉（公元一〇九三年），五十八歲。

正月，在禮部尚書任。

二月二日，論高麗買書利害劄。

先生在京師，有客來自登州者，以石芝贈獻。

勳案：先生石芝詩：「余昔夢食石芝，作詩記之，今乃眞得石芝於海上，子由和前詩見寄。予頃在京師，有鑿開得如小兒手以獻者，臂指皆具，膚理若生。予聞之隱者曰：『此肉芝也。』與子由烹而食之。」子由次韻石芝：「元祐八年予與子瞻在京師，客有至自登州者，言海上諸島石間向日者多生耳，海人謂之石芝。食之味如茶，久而益甘。海上幽人或取服之，言甚益人。客以一籃遺子瞻。」此條明言係元祐八年在京師時之事，王文誥蘇詩總案，易蘇民蘇譜彙證、曹樹銘東坡先生年表、王宗稷東坡先生年譜，均未記及，應予補入。

三月十三日，再乞免五穀力勝稅錢劄。

四月，奏太學生馬澈進狀，論禮部韻略有疏略未盡事件，不當屛出學狀。

五月七日，乞校正陸贄奏議上進劄。

八月一日，繼配王夫人（同安君）卒於京師，年四十六，殯於京城道院。是月以兩學士知定州，罷禮部尚書任。

九月，奏辟李之儀及孫敏行爲簽判。詔促行，不得入見。二十六日，上朝辭赴定州論事狀。二十七日至東府與子由留別，出都、經雍邱，米芾來迎，爲留一日。

十月經相州，眞定，邁罷河閒令，遂從行。

是月二十三日，到定州任。

十一月十一日，上乞增修弓箭社條約狀。同月再上第二狀，奏上，皆不報。修葺營屋，懲創貪污，嚴整軍紀，部勒戰法，衆皆畏服。上乞修定州軍營狀。

宋哲宗元祐九年甲戌（公元一〇九四年），五十九歲。

正月在定州任。上乞減價糶常平米賑濟狀。

二月大閱兵，自韓琦去後，再見此禮。

三月二十六日，子由謫守汝州。居數月，再謫知袁州，未至，分司南京、筠州居住。

閏四月三日，坐前掌制命，語涉譏訕，落端明殿學士兼翰林侍詩學士，依前左朝奉郎，責知英州，遂罷定州任。即去定州、過眞定，告下，降充左承儀郎，仍知英州。經臨城、內邱、湯陰，告下，合敘復日，不得與敘，仍知英州。經滑州、韋城、渡河。經陳留。楊濟甫之子明自眉山來，追遇於陳留道中。視子由於汝州，與子由別後，還至陳留。再行經雍邱，與米芾遇，馬夢得始辭歸，溯自嘉祐六年隨往鳳翔任，迄今三十四年。

五月過汴上，與晁說之飲別。過泗州、山陽、高郵、揚州，遣邁歸宜興。

勳案：先生貶知英州，過汝州視子由。子由分俸與邁，以使移家宜興就食。先生與參寥書：「

子由分俸七千，邁將家大半，就食宜興。既不失所，外何謂掛心，翛然此行也。」王文誥蘇詩總案未提及此書，特予補列。張耒自潤州遣兵王告及顧成衛行。泊儀真，阻風小留。

六月七日泊舟金陵。二十五日抵當塗，告下，落左承議郎，責授建昌軍司馬，惠州安置。使迨以家從長子邁居，獨契過與朝雲赴江州。

七月過湖口、九江，與蘇堅泣別，過廬山、南康、都昌。

八月過分風浦、豫章，易舟而行。過豐城、廬陵，觀曾安止所作禾譜，作秧馬歌。告下，落建昌軍司馬，貶寧遠軍節度副使，仍惠州安置。七日上惶恐灘，抵虔州、登鬱孤臺，有詩，過和詩。九月，渡大庾嶺，過南雄、始興、韶州、曹溪、英州，遊碧落洞。下湞陽峽，遇吳復古於舟中。

十月二日到惠州貶所，初寓合江樓。蒼梧守李安正枉道來訪，留十日而後行。十八日遷居嘉祐寺。

宋哲宗紹聖二年乙亥（公元一〇九五年），六十歲。

先生在惠州。

三月二日宜興卓契順徒步來惠，致守欽詩及錢世雄所達邁書。參寥專使至。陳慥欲來惠訪問，止之。

是月初，程之才按臨廣州。七日，來訪，相得極歡，前卻盡釋。十六日，追餞程之才於博羅香積寺，寺下溪水，閘而落之，可作碓磨，使縣令林抃成之。羅浮道士鄧守安來謁，共議建惠州東西新橋事。十九日，遷回合江樓。是月，卓契順辭宜興，問其所求，答曰「契順惟無所求，而後來惠州。若有求，當走都下矣」。苦問不已，惟欲得數字，遂書歸去來詞以寵其行。

四月，張耒遣兵王告來訪問。二十二日，授衢州進行粱琯秧馬式，使歸告張弼，以傳吳中。

五月，用鄧守安議，與程之才、傅才元、詹範籌建惠州東西兩新橋。又以惠州兵衛單寡，海盜窺伺，營房廢缺，軍政隳壞，因建議程之才，使添建營房三百餘間，以肅軍政。

七月，痔作，時作小乘定。

八月，柳仲遠報堂妹德化縣君卒。以嶺南稅役，折納掊剋，致米賤傷農，錢荒爲患，疲民重困，因建議應行戒約，囑程之才與有關方面集議施行。

十月，聞所議營房，稅役、掊剋諸事，三司皆議行，答程之才書。是月，聚枯骨爲叢冢，併籌款，於海會院前，建放生池。

十一月，張耒使至，始知坐黨，徙宣州。

十二月，法舟自成都至，求惟簡塔銘。

是年三月，和陶淵明歸田園居詩，自敘云：「始予在廣陵，和飲酒讀二十首，今復爲此，要當盡和其詩，乃已爾。」

宋哲宗紹聖三年丙子（公元一〇九六年），六十一歲。

先生在惠州。

二月，程之才召還。

三月，得歸善縣後隙地數畝，乃古白鶴觀基也，將築室其上。是月，曇秀自端州來。

四月二十日，復遷嘉祐寺。

五月，翟東玉將赴龍川令任，求秧馬法。

六月，江岸船橋成，名東新橋。湖岸樓橋成，名西新橋。聞邁授仁化令，將搬挈南來，陳師錫專使至。王序及王庠專使自蜀至。

七月五日，妾朝雲病亡，年三十四。

八月三日，用朝雲遺言，葬於豐湖棲禪寺東南松林中。寺僧建亭覆之，榜曰六如亭。

十一月，王古來訪，與議引蒲澗山滴水巖水，以免廣州平民飲苦鹹水，春夏得疾。吳復古、陸惟忠自高安來訪。

十二月，王古作管，引蒲澗水，再與議通塞事。

宋哲宗紹聖四年丁丑（公元一〇九七年），六十二歲。

正月先生在惠州，白鶴新居成。

勳案：先生新居欲成詩，子由和詩有「伏臘應須隨俚俗，室廬聞似勝家山」句。據此推知新居當落成於是年正月也。聞邁將至，遣過迎於循州。二十一日曇秀辭歸，問山中人求土物，何以與之。秀曰：「鵝城清風，鶴嶺明月，人人送與，只恐他無著處」。遂作書數紙，以贈其行。

二月，周彦質罷循州守後來訪。十四日，白鶴峯新居成，自嘉祐寺遷入。吳復古辭往桂管。與王古議建廣州醫藥院，如杭州病坊事，囑周彦質以報。

閏二月邁、過挈箄、符、籥等至惠。

三月，子由徙化州別駕，雷州安置。邁因親嫌，罷仁化令。陸惟忠辭赴河源。

四月十七日，方子容來弔，出告身，責授瓊州別駕，昌化軍安置。十九日，寘家惠州，挈過舟行，經博羅、扶胥、廣州，與邁處置後事，子孫皆江邊痛哭訣別，邁及諸孫仍返惠州。經新會，新州。

五月，抵梧州，聞子由尚在藤州，十一日追遇子由於藤，自是同臥起於水程山驛間者，兩旬有餘。

六月五日，同至雷州、雷守張逢、海康令陳諤迎於郊外。八日，雷守專使護送，九日，達徐聞，馮太鈞迎至海上，止於遞角場。十一日，與子由訣別，遂渡海。達瓊州岸，瓊倅黃宣義來見，託以郵遞。遂賃輿行，經澄邁。

七月二日，到儋州昌化軍貶所，初僦居官屋倫江驛。張中禮遇甚恭，日與過弈，幷因官舍漏雨，重爲修葺。赴市糴米，乃知海南俗以貿香爲業，而田蕪不治，即爲詩示張中，復和陶淵明勸農諸篇，以告儋人。

十二月檢所和陶淵明詩凡一百零九篇，爲書告子由，使爲敘。時張中爲儋州軍使。

宋哲宗紹聖五年戊寅（公元一〇九八年），六十三歲。

先生在儋州。

二月二十日，子由生朝，先生作香山子賦祝壽。

三月二十日，聞柳仲遠訃。吳復古渡海來訪。

四月，提舉湖南常平董必察訪廣西，至雷州，遣人過海，逐出官舍倫江驛，因偃息桄榔林下，就地築屋。

五月屋成，名曰桄榔菴，居鄰天慶觀，摘葉書銘，以記其處。

七月，聞子由徙循州，令過惠州日，留家累與邁同居。吳復古辭往循州視子由。

十一月吳復古書報陸惟忠病亡。

十二月參寥書至，欲自杭浮海來儋訪問，止之。趙夢得自澄邁來訪。

宋哲宗元符二年己卯（公元一〇九九年），六十四歲。

先生在儋州。正月十五日，與老書生步月城西，三鼓乃還。

二月，張中坐前爲公修倫江驛官舍，衝替。

二十日子由生朝，先生以黃子木拄杖爲壽。

勳案：先生以黃木子拄杖爲子由生日之壽：「海南無嘉植，狂果名黃子。堅瘦多節目，天材任操倚。嗟我始剪裁，世用或緣此。貴從老夫手，往配先生几。」子由次韻詩：「我兄念辛勤，贈此攜且倚。他年賜還日，田舍尤須此。」手足情深，感人肺腑。

三月初，送張中，和陶淵明與殷晉安別詩。是月負大瓢，行歌田畝。有饁婦，年已七十，謂曰：「內翰昔日榮貴，一場春夢耶？」因呼春夢婆。

五月，鄭嘉會舶書至，使過編排整齊，以須異日歸還。是月子由報巢谷自眉徒步奔赴，由循起程。

八月，迨報京師傳公得道，乘小舟入海，不復返。

閏九月十七日，因海南有重南輕女之俗，書杜甫「土風坐南使女立」詩，以勸儋人。是月瓊州姜唐佐來從學。

十月，鄭清叟自惠渡海來訪。

十一月，張中告行，夜坐不去，作再送張中，和陶淵明王撫軍座送客詩。

十二月，張中來別，夜坐達曉，作三送張中，和陶淵明答龐參軍詩。

宋徽宗元符三年庚辰（公元一一〇〇年）六十五歲。

正月，先生在儋州。

三月，劉沔編錄先生詩文二十卷以正，報書。

三月，葛延之自江陰渡海來從游，誨以作文法。

三月二十一日，姜唐佐辭歸瓊。

三月二十二日，書柳宗元牛賦，併爲跋，以遺瓊僧道贇，使告瓊人破除迷信，戒殺牛隻。

四月，得秦觀書。

四月，至黎子雲家，道中遇雨，假笠屐而歸。

四月，作書傳十三卷成。題書傳、易傳及論語說。

五月，葛延之辭歸。

五月，吳復古自循州再渡海，報有內遷之訊，幷出示子由循州所贈諸詩，爲和二詩，欣然有歸白鶴峯意。和陶淵明始經曲阿詩，至是和陶集成。

秦觀報先生徙廉州。

是月，告下，仍以瓊州別駕，廉州安置。子由徙岳州。與秦觀期於徐聞相晤，以舶書仍由海運寄邁，使訪尋鄭嘉會歸納。

六月，往別符黎諸生，留書以示黎民表。出陸，與過及吳復古行。過澄邁、瓊山、雙泉、姜唐佐來見，過其家。

六月二十日，登舟渡海，止遞角場。抵徐聞，與秦觀及海康令歐陽元老會。抵雷州。

六月二十五日，將發雷州，秦觀出自挽詞一篇相質，先生以觀「齊生死，了物我」，戲作此語，不足爲怪，遂行。吳復古亦別去。過興廉村，至官寨，水暴漲，不可前。復乘海船出口，並海而行。

七月，舟抵白石，始出陸。四日，至廉州貶所，廉守張仲修出迎，款於淸樂軒，遂定居。

八月，聞迨自毘陵度嶺，將達惠州。

八月十一日，告下，遷舒州團練副使，永州居住。

八月二十八日，聞巢谷爲蠻隸困死，藁葬新州，先生大慟，爲書告楊濟甫，使資其子蒙以來至永，當更資之，俾迎喪歸蜀。

八月二十九日，與過行，並諭邁、迨搬挈，會於蒼梧。

九月六日，至鬱林。

九月七日，聞秦觀凶問，遂行抵白州，遇陸齋郎，知觀在藤傷暑，八月十二日卒於光化亭上，先生大慟。

九月十日，過南容，專使往約范仲會於蒼梧。至藤州光化亭，范沖載觀喪去已久。

九月十七日，抵梧州，范沖旣去，邁、迨亦未至。

九月二十四日，過康州，抵廣州，程懷立，孫鼛，王進叔皆出款待。

十月，感疾累日，邁、迨、簞、符、籥及家累皆至，重聚於羊城。

謝舉廉袖所業來謁，大爲稱賞。

鄭嘉會書至，欲相從谿山間，答書。

十一月，將行，念巢谷旅殯無託，或至毀露。乃以告王進叔及懷立，爲照顧。發廣州，孫鼛挈其子拏舟來追，復同舟前進，抵金利山，餞別崇福寺，乃歸。

十一月十五日，吳復古、何德順、曇潁、祖堂、老通、黃明達、李公弼、林子中自番禺追餞於清遠峽廣慶寺。復古忽感疾，問以後事，笑而不答，瞑焉而化，爲經紀其喪，有祭文哭之。

發湞陽峽，得旨，復朝奉郎，提舉成都玉局觀，在外州軍任便居住。遂罷永州之行。

是月子由以大中大夫提舉鳳翔府上清太平宮，外州軍任便居住。子由至鄂州，又受命在潁川許昌府居住。

十二月杪，發韶州，南雄道中，因腹疾，留調度歲。

宋徽宗建中靖國元年辛巳（公元一一〇一年）六十六歲。

正月三日，先生抵南雄。

正月四日，發大庾嶺。

正月五日，至嶺巔龍泉寺，過南安軍、南康縣、抵虔州，虔守霍漢英出迎。登鬱孤臺。日攜藥囊游城市及山野間，遇有疾者，必爲發藥，並疏方示之。每至寺觀，求書者多拱立以俟，先生見之即笑，略無所問，縱橫揮毫，隨紙付人。

二月，程之才專使來迎。

孫勰弟勴自感化來見，爲其亡父立節作剛說。

父明允昔在虔，與鍾棐游，先生訪得棐諸子，相持而泣，爲棐作哀詞。

三月二日，記蘇庠清江曲，以爲此篇若置在太白集中，誰復疑其非也。

三月二十一日，儂沔爲誦秦觀昔在虔州所作好事近「山路雨添花」詞，錄本付之。

四月，過豫章，孔平仲寄到子由書，勸同居潁昌。

四月四日，抵南康軍，登廬山，過九江。

四月十六日，經湖口、舒州、當塗。

五月一日，抵金陵，還禮崇因院，作觀音頌。渡江至儀眞，與程之元、錢世雄等會於金山，登妙高臺，觀李公麟所寫眞，自題詩云：「心似已灰之木，身如不繫之舟，問汝平生功業，黃州、惠州、儋州。」黃寔寄到子由書，望先生歸許甚切，因復定居許，命邁、迨往宜興搬挈，會於儀眞。及聞朝局事，紹述復熾，決歸毘陵，定居孫館，復書子由告以不往潁昌之由。

勳案：先生與子由書云：「得……四月二十二日書，喜知近日安勝。兄在眞州，與一家亦健。計行南北，居幾變矣，遭值如此，可歎可笑。兄已決計從弟之言，同居潁昌，行有月矣。適程德孺過金山，往會之，並一、二親故皆在座，頗聞北方事，有決不可往潁昌近地居者。（自注：事皆可信人所報，大抵相忌安排攻擊者。北行漸近，決不靜爾。）今已決計居常州。」觀此，可知北宋朝臣但知挾私怨而害公義，內憂既重如此，靖康之難，又安得不生？讀先生書，悵然久之，憤然久之。

六月一日，與米芾遇於白沙東園，嗣即瘴毒大作，暴下不止，遂爲書屬子由曰：「即死，葬我嵩山下，子爲我銘。」

六月十一日，米芾來辭，強起送之，別於閘屋下。

六月十二日，渡江過潤州。

六月十三日，挈柳閎、邁、迨等往。弔柳仲遠及德化郡君墓。

六月十五日，舟赴毘陵，錢世雄來迎，即以易、書、論語三書付世雄，藏之名山。舟抵毘陵，遷寓顧唐橋孫館，遂上表請老，以本官致仕。

七月十五日，疾篤。

七月十八日，命邁、迨、過侍側曰：「吾生無惡，死必不墜。」

七月二十八日，將屬纊，邁問後事不答，是日薨。先生在告日，蜀人咸望先生歸。俄老翁泉竭。彭山復青，方以爲異，而訃至。

九月，子由聞訃，命遜奔喪毘陵。

宋徽宗崇寧元年壬午（公元一一〇二年）

四月，子由命過留毘陵伴喪，命邁、迨、往京城道院告遷同安君柩至潁川嵩陽精舍，以待合祔。閏六月二十日，合葬於汝州郟城縣鈞台鄉上瑞里嵩陽峨嵋山。子由爲墓誌銘。

第四節　子由先生年譜

宋仁宗寶元二年乙卯（公元一〇三九年）一歲

二月二十日先生生於眉州眉山。先生名轍，字子由，一字同叔，其家世已詳蘇明允年譜中。

勳案：東坡與程正輔提刑書：「其中乃是子由生日合香等，他是二月二十日生。」先生和子瞻沈香山子賦：「仲春仲休，子由於是生。東坡老人居於南海，以沈水香山遺之，示之以賦，曰：『以爲子壽。』」乃和而賦之。其詞曰：『我生斯辰，閱歲六十。』」先生此賦作於元符元年（公元一〇九八年），逆數六十年，則先生生於寶元二年（一〇三九年）。復據王直方詩話：「蘇黃門己卯生，故東坡有卯君之語。其以檀香觀音遺黃門曰：『持是壽卯君。』其出局偶書云：『傾杯不能飲，待得卯君來。』其送王鞏云：『涙濕粉箋書不得，憑君送與卯君看。』」孫汝聽蘇潁濱年表：「仁宗寶元二年己卯二月丁亥蘇轍生。」則先生生於仁宗寶元二年，應可確定無疑。

母程夫人命楊金蟬哺乳先生。

東坡保母楊氏墓誌銘：「先夫人之妾楊氏，名金蟬，眉山人，年三十始棣蘇氏，頹然順善也。爲弟轍子由保母。」

宋仁宗康定元年庚辰（公元一〇四〇年）二歲

二月改元。

宋仁宗慶曆元年辛巳（公元一〇四一年）三歲

十一月改元。

伯父渙通判閬州，祖父序往視。

勳案：據先生伯父墓表，渙通判閬州時間，約在康定元年末，則序「往視其規畫措置良善，爲留數月，見其父老賢士大夫，閬人亦喜之。」推算蘇序往視之時間，應在慶曆元年春、夏之間。

適石揚言之小姑卒。

勳案：據明允極樂院六菩薩記：「繼長子死……又四年而幼姊亡。」明允長子卒於寶元元年（公元一〇三八年），下數四年，即慶曆元年，明允幼姊，即先生之小姑當卒於是年。

宋仁宗慶曆二年壬午（公元一〇四二年）四歲

仲兄東坡七歲始讀書。

宋仁宗慶曆三年癸未（公元一〇四三年）五歲

仲兄東坡入小學，以張易簡爲師。

宋仁宗慶曆四年甲申（公元一〇四四年）六歲

父明允與郫縣隱士張俞交游。

勳案：據宋史張俞傳：「文彥博治蜀，爲置青城白雲溪杜光庭故居以處之。」東坡張白雲詩跋：「與予先君游居岷山下白雲溪，自號白雲居士。」可知明允與張俞「游居岷山白雲溪」，當在「文彥博治蜀」期間。文彥博在益州按宋史宰輔表爲慶曆四年至七年期間。故明允與張俞交游，最早當在慶曆四年。王文誥蘇詩總案譜在康定元年（公元一〇四〇年），誤。

先生亦於是年入天慶觀小學，以道士張易簡爲師。

宋仁宗慶曆五年乙酉（公元一〇四五年）七歲

父明允游學在外，母程夫人親授先生兄弟以書。

二姊卒。

勳案：據明允極樂院六菩薩記：「繼幼姊亡……又五年而次女卒。」明允幼姊卒於慶曆元年，「又五年」即爲慶曆五年。

宋仁宗慶曆六年丙戌（公元一〇四六年）八歲

父明允與史經臣同舉制策。

勳案：據東坡記史經臣兄弟：「先友史經臣與先君同舉制策，有名蜀中。」

宋仁宗慶曆七年丁亥（公元一〇四七年）九歲

父明允與史經臣舉茂才異等不中，明允經嵩洛之廬山，望瀑布，與訥禪師，景福順公游。

勳案：先生贈景福順長老：「轍幼侍先君，聞嘗游廬山，遇圓通，見訥禪師，留連久之。元豐五年以讁居高安，景福順公不遠百里來訪，自言昔從訥於圓通，逮與先君游。歲月遷謝，今三十六年矣。」自元豐五年，逆數三十六年，即慶曆七年。

祖父序卒，伯父渙、父明允匆匆返家居喪，先生兄弟始識伯父。

父明允作名二子說，以「天下之車，莫不由轍。而言車之功，轍不與焉。雖然，車仆馬斃，而患亦不及轍。是轍者善處乎禍福之間。轍乎，吾知免矣」等語勉先生。

宋仁宗慶曆八年戊子（公元一〇四八年）十歲

父明允杜門家居，精心教育二子。

先生與仲兄子瞻就學於城西社下劉巨。

勳案：據先生送家安國赴成都教授三首：「城西社下老劉君，春服舞雩今幾人？白髮弟兄驚我在，喜君游宦亦天倫。（自注：微之先生門人，唯僕與子瞻兄，復禮與退翁兄仕爾。）」此詩作於元祐二年（公元一〇八七年）十二月，時先生在京任戶部侍郎。以詩中「白首相逢四十年」句，逆數至慶曆八年（公元一〇四八年），適四十年。可知先生從劉巨學，正十歲之齡也。

宋仁宗皇祐元年己丑（公元一〇四九年）十一歲

父明允與史經臣家居。

勳案：據東坡答任師中家漢公詩：「先君昔未仕，杜門皇祐初。……出門無所指，老史在郊墟。」應可推定此條當譜於是年。

先生兄弟與程建用楊堯咨會學舍中，作雨中聯句。

勳案：據東坡記雨中聯句：「幼時里人程建用、楊堯咨、舍弟子由會學舍中，大雨聯句，六言。程云：『庭松偃仰如醉』；楊即云：『夏雨淒涼似秋』；余云：『有客高吟擁鼻』；子由云：『無人共吃饅頭。』座皆絕倒。今四十年矣。」王文誥蘇詩總案繫於慶曆八年，易蘇氏、曾棗庄均改繫是年，今從之。

宋仁宗皇祐二年庚寅（公元一〇五〇年）十二歲

幼姊八娘適表兄和之才。

勳案：據類編增廣老蘇先生大全文集卷二載：明允自尤幷敘：「壬辰之歲而喪幼女……既適其母之兄程濬之子之才，年十又八而死。……生年十六亦已嫁，日負憂責無歡欣。」壬辰之歲即皇祐四年，時八娘十八歲；十六歲，自是皇祐二年。

宋仁宗皇祐三年辛卯（公元一〇五一年）十三歲

伯父渙居喪期滿，知祥符。

宋仁宗皇祐四年（公元一〇五二年）十四歲

幼姊八娘在夫家受虐待，鬱鬱而死。

勳案：司馬光程夫人墓誌銘：「幼女有夫人之風，能屬文，年十九既嫁而卒。」司馬光撰銘所言此十九歲應是虛歲，蓋明允自尤幷敘已明言「年十八而死。」王文誥蘇詩總案想係據司馬光之文，而將之繫於皇祐五年，誤。易蘇民蘇譜彙証，亦從王文誥之誤，當係嘉祐集各版本，均未收載明允自尤詩，不克獲閱詩中之言所致。

宋仁宗皇祐五年癸巳（公元一〇五三年）十五歲

宋仁宗至和元年甲午（公元一〇五四年）十六歲

三月改元。

張方平鎮蜀，訪知先生之父明允。

仲兄子瞻娶妻王弗。

宋仁宗至和二年乙未（公元一〇五五年）十七歲

張方平薦先生之父明允爲成都學官，明允作上張益州書，並謁張於成都。

先生之兄子瞻以所業謁張方平，得缸硯以遺先生。

先生娶妻史氏

宋仁宗嘉祐元年丙申（公元一〇五六年）十八歲

九月改元。

張方平勸明允進京，並爲書先容之於歐陽修。明允乃攜二子進京應試。

三月，先生與兄子瞻隨父來成都，辭別張方平，方平一見，待以國士。

初識寶月大師。

勳案：據先生祭寶月大師宗兄文：「……屈伸臂頃，閱歲四十。」此文作於紹聖二年（公元一〇九五年），逆數四十年，爲嘉祐元年（公元一〇五六年），則先生始見寶月大師應在十八歲之年。

先生隨父兄離成都，經閬中，出褒斜各，發橫渠鎮，同游崇壽院。

馬死二陵，騎驢至澠池，題詩寺壁。

勳案：東坡和子由澠池懷舊：「老僧已死成新塔，壞壁無由見舊題。往日崎嶇還記否？路長人困蹇驢嘶。」自注云：「往歲馬死二陵，騎驢至澠池。」而先生懷澠池寄子瞻兄詩則有「舊宿僧房壁共題」句，欒城集有和公判鳳翔題崇壽院詩。

五月抵京師，館於興國寺浴室僧德香之院。

八月舉進士於京師，先生兄弟皆中選。

宋仁宗嘉祐二年丁酉（公元一〇七五年）十九歲

試禮部，中第。三月放榜，先生中第五甲。上書韓琦求見，提出文氣說，強調閱歷對文章之作用。

四月八日先生之母程氏卒於家，隨父倉猝返蜀居喪。

蜀州新建絕勝亭，先生題詩。

宋仁宗嘉祐三年戊戌（公元一〇五八年）二十歲

先生謁見益州路轉運使趙抃

勳案：明允謝趙司諫啓：「向家居眉陽，以病懶不獲問從者。」據此可知趙抃任益州路轉運使時，先生兄弟正在家居喪。先生太子少保趙公詩石記所謂「轍昔少年始見公於成都。」當在於斯時。

十月，父明允得雷簡夫書，聞將召試舍人院。

十一月五日告下。

十二月一日明允上仁宗皇帝書，稱病不赴試，並提出十條革新主張。

宋仁宗嘉祐四年己亥（公元一〇五九年）二十一歲

六月明允告命再下，梅聖俞寄詩明允，勸其入京。

勳案：據梅聖俞題老人泉寄蘇明允詩：「日月不知老，家有雛鳳凰。百鳥戢羽翼，不敢言文章。幸爲仲尼嘆，出爲聖時祥。方今聖天子，無滯彼泉旁。」從「方今聖天子，無滯彼泉旁。」二句，可知此詩作于明允父子未返京前。王文誥蘇詩總案繫之嘉祐五年明允父子返京之後，易蘇民蘇譜彙証從之，誤。

父明允上書歐陽修，表示將攜二子入京。

父明允作自尤詩哀其幼女之死，並造大悲心像龕置極樂院中，紀念已死之親人。

勳案：據明允自尤詩敘文：「其後八年，而余乃作自尤之詩。」其幼女死於皇祐四年（公元一〇五二年），後推八年，應是嘉祐四年（公元一〇五九年）。王文誥蘇詩總案繫此詩於明允幼女初死時，誤。

十月先生隨父兄沿岷江、長江而赴京，先生兄弟均攜妻同赴京。

十二月初抵江陵，先生父子三人途中作賦，匯為南行集，東坡作敘，並在江陵度歲。

宋仁宗嘉祐五年庚子（公元一〇六〇年）二十二歲

正月五日先生隨父兄離江陵，陸行赴京。

二月十五日先生父子三人抵京，暫寓西岡，旋移居杞縣。集途中所作詩賦為南行後集，先生作南行後集引。

三月以選人至流內銓，先生授河南府澠池縣主簿，因楊畋薦舉制策，未赴任。

先生因舉制策，上書富弼、曾公亮和兩制。

勳案：先生上兩制書，有「今年春，天子將求直言之士，而轍適來京師調官」等語，應可確認係嘉祐五年之作。孫汝聽蘇潁濱年幼表繫於嘉祐六年辛丑，易蘇氏蘇譜彙証從之，誤。

十一月歐陽修為樞密副使，先生有賀啓。

宋仁宗嘉祐六年辛丑（公元一〇六一年）二十三歲

先生兄弟因舉制策，寓居懷遠驛。

八月詔以起居舍人同知諫院司馬光、同知諫院楊畋、知制誥沈溝為秘閣考官，試六論。

八月二十五日仁宗御崇政殿，試賢良方正、能直言極諫科。先生以極言得失，引致爭論，以司馬光之力護，最後降入第四等。己卯，以先生為試秘書省校書郎，充商州軍事推官。

十一月兄子瞻赴鳳翔府簽判任，先生送至鄭州西門外。

除日先生寄詩子瞻。

宋仁宗嘉祐七年壬寅（公元一〇六二年）二十四歲

二月子瞻往屬縣減決囚犯，有詩。先生有次韻子瞻減降諸縣囚徒事畢，事畢登覽詩。

四月楊畋卒。五月先生作哀詞。

六月先生與張琥登眞興寺閣，先生作賦。

八月伯父渙卒於任所。

九月次韻子瞻秋雪見寄詩

十月兄子瞻聞先生得告不赴商州，寄詩，先生有次韻詩。

兄子瞻作歲暮鄉俗詩寄先生，先生有次韻詩。

作新論三篇，發揮進策之改革主張。

宋仁宗嘉祐八年癸卯（公元一〇六三年）二十五歲

寒食前一日有記歲首鄉俗寄子瞻詩二首。

先生作子瞻示岐陽十五碑詩，子瞻有和詩。

兄子瞻贈驪山澄泥硯，先生以湘竹筆報之。

父明允借人雷琴以記舊曲。

兄子瞻習射並鼓勵先生習射。

六月伯父渙之妻楊氏卒。

宋英宗治平元年甲辰（公元一〇六四年）二十六歲

先生在京師閒居，有種菜、賦園中所有等詩。

四月晦日應兄子瞻之邀，作上清宮辭。

冬，作伯渙、伯母楊氏挽詞。

勳案：據子瞻亡伯提刑郎中挽詩二首，題下注：「甲辰十二月八日鳳翔官舍書。」欒城集爲先生親手所定，亦將挽詩編於治平元年末，足證孫汝聽蘇潁濱年表：「六月庚辰，渙夫人楊氏卒，有挽詩。」時間上顯有誤認之處。

十二月兄子瞻罷鳳翔任，歸京師。

宋英宗治平二年乙巳（公元一〇六五年）二十七歲

正月兄子瞻自鳳翔罷任還朝，差判登聞鼓院。先生兄弟匯集數年詩作爲岐梁唱和詩集。

三月先生出爲大名府推官。次月上書謝韓丞相。

勳案：據先生潁濱遺老傳：「子瞻解還，轍始求爲大名府推官。逾年，先君捐舍館。」及謝韓丞相啓：「頃違軒闥，尋至北門。自領簿書，復將期月。」明允卒於治平三年四月，先生到大名府任「逾年」。可推斷入大名府幕應在治平二年三月，又「期月」上謝韓丞相啓，可知此啓作於是年四月。

旋差官勾大名府路安撫總管司機宜文字。有北京（即大名）謝韓丞相啓、北京送孫曼叔屯田權三司開拆司詩、中秋夜八絕。

十月，王貺生日，有詩。

宋英宗治平三年丙午（公元一〇六六年）二十八歲
二月先生送陳安期都官出城，有詩。
寒食節城南賞花，先生未能往，作寒食贈游壓沙諸君詩。
清明節，安厚卿、強几聖召飲，有詩。
四月二十五日父明允卒於京師。
六月九日特贈明允光祿寺丞，敕有司具舟載喪歸蜀。先生兄弟扶護父柩出都。自汴入匯，泝江而上，經巫峽入蜀，先生有巫山廟詩。
勳案：先生巫山廟詩，王文誥蘇詩總案誤為嘉祐四年冬南行集中詩，易蘇氏蘇譜彙証從之，亦誤。蓋審觀詩中「乘船入楚泝巴蜀，濆旋深惡秋水高」句，船行應是沿江泝水而入巴蜀，而非由巴蜀順水而下楚。秋水高，更非嘉祐四年深冬之象。且詩中「歸來」，亦與「出蜀」不符。曾棗庄以之改繫於此，甚是。
宋英宗治平四年丁未（公元一〇六七年）二十九歲
先生居服制中，正月二十日，先生兄弟與侃師游雲安下岩。過仙都觀，有道士以陰眞君長生金丹訣石本相示。
四月，護喪到家。
九月十五日惟簡求先生所得蘭亭摹本刻石。
十月壬申葬父明允於眉山彭山縣安鎮鄉可龍里老翁泉側。

勳案：明允之葬期歐陽修故霸州文安縣主簿蘇君墓誌銘以爲是十月壬申，孫汝聽蘇潁濱年表從之。張方平文安先生墓表作八月壬辰，曾棗庄從之，誤。蓋考宋史治平四年正月庚戌朔，三月遇閏，八月丁未朔，以上連閏，祇三月小盡，是史家書朔未誤，則壬辰在七月十六日，八月無壬辰。且是年正月八日丁未英宗崩，八月二十七日癸酉葬永厚陵，此最易考之月日也。王文誥已予駁正，易蘇民採從，甚當。

與單驤論醫。

勳案：先生醫術論三焦：「彭山有隱者通古醫術，與世諸醫用法不同，人莫知之。單驤從之學盡得其術，遂以醫名於世。治平中，予與驤遇於廣都，論古今術同異。」治中平，遇驤於廣都，當在先生居家服喪之時，曾棗庄以之繫於是年，甚當。

宋神宗熙寧元年戊申（公元一〇八六年）三十歲

正月，甲戌朔改元。

先生居家服喪。

七月服除。

次子适生。

勳案：據蘇遲宋承議郎眉山蘇仲南墓誌銘：「名适，仲南其字也。……宣和四年九月八日卒於官舍，享年五十五。」從宣和四年（公元一一二二年）逆數五十五年，則當生於熙寧元年（公元一〇六八年）。

十二月先生兄弟攜家還朝，以墳隴、田宅、灑掃、支納、戚鄰、弔祭、酬卹各事，委付比鄰之總角交楊王洛甫者掌之，又囑堂兄子安董其成也。蔡褒爲種荔樹，以期早歸也。

十二月二十九日再過長安。

宋神宗熙寧二年己酉（公元一〇六九年）三十一歲

二月己酉。先生至京師。

三月，上神宗書論事，即日召對延和殿。癸未以先生爲制置三司條例司檢詳文字。

四月遣使察農田水利賦役於天下，先生言其不便，安石怒，欲加以罪，陳升之止之。

八月，庚戌，先生上言，全面批評新法，且求去職。以先生爲河南府留守推官。

是年冬，先生在京閉門謝客。

宋神宗熙寧三年庚戌（公元一〇七〇年）三十二歲

正月九日，差充省試點檢試卷官。

二月戊午，張方平出知陳州，辟先生爲陳州教授。

八月先生女宛娘生。

八月丙戌，知成都府陸詵卒，有陸介夫挽詞。

九月呂陶中賢良方正科，有代張方平答陶啓。

張耒游學於陳，受知於先生兄弟。

勳案：先生次韻張耒見寄詩：「相逢十年驚我老，雙鬢蕭蕭似秋草。」此詩作於元豐三年，逆數十年，則張耒從學於先生當自熙寧三年始。

宋神宗熙寧四年辛亥（公元一〇七一年）三十三歲

先生在陳州學官任。

代張方平作論時事書。

勳案：先生陳州爲張安道論時事書，孫汝聽蘇穎濱年表列在熙寧三年九月。第據書中「臣自到任以來，於今一歲。」與張方平實際到任時間不符，書中「延安有撗山之謀。」係指絳與諤謀出取撗山，書中「夏人陷擾寧諸城。……由是新築諸堡悉陷，將士歿者千餘人。」續資治通鑑分別繫於熙寧四年正月及三月。可見此書當作於熙寧四年，孫汝聽蘇穎濱年表誤。

六月甲子，歐陽修致仕，先生有賀啓。

六月兄子瞻以太常博士、直史館通判杭州。七月出都赴陳，與先生相聚七十餘日。

八月戊寅張方平除南都留台，先生兄弟作詩相送。

九月兄子瞻送先生至潁州，同謁歐陽修，陪修燕潁州西湖。

先生兄弟在潁州相別，各有詩。

宋神宗熙寧五年壬子（公元一〇七二年）三十四歲

兄子瞻作戲子由詩，敘先生學官生涯之清貧。

二月柳湖春水生波，開元寺山茶復開，作詩寄兄子瞻。

六月曾公亮致仕，先生有賀啓。

七月二十三日，歐陽修卒，先生作祭文並挽詩三首。
八月同頓起等於洛陽考試舉人，及事畢，得詩二十六首。
九月九日同頓起登嵩山。

宋神宗熙寧六年癸丑（公元一〇七三年）三十五歲

二月先生重到潁州。有寄子瞻詩二首。
四月己亥文彥博判河陽，辟先生爲學官，有賀啓與謝啓。已而改齊州掌書記。
九月師中知齊州，與師中論按問之弊。
十月作京西北路轉運使題名記
十二月末送王璋赴眞定孫和甫辟

勳案：據先生送王璋長官赴眞定孫和甫辟書云：「不見十五年，相逢話百憂。」從熙寧六年（公元一〇七三年）逆數十五年，應爲嘉祐四年（公元一〇五九年），該年先生隨父兄出蜀赴京，十二月途次江陵，始與王荊州之子王璋相交。故此書之作當在熙寧六年歲末。曾棗庄以之繫於熙寧八年，則先後相去已達十七年，而非「不見十五年」也，今改繫於此。

宋神宗熙寧七年甲寅（公元一〇七四年）三十六歲

二月師中移牧河間，先生燕別西湖。
三月李肅之知齊州，爲作謝表。又代肅之作謝免罪表。
十月先生幼子遜生，小名虎兒。

十一月辛亥作洛陽李氏園亭記。

宋神宗熙寧八年乙卯（公元一〇七五年）三十七歲

春末，和劉敏送春詩。

春末夏初，作游泰山詩。

夏，大雨，舜泉復發，作舜泉詩。

齊州守李肅之修閔子祠，先生爲作齊州閔子祠堂記。又以閔子祠堂記示徐正權，且贈吳紙。徐正權有作詩奉謝，先生次韻以答。

知歷城施辯築濼源石橋，甚見功效。先生作六州濼源石橋記。

十一月兄子瞻於密州守任作超然台，先生作賦。子瞻復於密州濰水之上作快哉亭，先生作詩。

文與可以六言詩相示，先生答詩十首。

宋神宗熙寧九年丙辰（公元一〇七六年）三十八歲

二月李肅之因病請去職，李公澤知齊州，先生有和李常赴歷下道中雜詠十二首。

三月和文與可洋州園亭三十韻。

九月九日以疾未赴李公澤宴。

十月，先生罷齊州掌書記，還京，上自齊州回論時事書。

是年先生在京暫寓范鎮東齋度歲，有次韻范鎮除夜詩。

宋神宗熙寧十年丁巳（公元一〇七七年）三十九歲

正月八日，爲王鞏建清虛堂，作王氏清虛堂記。
柳子玉卒，有挽詞。
子瞻移知河中府，正月經濟南，先生子遲、适、遠候見雪中。
先生改官著作郎，旋爲張方平辟爲應天府簽書判官。
二月，先生自京迎兄子瞻，相會於澶、濮間，同至京，始抵陳橋驛，告下，子瞻改知徐州，不得入國門，遂居郊外范鎮東園。
四月先生隨兄赴徐州，留百餘日。同游徐州諸名勝。觀漢高帝廟試劍石，作銘。
六月，徐州大雨不止，代子瞻作祈晴文。
陳師中兄弟來訪。
八月十六日先生自徐赴南京留守簽判任，作詩以別子瞻。
九月初到京，九月九日同王鞏置酒送前任劉莘老。
九月甲戌作祈晴文。
十月祀南郊，代張方平及南京百官作南郊各表。
十二月辛亥作祈雨文。

宋神宗元豐元年戊午（公元一〇七八年）四十歲

正月元日起元豐元年。
正月作祭句芒神文。

張方平贈馬，先生有詩相謝。
寒食節帶病游南湖，有詩。
夏初，秦觀赴京應舉，經商丘，攜李公擇書相訪。
五月陳與義知應天府，先生爲作謝表。
秋，訪張恕於城南，又同李鈞訪趙嗣恭，欽南園，各有詩。
九月九日子瞻大合樂於黃樓，以先生黃樓賦刻石。
十月十七日文同知湖州，先生作詩相送。

宋神宗元豐三年己未（公元一〇九七年）四十一歲

正月七日，知徐州子瞻獵城南。有詩，先生次韻。
正月二十一日，文同卒於陳州，作祭文。
二月，趙抃致仕，先生有賀啓。
二月，子瞻罷徐州任，改知湖州，往南都見先生，爲留半月。
張耒赴壽安尉，先生以詩相送。
四月三日，孫景修作古今家戒，先生爲作敍。
七月，張方平致仕，先生代作乞表與謝表。
七月二十八日，兄子瞻以湖州謝上表有譏切時事之言下御史臺獄，先生乞納在身官以贖兄罪，不報。

王子立兄弟送子瞻家眷至南都先生處。
十二月二十九日子瞻謫授檢校尙書水部員外郎，充黃州團練副使，本州安置，不得簽書公事。
先生亦坐貶筠州監酒稅。

宋神宗元豐三年庚申（公元一〇八〇年）四十二歲

正月，先生自南京赴貶所筠州。途中過盱眙，作過龜山詩。經高郵，秦觀送行六十里。有高郵別秦觀三首；過揚州，有揚州五詠；至金陵，有初至金陵、和孔武仲金陵九詠、游鍾山等詩；過姑熟，訪郭祥正；經池州訪滕達道；過靑陽，望九華山；過廬山，訪劉凝之；各有詩。
五月二十九日子瞻至巴河口迎先生。兄弟同游武昌西山，有黃州陪子瞻游武昌西山詩。
六月九日，先生將赴筠州，兄子瞻送至劉郎洑。經南康阻風，有南唐阻風游東寺詩。至筠，筠水泛濫，治舍大壞，假使部使者府以居。有次韻筠州毛維瞻司封觀修城詩三首。
八月乙巳，有中秋對月二首子瞻次夜字韻。
九月戊辰，有次韻毛君九日詩。
九月辛未屯由郎劉凝之卒，有哀詞。
十二月八日，作東軒記。

宋神宗元豐四年辛酉（公元一〇八一年）四十三歲

春，陪毛維瞻夜游北園，有詩。
王適徐州赴舉，作詩相送

勳案：孫汝聽蘇潁濱年表以此詩繫於七月，與詩中「送別江南春雨淫……楊柳春風正似今」之意不符，改繫於春天，始當。易蘇民蘇譜彙証從孫汝聽年表，誤。

五月九日，廬山新修僧堂，作棲賢堂記。

六月十七日，作聖壽院堂記。

七月九日，作吳氏浩然堂記。

八月，差入筠州試院評定考卷。有試院唱酬十一首。

九月，毛維瞻建筠州聖祖殿，先生作記。

冬，伯父渙之孫安節赴舉報罷，作詩相慰。

任伋卒，作黃州師中庵記。

先生在高安多與寺僧交游。

宋神宗元豐五年壬戌（公元一〇八二年）四十四歲

三月，縣令李懷道建上高學官，先生作記。

毛維瞻致仕，作詩相送。

廬山圓通寺景福順長老來訪。

四月游大愚寺。

兄子瞻建武昌九曲亭，先生作記。

王適落第，經黃州歸高安，有迎寄王適詩。

宋神宗元豐六年癸亥（公元一〇八三年）四十五歲

正月元日，有次韻王適元日幷示曹煥二首詩。

四月，中書舍人曾鞏卒，有挽詩。

兄子瞻新葺南堂，六月先生有次韻詩。

閏六月高安再遇大水，有次韻王適大水詩。

七月，王鞏北歸，有喜王鞏丞事北歸詩。

八月，有庭中種松竹詩。

九月九日，有書事詩。

十月以書介紹高安狂人趙生往見子瞻。

十一月朔日，爲張夢得建黃州快哉亭作記。

十二月，文彥博致仕，有賀啓。

除夜有詩。

曹煥攜子瞻詩來高安訪先生。

宋神宗元豐七年甲子（公元一〇八四年）四十六歲

上元夜有詩。

寒食節同王適游太平寺，有次韻王適太平寺看花詩二首。

王適因應試離高安，有詩留別，先生次韻相勉。

子瞻自黃移汝，五月特來高安相別。

五月八日，先生兄弟別於高安，有次韻子瞻留別三首。

五月九日子瞻至奉新，有詩寄先生，先生次韻。

秋，先生忽得信當除官員、揚間，偶成小詩，書於屋壁。

七月二十八日，子瞻幼子遯亡，作勉子瞻失幹子詩二首相慰。

九月，以先生爲績溪令。

十二月，先生離高安，有乘舟出筠江二首。過南昌游徐孺亭，登滕王閣，建議修徐鉉墳。過都昌，題詩清隱禪院。

除夜泊彭蠡遇風雪。

宋神宗元豐八年乙丑（公元一〇八五年）四十七歲

正月元旦夜，有夢李志寧見過詩幷舟中風雪五絕。

正月十四日，有南康軍直節堂記，並太守宅五老亭詩。

再游廬山，有三絕留題劉顗宮苑。

過宣城，與知州侯利建游。

初至績溪三日，謁城隍廟、孔子廟，游石照，作謁城隍文、謁孔子廟文、游石照寺詩。

三月，哲宗繼位，有神宗皇帝挽詞，代歙州賀登極表。

備括民馬而不擾民。

與鄭仙姑論道。

八月，以先生爲校書郎。辭別績溪，得子瞻書，教繞道錢塘赴京。過嚴陵，至桐廬，游桐君山，至錢塘，贈詩王復處士。

十月八日游杭州天竺寺，有詩。

北上途經蘇州。訪滕達道，爲作蘇州謝上表。經潤州，再游金山寺。過高郵，贈詩杜介，幷遇秦觀。

十月十五日，告下，以先生爲右司諫。

宋哲宗元祐元年丙寅（公元一〇八六年）四十八歲

正月，先生北上過南都，題詩妙峯亭。並再謁張方平。

勳案：王文誥蘇詩總案，易蘇民蘇譜彙証均對先生抵達京師日期，含混其詞。考先生復賦河冰四絕：「春來歸夢劇飛鳧……勝似去年彭蠡口。……」可知先生是年春初尚在途中。再據先生追和張公安道贈別絕句敘文中「後七年，蒙恩召還，復見公南都。」等語，更可確定先生在元祐春初尚在南都。蓋先生於元豐三年（公元一〇八〇年）謫監筠州別張方平於南都時，張方平曾爲之淒然不樂。「後七年」應爲元祐元年（公元初一〇六八年）春初，無可致疑。

二月至京，就右司諫任。

二月十四日，有論臺諫言事。留中不行狀，言台諫封文當降出行遣。

二月十五日，有久旱乞放民間積欠狀，要求放免民間積欠。

二月十六日，有論罷免役錢行差役法狀，言罷免役、行差役當修完小節。
二月十七日，陳睦出守潭州，有詩相送。
二月二十四日，有論蜀茶五害狀，要求廢除蜀中榷茶。
二月二十七日，有乞選用執政狀，要求罷黜蔡確、韓縝，選用執政。
閏二月一日，有乞罷左右僕射蔡確、韓縝狀，要求嚴懲新黨大臣而不問小臣。
閏二月二日，有乞罷蔡京知開封府狀。
閏二月六日，有乞罷右僕射韓縝狀。
閏二月十四日，有乞招河北保甲充軍以消盜賊狀。要求招河北保甲充禁軍。
閏二月十五日，有論差役五事狀，詳論司馬光罷免役、行差役之疏略差誤。
閏二月十六日，有乞黜韓縝狀。論韓縝割地與遼之罪責。
閏二月十八日，有乞罷章惇知樞密院狀，要求罷章惇，復用鄭俠。
閏二月二十三日，有乞廢官水磨狀，要求廢罷官磨，埋葬白骨。
閏二月廿四日，有乞賑濟淮南飢民狀，要求賑飢。
閏二月二十六日，有乞罷蔡京知眞定府狀。同日又有乞罷安燾狀。
三月二日，有再論安燾狀。
三月八日，有論發運司以糴糴米代諸上供論。
三月十一日，有乞責降韓縝第七狀，反對君子小人並用。

三月十六日，九乞責降韓縝第八狀。
三月十八日，有乞還京西水櫃所易民田狀。
三月二十四日，有論三省事多留滯狀。
四月三日，有言科場事狀，反對司馬光驟變科舉法。
四月九日，有乞招京畿保甲充軍狀。
四月十三日，有乞令戶部役法所會議狀，主張以青苗錢及免役寬剩錢助辦。
四月二十二日，有乞禁軍日一教狀。
四月二十五日，有乞別差官與黃廉同體量蜀茶狀。
四月二十八日，有乞以發運司米救淮南飢民狀。
五月六日，有論明堂神位狀。
五月八日，有乞借常平錢買上供及諸州軍糧狀，要求解決民間錢荒之患。
五月十一日，有論蔡京知開封府不公事第五狀。
五月十九日，有乞誅竄呂惠卿狀。
五月二十一日，有再乞差官同黃廉同體量茶法狀。
五月二十六日，再言役法劄子，再論復行差役之弊。
五月二十九日，有責降呂和卿狀。按：和卿，即惠卿之弟。
六月三日，乞兄子邁罷德興尉狀。

六月八日，有再乞罪名惠卿狀。
六月十四日，有論青苗狀，要求不復支散青苗錢。
六月十七日，有三論差役事狀。
六月二十日，有論呂惠卿第三狀，要求加重懲處。詔再責呂惠卿爲建武軍節度副使，建州安置，不得簽書公事。
六月二十八日，有論蘭州等地狀，主張歸還神宗朝，所佔西夏之地。
七月七日，有再論蘭州等地狀。
七月九日，有論京畿保甲冬教等事狀，要求蠲免京畿保甲冬教。
七月十九日，有論西邊警備狀，朝廷歸還所佔西夏地，先上再上書要求加強警備。
七月二十四日，有再論青苗狀。
七月二十七日，有乞放市易欠錢狀，主張欠二百貫以下人戶一例除放。
七月二十九日，有言淮南水潦狀，要求預先處置淮南水潦。
八月一日，有乞罷杜紘右司郎中狀。
八月二日，有論差除監司不當狀。
八月四日，有三乞罷青苗狀。
八月七日，有再言杜紘狀。
八月八日，言張璪劄子。言璪黨新法，勢必挾武侵漁方手，搔擾鄉村。

八月十一日，有再言張頡狀。
八月十二日，有言張頡第三狀。
八月十四日，有言責降官不當帶觀察團練使狀。
八月十八日，有言張頡第四狀。
八月二十一日，有論傅堯俞等奏狀謂司馬光爲司馬相公狀。
八月二十二日，與子瞻、王鞏同觀黃庭堅詩。子瞻並書其後。
八月二十三日，有言張頡第五狀。
八月二十六日，有申三省論張頡狀。
九月一日，司馬光卒，有挽詞、祭文。
九月甲辰，除起居郎。
九月己卯，中書侍郎張璪罷知鄭州，先生草制。
十一月丙子，除中書舍人。
十二月戊午，呂大防尚書侍郎爲中書侍郎、御史中丞劉摯爲尚書右丞，先生草制。
十二月丁亥，有論梁惟簡除遙郡刺史不當狀。
十二月庚寅，有不撰葉康直秦州告狀。
是年，以女適王廷老長子，並送廷老知虢州。
勳案：據先生祭王虢州伯敭文及送壬廷老朝散知虢州詩，適女事當在元祐元年，但未能斷定於何月耳。

宋哲宗元祐二年丁卯（公元一〇八七年）四十九歲

正月辛巳，奉命編次神宗御制集。

四月初，有次韻曾子開舍人四月一、二日扈從二首。

勳案：曾肇，字子開。

四月下旬，有送顧子敦奉使河朔詩。

勳案：顧臨，字子敦，易蘇民蘇譜彙証作：正月辛巳有送臨詩，或係據孫汝聽蘇潁濱年表「二年丁卯正月有送顧臨詩」而來。但據先生詩：「河流西決不入土，千里汗漫敗原隰。壯夫奔忙老稚死，粟麥無苗安取食。」應係「夏水襄陵」之時節，而非正月丁卯。再據子瞻乞留顧臨狀：「元祐二年四月二十日，……近聞除天章閣待制充河北都轉運使，遠去朝廷，衆所嗟惜。」更可証明顧臨使河北當在四月下旬，絕非正月春初之時也。

五月己巳，有請太皇太后受册表。

五月戊申，有李清臣資政殿學士知河陽制。

五月辛未，集賢殿修撰知州鮮于侁卒，有哀辭與乞推恩狀。

七月辛未，有韓維守本官資政殿學士知鄭州制。

八月丁未，有賀擒鬼章表、論西事狀，以賀种誼擒蕃首領果庄，並上論建議朝廷刑政不明，多所姑息，中外觀望，靡然有縱弛怠惰之風。……宜因事正法，以明示天下。」

八月辛己，洛黨賈易以子瞻策題爲由，建議逐子瞻，並言呂陶黨子瞻兄弟，而文彥博實主之，語侵及彥博及范純仁。乃罷易言職，出外。程頤罷經筵，先生乞外任，蜀洛黨爭形成。

九月甲子，以講論語終篇，宰臣、執政，經筵官宴於東宮。有謝御論語賜宴狀二首。

十月四日，有「御風辭」。

十月甲申，賈易到任謝表言先生持密命以告人，先生上疏自辯，有乞驗實賈易謝上表箚子。

十一月甲戌，以先生依前朝奉郎試戶部侍郎，有辭戶部侍郎箚子、謝表二。

十二月，有送家安國赴成都教授三絕句。

除日，宿齋戶部右曹。

宋哲宗元祐三年戊辰（公元一〇八八年）五十歲

元旦，有賦三絕句寄呈兄子瞻，子瞻有次韻詩。

三月丙辰，韓絳卒，有韓康公挽詩三首。

三月丁未，上策試進士。

三月戊午，策試武舉於集英殿，以先生及王欽臣等爲考官。有殿試武舉策問一首、次韻王欽臣秘監集英殿幷詩。

三月己巳，賜進士及第出身，有集賢殿考試罷二首。

五月一日，先生兄弟同轉對，並有詩。

六月癸卯，有送程之元表弟奉使江西，次前年赴楚州韻。

六月丙辰，有送周正孺自考功郎中歸守梓州，兼簡呂元鈞三絕。

勳案：孫汝聽蘇潁濱年表繫此條於六月。續資治通鑑長編繫於七月，莫非以先生詩中「乘驄按部凜生寒」句，已有入秋之意而推定之乎！

八月五日，先生兄弟同游相國寺，觀王晉卿墨竹。

九月辛亥，有試制舉人，呈同舍諸公二首、次韻張去華院中感懷一首。

十一月，有送保光蹇師游廬山詩。

十二月，范鎮卒，有范蜀公挽詞。

勳案：孫汝聽蘇潁濱年表繫此條於十一月癸卯朔「有次韻旦日鎖院賜酒及燭詩，有祭范景仁文。」資治通鑑以范鎮之死繫於元祐三年十二月甲辰，但僅書有挽詞，而未書有祭范景仁文。較當。蓋祭范景仁文，先生文中已明言作於「維元祐四年八月十日丁未」，而非「元祐三年十一月癸卯朔」也。

十二月，作伯父墓表。

宋哲宗元祐四年己巳（公元一〇八九年）五十一歲

正月，知鄭州王克臣卒，有王子難龍圖挽詞。

二月，呂公著卒，有呂司空挽詞。

四月，兄子瞻知杭州，以御賜馬惠李廌，廌有詩，先生次韻。

六月七日，以先生爲吏部侍郎，旋改翰林學士、知制誥。各有辭免劄子。

八月四日，有論黃河必非東決箚子。

八月十日，有祭范蜀公景仁文。

八月辛酉，明堂禮成，太皇太后罷賀，先生撰詔。

九月九日，有將使契丹，九日對酒懷子瞻幷示坐中詩。

九月戊申，上神宗御制集九十卷。

歐陽修之妻薛氏卒於八月，九月先生爲撰墓誌銘。

十月，出使遼國，既至，遼人問大蘇安否。先生經涿州寄子瞻詩云：「謝將家譜到燕都，識得人人問大蘇；莫把聲名動蠻貊，恐妨他日傲江湖。」可見三蘇文時已盛傳遼國矣。

十二月十日，南歸。有十日南歸馬上口占呈同本詩。南歸途中，墜馬傷腳。

宋哲宗元祐五年庚年（公元一〇九〇年）五十二歲

正月，南歸途中經燕山，有春日寄內詩。經相州，有祭韓忠獻公文。

勳案：先生祭韓忠獻公文：「維元祐五年正月二十三日己丑蘇轍、具官趙君錫，僅以淸酌庶羞，致祭於故某官韓公之靈。」已載明該文撰寫時間爲元祐五年正月二十三日。易蘇民蘇譜彙証，從孫汝聽蘇潁濱年表譜於元祐四年，誤。

正月未返家，得知其婿王子立已卒，有王子立秀才文集引。

還朝，有北使還，論北邊事箚子五首。

二月，文彥博致仕，先生撰制並有詩。

二月二十三日，有乞罷修河司箚子。

三月壬申，以尚書左丞韓忠彥同知樞密院事，翰林學士承旨蘇頌爲尚書左丞。忠彥弟純彥之妻乃知樞密院孫固之女，各以親嫌乞罷。先生撰韓忠彥免同知樞密院不允詔、蘇頌免尚書左丞不許不允詔、知樞密院孫固避親不允詔等。

三月己卯，以知亳州鄧溫伯爲翰林學士承旨，先生撰鄧溫伯免翰林學士承旨不許不允詔。

四月甲辰，呂大防等以旱乞罷，先生撰宰相呂大防等爲旱乞退不允詔。先生上爲旱罷五月朔朝會箚子，詔從之，先生撰太皇太后、皇帝以旱賜門下避減膳罷五月朔文德殿視朝手詔。

五月辛酉，撰除馮京司空、彰德軍節度使、再任知大名府制、彰德軍官吏軍民示喻敕書。

五月，先生有學士院端午帖二十七首、呂大防等乞御正殿復常膳一連四表批答八首。

五月壬辰，以先生爲龍圖閣學士、御史中丞，有辭御史中丞箚子、謝除龍圖閣士、御史中丞表。

五月，有乞舉御史箚子、再論舉臺官箚子、三論舉臺官箚子、論用臺諫箚子、乞再舉臺官狀、乞改舉臺官法箚子等，宰相多不用。

六月辛丑，以禮部侍郎陸佃權禮部尚書，兵部侍郎趙彥若權兵部尚書。先生要求分別邪正，反對執政生事。有乞分別邪正箚子、再論分別邪正箚子、三論分別邪正箚子、論執政生事箚子。

七月，有論額不便二事箚子。

八月，論除王光祖知荊州不當，詔以光祖爲太原府路總管。又三疏乞出鄧伯溫，皆不報。

九月八日，有論衙前及諸役人不便箚子，再論差役雇役利弊。

十月己酉，薦舉徐君平、虞策爲監察御史，乞罷王安世。

十月癸丑，有乞裁損待高麗事件箚子，主張接待遼、夏、高麗之儀當無異。

九月二十六日，有乞罷修河司箚子、再乞責降李偉箚子。

十月二十日，滕達道卒，有滕達道龍圖挽詞、乞優恤滕元發家箚子。

十二月，先生累言尚書右丞許將過失，以將知定州。侍御史上官均言先生朋比爲奸，亦解言職，責知廣德軍。

勳案：先生在十二月，尚有論杜常邪諂無恥箚子、論王子韶邪佞宜斥箚子、再論王子韶箚子、論韓氏族戚因緣僥冒箚子、論高士敦、向宗艮箚子等，續資治通鑑長編均有紀載，各種版本欒城集，皆失載，特爲補記。

宋哲宗元祐六年辛未（公元一〇九一年）五十三歲

正月，朱光庭除給事中，丰稷掌制誥，先生有劾朱光庭箚子、論中書舍人丰稷不宜掌制誥箚子。

二月，以先生爲尚書右丞，有辭尚書右丞箚子四首，均不許。有謝除尚書右丞表二首。

二月二十日，有生日謝表。

六月六日，兄子瞻從杭州召還，除翰林學士承旨，先生有兄除翰林承旨，乞外任箚子四首，詔均不許。

八月一日，賈易等彈奏先生兄弟。
八月三日，先生代奏子瞻竹西寺題詩事。
八月四日，先生奏與兄曾言及朝廷事。
八月，子瞻出守潁州，兄弟作詩相別，先生再次乞郡。
十月庚戌，朝獻景靈宮，因幸太學，有次韻門下呂相公車駕視學詩。
十月甲戌，以王鞏得罪自劾，家居待罪，遣中使賜詔不允。
十一月辛丑，傅堯俞卒，有傅銀青挽詞。
十二月二十日，張方平卒，有贈司空張公安道挽詞、祭張宮保文、乞賜張宣徽謚劄子。
十二月二十三日，有李簡夫少卿詩集引。

宋哲宗元祐七年壬申（公元一〇九二年）五十四歲

二月，兄子瞻罷潁州任，先生約兄赴京一見。
二月二十日。生朝，有謝上表。
三月以先生言，程頤未除館職。
四月，以先生攝太尉。充册皇后告期使。爲哲宗立后。后孟氏年十六。
龍井法師辯才卒，有龍井辯才法師塔碑。
六月辛酉，以先生爲太中大夫、守門下侍郎，有辭門下侍郎劄子一首、表二首、謝表二首。
八月，有祭文與可學士文、祭亡婿文逸民文。

八月，張方平葬，有再祭張宮保文。

勳案：先生再祭張宮保文：「元祐七年八月日，太中大夫門下侍郎眉山蘇轍，謹以清酒庶羞之奠，改祭於故宣徽南院使、太子太保贈司空張公四丈之靈。……」可知張方平葬於元祐七年八月，易蘇民從孫汝聽蘇潁濱年表繫於元祐八年八月，誤。

九月壬辰，詔議郊祀典禮，從先生等議。

九月，子瞻自揚州召還，先生奉詔出迎。

宋哲宗元祐八年癸酉（公元一〇九三年）五十五歲

上元夜子瞻扈從觀燈，先生有次韻子瞻上元扈從觀燈詩。

元月乙卯，有論黃河軟堰劄子，反對作北流軟堰。

二月二十日，有元祐八年生日謝表二首。

三月丁亥，有因董敦逸章疏，乞早賜施行劄子。

四月甲子，以李清臣爲吏部尚書，蒲孟宗爲兵部尚書，先生於簾前極論其不可，己卯罷。

五月辛卯，御史蕭敦逸、黃慶基以言先生兄弟不實並罷。斥蕭敦逸爲湖北轉運判官、黃慶基爲福建轉運判官。

勳案：據續資治通鑑元祐八年五月條：「辛卯，御史蕭敦逸、黃慶基并罷。……於是斥敦逸、慶基爲湖北、福建轉運判官。」易蘇民蘇譜彙証作「五月丙申，董敦逸罷知臨江軍。」係據孫汝聽蘇潁濱年表而繫，不但「辛卯」與「丙申」不同、且僅言蕭敦逸，未及黃慶基，所罷斥職務亦不相符，以從資治通鑑爲適當。

七月，有蔡州壺公觀劉道士文。

九月，高太后崩。詔以太皇太后園陵爲山陵，先生草詔，並詔先生撰謚册文。

九月十八日，有祭亡嫂文。

哲宗親政，首用內臣，先生諫之。

翰林學士范祖禹上疏言防離間，先生稱爲經世之文，遂附名同進而毀己草。

十一月，先生撰成謚册文。

十二月，羣臣集慶壽宮上謚册文。

宋哲宗紹聖元年甲戌（公元一〇九四年）五十六歲

正月，議修河事，先生反對北流之論，不爲接受。

二月，議賑濟相、滑等州流民。

二月己酉，葬高太后於永厚陵，先生有挽詞二首。

三月，有論御試策題箚子二首，奏入不報。先生以本官出知汝州。

四月二十一日，先生至汝州，有謝表。

四月二十六日，有謝雨文。

四月，有思賢堂詩。

五月癸卯，吳安詩爲前草制有稱贊先生語，上怒，罷爲起居郎。

五月二十五日，爲吳道子畫殿作記，有汝州龍興寺修吳畫殿記。

子瞻貶知英州，過汝視先生，往觀吳道子畫壁。先生分俸七千與子瞻長子邁，使移家宜興就食。

六月，先生再貶袁州。道出潁川，留二子居潁，攜子遠同行。

七月，先生再貶，分司南京，筠州居住。

八月，行至眞州，遇大風，有詩。

九月十日，行至江州，被告筠州居住。

九月二十五日，抵筠州，有謝表。

爲長老順公作贊。

宋哲宗紹聖二年乙亥（公元一〇九五年）五十七歲

正月壬子，有次韻子瞻上元見寄詩。

正月甲辰，有六祖卓錫泉銘。

二月二十日生日，有高安青詞。

杜門復理舊學，從事著述，有古史後序。

勳案：據潁濱遺老傳：「凡居筠、雷、循七年，居許六年，杜門復理舊學，於詩、春秋傳、老子解、古史四書皆成。」可見先生之著述，得以次第完成，實始於元豐元年間謫居筠州時。

四月，有次韻子瞻連雨江漲及次韻侄過連雨江漲兩詩。

九月戊申，逍遙聽長老卒，先生爲作逍遙聽禪師塔碑。
九月辛未，饗明堂，有明堂賀表。
九月，以代李樵答子瞻問，有代李樵臥帳頌。
十月，有成都僧法舟爲其師祖寶月，求塔銘於惠州，還過萬安送歸詩及祭寶月大師宗兄文。
勳案：祭寶月大師宗兄文：「紹聖二年歲次乙亥十月癸亥十一日酉……因僧法舟西歸，以香茶果蔬之奠，致祭於寶月大師宗兄之塔。」明言作於紹聖二年十月十一日，易蘇民蘇譜彙証，從孫汝聽蘇潁濱年表繫於紹聖三年三月，誤。

宋哲宗紹聖三年丙子（公元一〇九六年）五十八歲

二月二十日生朝，有盆中石菖蒲忽開八九花一首。

宋哲宗紹聖四年丁丑（公元一〇九七年）五十九歲

正月，有和子瞻新居欲成詩。
二月，先生再貶雷州。
五月十一日，先生兄弟相遇於雷州，應同行赴雷。
六月五日，同至雷州，知雷州張逢至門迎接先生兄弟。
六月六日，安置先生兄弟於行衙。先生有謝表。
六月十一日，先生送兄子瞻赴南海，訣別於海濱。
勳案：此爲先生兄弟最後訣別，迨子瞻遇赦歸，還病卒常州，始終無緣相會。

七月，有過侄寄椰冠詩。
八月，有子瞻聞瘦以詩見寄次韻詩。
先生遷居吳國鑒宅，建東亭、東樓。
十月，海道多風雨，郵傳不通，兄弟互寄詩致相思之意。
十一月，廣西經略安撫司走馬承受段諷，言知雷州張逢禮遇先生兄弟，請下不干礙官司按罪。
詔提舉荊湖南路常平董必具實狀以聞。
十二月，子瞻以和陶詩百餘篇，請先生爲敘，有子瞻和陶淵明詩集引。
十二月，有和子瞻次韻陶淵明勸農詩。

宋哲宗元符元年戊寅（公元一〇九八年）六十歲
二月二十日生朝，兄子瞻以沈香山子祝壽，先生有和子瞻沈香山子賦。
六月，詔先生移居循州，張逢勒停，以陳諤知雷州。
八月，先生至循州。買曾氏宅以居，乞黃家紫竹杖，並時借其書。

宋哲宗元符二年己卯（公元一〇九九年）六十一歲
正月，曹谷來訪。
二月二十日生朝，子瞻以子木柱杖爲壽。
四月二十九日，有龍川略志敘。
七月二十二日，有龍川別志敘。

閏九月丁丑，有春秋傳後敘。

閏九月九日，有閏九月重九與父老小飮四絕。

十一月，先生季子遜妻黃氏卒，有祭新婦黃氏文。

宋哲宗元符三年庚辰（公元一一〇〇年）六十二歲

正月，作靑詞。

二月癸亥，先生量移永州安置。

四月，歸至處州，初命移居岳州，有謝表。

十一月，被命提擧風翔上淸宮，外州軍任便居住，有謝表。

宋徽宗建中靖國元年辛巳（公元一一〇一年）六十三歲

正月，有范丞相堯夫挽詞、大行皇太后挽詞。

三月十五日，伯父渙之孫千之西歸，作北歸寄東塋文，託代祭父明允及母程氏太夫人之墓。

三月十七日，有鮮于子駿父母贈告後。

四月二十二日，寄書兄子瞻，求歸許同居。

七月二十八日，子瞻卒於常州，以卒前不見先生爲恨。

九月，遣幼子遜往奠，有祭亡兄端明文。

十月，理舊書，得子瞻和陶淵明歸去來詞，泣而和之。

十一月二十三日，有南郊賀表。

十二月庚寅，伯父渙之女、王東美之妻卒，有亡姊王夫人墓誌銘。
十二月十日，范子中卒，有祭范子中朝散文。
宋徽宗崇寧元年壬午（公元一一〇二年）六十四歲
四月二十三日，遷嫂王潤之之柩於潁，待子瞻喪至合葬，撰再祭亡嫂王氏文。
五月，撰再祭亡兄端明文。
閏六月，葬兄子瞻於郟城小峨嵋山，蘇遠之妻黃氏同葬，撰亡兄子瞻端明墓誌銘、再祭八新婦黃氏文。
先生賣別業以助子瞻之子。
參寥弔喪於潁川，先生應其請作天竺海月法師塔碑。
六月戊寅，先生降爲朝議大夫，有謝表。
八月，先生次子适罷太常太祝職。
十一月十三日大雪，有詩。
歐陽叔弼求作歐陽修墓碑，有答書。
宋徽宗崇寧二年癸未（公元一一〇三年）六十五歲
正月，補子瞻謫居儋耳，姜唐佐從之學，遷居蔡州詩。
二月二十二日生朝，有詩。
寒食節，有詩。

三月二十三日，有春盡詩。
三月二十五日，有書楞嚴經後。
先生三男及一女同來汝南探視。有汝南示三子詩。
四月十日，有夢中詠醉人詩。
六月二十三日，有立秋偶作詩。
重陽節有九日三首詩。
九月二十九日，有立冬聞雷詩。
十月三日，有將歸詩、三不歸行。
罷先生提舉太平宮，有詩。
十一月二十七日，有次遲韻對雪詩。
宋徽宗三年甲申（公元一一〇四年）六十六歲
正月五日，還潁昌。
二月二十二日生朝，作靑詞。
三月上巳日，有久病不出示兒侄詩。
三月十八日，有葺東齋詩。
七月二十六日，有記夢詩。
八月二十一日，遣适返蜀祭東塋。

除夕，作歲暮口號。

是年，有抱一頌。

宋徽宗崇寧四年酉（公元一一〇五年）六十七歲

正月九日，有雪後小酌贈內詩。

二月二十日生朝，有青詞。

三月二十三日，有喜雨詩，記民間疾苦。

五月，有和遲田舍雜詩九首並引詩。

冬至，有雪詩。

年終，有歲暮，除夜詩。

宋徽宗崇寧五年丙戍（公元一一〇六年）六十八歲

寒食後，有新火詩。

三月，范純禮卒，有祭范彝叟文。

是月，侄孫元老進士及第，調廣都主簿。

七月，有秋夜分題詩。

八月，有中秋無月詩。

葉縣楊生爲先生寫眞。

重陽節，有獨酌詩。

九月，作穎濱遺老傳、編成欒城後集，並作引。
十月二十三日，有丙戌十月二十三日大雪詩，致慨蔡京之混亂貨幣市場。
十一月八日，有反古菖蒲詩。
除日，有守歲詩。

宋徽宗大觀元年丁亥（公元一一〇七年）六十九歲

正月，有謝復墳寺表。
正月十五日，有上元不出詩，寫其擁袍坐睡，心念澄清。
二月二十日生朝，有詩。
七月，有苦雨詩、釀重陽酒詩。
八月，有中秋月望十六終夜如晝詩。
重陽節，有九日詩，又有十日詩。
築室盈百間，有初成遺老齋、待月軒、藏書室三首等詩。
蘇遠監淮西酒稅，作詩二首送之。
十月十一日，有風雪詩。
是年，著論語拾遺二十七章。

宋徽宗大觀二年戊子（公元一一〇八年）七十歲

元旦有戊子正旦詩。

是日，帝受八寶，赦天下，先生復朝議大夫，遷中大夫，皆有謝表。
二月十三日，讀傳燈錄，有詩及書後。
二月二十日，有生日詩。
五月，有園夫獻紅菊、夏至後得雨詩。
八月十六日，有移花詩。
十一月，有十一日作、冬至日詩。
年終，有除日詩。

宋徽宗大觀三年己丑（公元一一〇九年）七十一歲
正月，有上元夜适勸至西禪觀燈詩。
二月庚寅，有望日雪詩。
遠自淮康歸覲，逾旬而歸，有送行詩二首。
八月，有中秋新堂看月詩。
九月，有重九陰雨，病中把酒示諸子詩。
十二月，有臘月九日雪、己丑除日詩。

宋徽宗大觀四年庚寅（公元一一一〇年）七十二歲
正月，有新春五絕、上元前雪、上元雪等詩。
閏八月辛亥，有兩中秋詩。

閏八月二十五日，黃菊爛然，有詩。

重陽，有九日三首。

年終，有除夜二首。

是年，婿曾元矩來訪，有詩。得東坡遺草題後。張芸叟編樂府詩相示，以詩相謝。

宋徽宗政和元年辛卯（公元一一一一年）七十三歲

正月，有正月十六日詩。

二月五日，有春旱取水詩。

七月七日，有七夕詩。

重陽節，有辛卯九日詩。

十二月十九日，有雪詩。

冬至，有冬至日作、冬至雪詩。

年終，有除日詩。

是年秋，作秋嫁詩，揭露徽宗朝政治之黑暗。

是年，龍川道士廖有象來訪，有詩。

勳案：秋嫁詩、龍川道士詩，均未詳年月，僅就詩意，推定是先生閒居穎川時所作，姑系於是年。

宋徽宗政和二年壬辰（公元一一一二年）七十四歲

正月，有上元詩。

二月二十日生朝，有壬辰生日，兒侄諸孫有詩，所語皆過，記胸中所懷，亦自作一首詩。

五月十九日，有喜雨詩。

九月六日，作墳院記。

九月壬午，先生由中大夫轉大中大夫致仕。

是歲，有寫眞贊。

十月三日，先生卒。

勳案：子由死後五年，其妻史氏亦卒。據蘇仲南墓誌銘云：「（宣和）五年十月晦日合葬於汝州郟城上瑞里先塋之東南隅。」先塋，當指子由之塋。足見子瞻子由兄弟俱葬於郟城，「夜雨相伴約還蜀」之願，終未得償。

第三章　三蘇著述之考徵

第一節　明允著述考徵

明允憤學之年雖晚，困知勉行，終成卓然名家。

明允嘗作易傳，未成而卒①，又曾奉敕修禮書百卷②，惜未見館閣，宋史藝文志著錄老泉有「皇祐謚錄二十卷」，今亦不傳，其傳而可考者，唯洪範圖論、權書、蘇氏族譜、謚法、蘇評孟子及其文集，其中洪範圖論、權書、族譜，見載其文集，故今獨考徵其謚法，蘇評孟子及文集於後，以見版本流傳之因革。

嘉祐謚法

是書宋史藝文志，趙士煒、曾鞏、歐陽修，皆云三卷，明崇禎十年仁和黃氏貴堂刊本重編嘉祐集二十卷附錄一卷凡例八亦云：「先生有嘉祐謚法三卷，取周公春秋廣謚，及沈約、賀琛、扈蒙六書謚法，外采今文尚書汲冢師春蔡邕獨斷，凡古人論謚之書，收其所藏，加以新意，得一百六十八謚，芟去百九十又八，又爲論四篇，以敍去取之意。」唯四庫全書總目卷八十二史部三十八政書類二云：「謚法四卷」，今國立故宮博物院藏清文淵閣四庫全書本即是。按宋、元、明三代，今既不得見其傳本，四庫館臣又云四卷乃內府藏本，蓋公析卷次不一耳，內容則皆一百六十八謚。

蘇評孟子

是書凡二卷，宋志未著錄，元朝亦無刋刻，明有朱墨印本，及有清，四庫館臣則疑非蘇洵之評，係出依託者也③。

明朱墨印本，國立中央圖書館有藏，前有嘉靖元年朱得之序，末有萬曆四十五年閔齊伋跋，半葉八行，行十八字。閔跋云：「老泉原評，朱黛犂然，具有指點法，顧傳者失之，今刻特存其舊，勿以點綴淋漓爲觀美而詫異也。」蓋此本加黛爲三色，故閔氏作此語。民國四十四年，台北新興書局有「最新孟子讀本」，台北遠東圖書公司亦有「增補蘇批孟子二卷」。

文集

明允文集，楊紹和楹書隅錄稱宋時有四本，瞿鏞鐵琴銅劍樓藏書目錄又謂宋時有兩本。所謂四本，即曾鞏撰墓誌所稱之二十卷本、公式直齋所載之十五卷本、徐乾學傳是樓紹興十七年婺州刋本之十六卷附錄二卷本、康熙邵仁泓翻雕宋本之十六卷六；所謂兩本，一曰嘉祐集，即十五卷本，一曰嘉祐新集，即徐氏紹興十七年十六卷本。此外，尚有老泉先生文粹十一卷，係宋乾道婺州刋本，東萊標註老泉先生文集十二卷，係宋紹熙刋本，皆節選本也。明清二代，各有翻刻，茲將今日流傳版本，考徵如后：

一、無錫孫氏小淥天藏影宋鈔本

是本即上海商務印書館縮本四部叢刋初編據以影印者，題「嘉祐集」，十五卷，頁二十八行，行二十五字，中闕目錄第一頁、卷七第九頁、卷十五第六頁；又第一至十五頁中，亦有缺字，自是宋本殘缺，刻工謹守缺文之貌也。卷十三蘇氏族譜，子洵下俗本增軾、轍二字，此本無。有「孫忠愍侯祠堂」印記。

二、宋紹熙本東萊先生標註老泉先生文集

民國十九年排印之「經進三蘇文集事略」第一至四册，即收此本。呂氏手抄五百餘篇，釐爲十二卷，皆可誦習爲矜式者，逐篇指擇關鍵標題以發明旨意，其有事跡隱晦，又從而釋之，義理昭晰。半頁十四行，行二十五字，注雙行，卷中眉上刋評語，正文點句。有「楝亭曹氏藏書印」。

三、明刋巾箱本

是本有二，一題「老泉先生文集」，藏國立中央圖書館，一題「蘇老泉嘉祐集」，藏國立故宮博物院圖書館，皆十四卷，半葉八行，行十六字。此本無序跋，檢卷端總目所載，似無殘闕，然宋，明以來，無十四卷之本，校以十五卷本，編次全同，唯闕卷第十五雜詩，故是本應自十五卷本出，而删去雜詩者。另蘇老泉嘉祐集有朱筆批點。

四、明嘉靖壬辰太原府刋本

題「重刋嘉祐集」，十五卷，藏國立中央圖書館，半葉十行，行二十一字。丁丙善本書室藏書志卷廿七云：「梟氏、陳氏、馬氏，諸家著錄皆十五卷，紹興十七年婺州本，舊在傳是樓，自邵仁泓刋蘇老泉先生全集，全失本眞，閻百詩潛邱札記中說之甚明，此乃明嘉靖壬辰十一年太原府重刋本，尚是趙宋以爲舊第，有『陸沆之印』、『靖伯』、『吳門陸沆鑒藏』三印。」較諸小淥天影宋本，卷八皆無「辨姦」，唯卷十四多「題張僊畫像」、「送吳侯職方赴闕序」、「賀歐陽樞密啓」及「謝相府啓」四篇，卷十五雜詩多「從叔母楊氏輓詞」、「次韻和縉叔遊仲容西園」二篇，餘則盡同。

五、明刋本

題「蘇老泉先生全集」，十六卷，藏國立中央圖書館，半葉十行，行十九字。無序跋。考是本卷之八，即洪範論，宋史藝文志載：「蘇洵洪範圖論一卷。」蓋即此也，分爲洪範論敘、洪範論上、洪範中並圖、一圖指傳之謬、一圖形今之意、洪範下、洪範後敘。餘十五卷之編次與小淥天影宋本嘉祐集並同。

六、明粤中刋淸康熙間蔡士英修補三蘇全集本

題「重刋嘉祐集」，是本卷前有「三蘇全集敘」，半葉五行，行十二字，末署「古晉後學任長慶撰」，藏國立中央圖書館。正文首題「重刋嘉祐集卷之一，三韓後學蔡士英鑒定，晉屈後學任長慶校

編。」半葉十行，行十九字。凡十五卷。

　四庫全書總目卷一百五十三集部別集六云：「國朝蔡士英所刊，任長慶所校本，凡十五卷，與晁氏陳氏所載合，然較徐本闕洪範圖論一卷，史論前少引一篇，又以史論中爲史論下，而闕其史論下一篇，又闕辨姦論一篇，題張仙畫像一篇，送吳侯職方赴闕序一篇，謝歐陽樞密啓一篇，謝相府啓一篇，香詩一篇。朱彝尊經義考，載洵洪範圖論一卷，註曰未見，疑所見洵集，當即此本。中間闕漏如是，恐亦未必晁陳著錄之舊也。」其與徐本相異如此。今再較諸小淥天影宋嘉祐集，知其前十四卷，編次全同，然卷十五則多「從叔母楊氏輓詞」、「次韻和縉叔遊仲容西園」二篇。

七、舊鈔朱批本

　題「嘉祐集」，凡十五卷附錄一卷，藏國立中央圖書館。卷前有「蘇洵列傳　載宋史文苑」、「薦布衣蘇洵狀　嘉祐五年　歐陽修」兩篇。次總目，其中卷八有「補史論下辨姦論」一篇，卷十五除有「從叔母楊氏輓詞」及「次韻和縉叔遊仲容西園」兩篇外，尚有「補淨因大覺蓮師以閻立本畫水官見遺報以詩」、「九日和韓魏公」、「涵虛閣」三篇，二「補」字偏右，或此鈔本係據明粵中刊清康熙間蔡士英修補三蘇全集本而鈔者也。附錄計有：曾鞏之故霸州文安縣主簿蘇君墓誌並序、贈職方員外郎蘇君墓志銘、題老人泉寄蘇明允、蘇明允哀詞，歐陽修之與蘇編禮書、蘇洵主簿挽歌，韓琦之蘇洵員外挽詞二首，梅聖俞之蘇明允木山諸篇。

　是本卷一下署「西蜀後學李鼎元校正，浙東吳甡抄錄」，卷二下署「西蜀後學李鼎元校正」，卷十下署「錦州後學李鼎元校鈔」。天、地各有朱批，而校則天、地、行間皆有之。半葉十行，行十九字。

八、明崇禎十年仁和黃氏賁堂刋本

題「重編嘉祐集」，凡二十卷附錄一卷，藏國立中央圖書館。卷前有重編嘉祐集敘，末署「崇禎十年十月後學吳下布衣馬元調敘」；次尚有重編嘉祐敘，末署「崇禎十年冬十月乙卯武林顧若羣謹序」；次題「重編嘉祐集紀事」，末署「崇禎十年十月仁和後學黃燦識」；次爲黃燦所編之凡例，再次則爲目錄，下題「崇禎十年冬十月仁和黃燦黃焯同校讎」。

觀二十卷本之編目，並無增於上述諸本，唯編次稍作異動細分耳，其卷一、二爲權書，卷三、四爲衡論，卷五爲幾策，卷六、七、八、九、十爲論，卷十一、十二、十三、十四爲書，卷十五爲書啓，卷十六、十七爲譜，卷十八爲記銘題贊，卷十九爲狀說引誌銘祭文，卷二十爲詩；附錄則有歐陽修之薦布衣蘇洵狀，與蘇編禮書、霸州文安縣主簿蘇君墓誌銘、輓蘇明允詩；張方平之老蘇先生墓表，曾鞏之蘇明允哀辭，及元右丞脫脫之宋史文苑傳。半葉九行，行十八字。

九、明吳興凌濛初刋朱墨套印本

題「蘇老泉文集」，凡十三卷，存十二卷，藏國立中央圖書館。卷前有「蘇老泉文集序」，末署「吳興後學凌濛初撰並書」，以行草書之，半葉六行，十一至十三字不等。無總目，卷有卷目。

序後有凡例，旣知是書爲凌刻，而凡例亦凌氏所擬也。凡例云：「稽前作者，動稱老泉文二十卷，遍閱藏本凡二三，咸缺略不一，無可考，仍其舊可也，獨分卷嫌其瑣瑣，遂合爲十三卷。」故知十三卷本之編次，乃針指崇禎十年仁和黃氏貴堂刊本而言，嫌其煩瑣，遂合爲十三卷。其十三卷如下：卷一幾策，卷二權書（合上下爲一），卷三衡論（合上下爲一），卷四六經論，卷五太玄論，卷六洪範，卷七雜論（有辨姦一篇），卷八、九、十書，卷十一譜，卷十三雜文。

凡例稱唐順之、茅坤二家評語，盡登書額，然除此二家外，尚有焦竑、錢穀、林希元、李載贄、陳繼儒、姜寶、詹惟脩、張之象、莊元臣、楊慎、鮑魯齊、穆文熙、陳仁錫、康海、敖英、胡秋宇、沈穆、王鏊、霍韜、王世貞。序文下書口記「鄭聖卿刻」，蓋凌、閔二家多不記刻工姓氏，此獨有之也。正文半葉八行，行十八字。

十、明天啓元年刊本

題「嘉祐集選，凡一卷，藏國立中央圖書館。卷前有嘉祐集選序，末署「天啓元年夏六月夢白書」夢白即趙南星也。計選：審勢、審敵、心術、強弱、明間、孫武遠慮、廣士、樂論、諫論下、明論、上田樞密書、上張侍郎書二首、上韓丞相論山陵書、與梅聖俞書、譜例、蘇氏族譜亭記、張益州畫像記、仲兄字文甫說、名二子說、送石昌言使北引、祭亡妻文、議脩禮書狀，計二十有二篇。半葉十行，行二十一字。

附註

①歐陽修故文安縣主簿蘇君墓誌銘並序云：「晚而好易，……修易傳，未成而卒。」今考四部叢刋本嘉祐集卷六有易論一篇，與易傳當非一書。

②曾鞏蘇明允哀詞云：「所集太常因革禮一百卷。」歐陽修故文安縣主簿蘇君墓誌銘云：「與陳州項城縣令姚闢同修禮書，爲太常因革禮一百卷，書成，方奏未報，而君以疾卒。」

③四庫總目卷三十七經部三十七四書類存目：「蘇評孟子二卷，兵部侍郎紀昀家藏本，舊本題宋蘇洵評。……孫緒無用閒談稱其論文頗精，而摘其中引洪邁之語，在洵以後，知出依託，則正德中是書已行矣。」

第二節　東坡著述考徵

東坡之著述，雖宋志著錄僅七，見載宋史僅四，然晚近書目云爲東坡之撰者，其數卻夥，蓋東坡文名最高，後世之輯錄者，或別賦新名，或雜揉新編，又甚或假託其名者，屢見不鮮，至如箋註評選之作，更比比皆是也，故今尋宋以降書目，覽臺灣各圖書館所藏，考徵於后。

易傳

東坡述明允之志，與其弟轍解說易傳①，既成，諸家書目逕題「蘇軾撰」。是書一名毘陵易傳②，成於神宗元豐年間③。原作九卷，南宋則有十一卷及十卷本④，惜皆佚，莫知其同異，今流傳者則有八卷、九卷本，茲分述如下：

一、明萬曆二十二年甲午南京吏部冰玉堂刋本

藏南港中央研究院，題「蘇氏易解」，八卷。前有明萬曆甲午南京吏部文選淸吏司郞中陳所蘊序，卷首第一葉版心有「劉鳳寫刻」四字，每葉版心有「冰玉堂」三字，半葉八行，行十七字。

二、明萬曆二十五年丁酉畢氏刋兩蘇經解本

藏國立中央圖書館及國立臺灣師範大學，題「東坡先生易傳」，九卷。按此爲兩蘇經解零本，故書前焦竑題爲「刻兩蘇經解序」，半葉十行，行二十一字，單魚尾。

三、明烏程閔氏刋朱墨印本

藏國立中央圖書館及故宮博物院圖書館，題「東坡易傳」，八卷，附王輔嗣論易一卷。前有「蘇文忠公本傳」一篇，墨印；又有「易考」六則，引楊用修、吳長玄、張孟奇三氏之言，朱印。無刻書序跋。半葉八行，行十八字，經文單行，注文雙行。

四、明末虞山毛氏汲古閣刋津逮祕書本

藏國立中央圖書館，題「蘇氏易傳」，九卷。卷末有「隱湖毛晉」識語，末署年月。半葉九行，

行十九字。

五、清嘉慶十年刋學津討原本

臺灣商務印書館叢書集成據以排印，題「蘇氏易傳」，九卷。半葉九行，行二十一字。

以上諸刻本，皆以上下經分六卷，餘繫辭傳、說卦傳、序卦傳、雜卦傳則或分三卷、或分二卷，故分卷雖有八、九之別，其內容則一也。

書傳

東坡究心經世之學，書論尤獨擅長⑤。是書成於宋哲宗元符三年，係東坡居海南島時所撰⑥，書中多駁正王安石之論。

宋代通行尙書經注合刻本，凡十三卷，故東坡作書傳即承其卷次，是以宋史藝文志，郡齋讀書志、四庫全書總目等，均作書傳十三卷；至光宗初葉，兩浙東路茶鹽司刋諸經，將注疏合刻，尙書遂釐爲二十卷，明人刻東坡書傳，依尙書二十卷之注疏本，亦分爲二十卷，是以萬卷堂書目、善本書寶藏書志、美國國會圖書館藏中國善本書錄等，皆作書傳二十卷。故書傳十三卷及二十卷之分合，即在乎尙書本經之流傳。今傳已無宋、元本，亦乏宋、元人之序跋，故難究其源流，茲考徵如次：

一、明萬曆二十五年丁酉畢氏刋兩蘇經解本

藏國立中央圖書館及國立臺灣大學，題「東坡先生書傳」，二十卷，前有焦竑序，半葉十行，行二十一字單魚尾。
二、明吳興淩氏刋朱墨套印本
藏國立中央圖書館，題「東坡書傳」，二十卷，前有吳興淩濛初「蘇長公書傳序」，眉端載楊用修、袁了凡、施承菴、沈則新、子淵諸家評語。半葉九行，行十九字。
三、明末汲古閣刋津逮祕書本
係據兩蘇經解本刻，半葉九行，行十九字。
四、清嘉慶十年刋學津討原本
收入學津討原第二集，題「東坡書傳」，二十卷，半葉九行，行二十一字。
五、清順治乙未傳青主手寫本
藏國立中央圖書館，題「東坡書傳」，二十卷，有清李淮手跋，半葉十一行，行二十一字，白口，單魚尾。

蘇沈良方

是書著錄，始於宋史藝文志，題「蘇軾、沈括撰」。沈括通醫學，著有「沈存中良方」十卷，後人附以蘇軾醫藥雜說，故曰蘇沈⑦，而成其十五卷也。合是書者，不知何人，唯晁志，鄭樵通考及尤袤遂初堂書目均已著錄，則必在南宋初年之前也。原作十五卷，南宋末已有十卷之說⑧，惜難考其遷變。今傳本有：

一、明鈔本

藏國立中央圖書館，題「蘇沈內翰良方」，上下二卷，半葉九行，行二十四字，白口，單魚尾。無序跋，故難曉其淵源。卷末有「子瞻雜記」一篇，眞贋莫辨。

二、四庫全書本

據永樂大典編次，八卷。

三、清武英殿聚珍本

自永樂大典輯出之本排印，亦分八卷。

四、閩覆聚珍本

據聚珍本覆刻，並校知不足齋本增附拾遺二卷。

五、清乾隆吳郡程永培刻本

題「蘇沈內翰良方」，十卷。

六、清乾隆癸丑鮑廷博知不足齋本

題「蘇沈內翰良方」，十卷。卷末有鮑廷博題識，略云是書以程永培刻本爲主，校以武英殿聚珍本。凡藥方二百三十二種。

七、藝海珠塵本

八卷，據文瀾閣本刻。

八、日本寬政十一年風月堂孫助刊本

藏故宮博物院，爲日本仿宋刻本，題「蘇沈內翰良方」，有「丹波元佶手書」題識。半葉八行，行十六字，每卷之前有卷目，唯存卷一、八、九等三卷。

仇池筆記

是書宋史藝文志不載，舊題宋蘇軾撰，故或疑非出軾之手著⑨。今按是書實源於南宋初曾慥所纂類說，大抵依東坡雜帖編錄之，故頗多與東坡志林重出者；明萬曆海虞趙開美，據之刻入東坡雜著，分爲二卷；趙氏並刊刻東坡志林，故於已見志林者，僅存其目，而注云見志林某卷。今流傳者，有：

一、南宋曾慥類說本

凡錄一百三十八條⑩。

二、說郛百卷本

凡十條，係摘自曾慥類說。

三、明萬曆三十年壬寅海虞趙開美刊本

刻入東坡雜著六種中，藏國立中央圖書館，題「東坡先生仇池筆記」，分上、下二卷，卷前有趙氏引言，知其刊刻乃據曾慥類說本。凡百三十八條，半葉九行，行十六字，單魚尾。

四、明白鶴山房藍格抄本

藏國立中央圖書館，題「仇池筆記」，凡三十九條，半葉十行，行或二十，或二一不等，核其文皆出東坡志林。另唐宋叢書、五朝小說、重編說郛、龍威祕書諸叢刻，所收與此同。

東坡志林

是書爲東坡隨手所記，本非專著，故初名「手澤」。其編次出於後人，輯者各就其所得增入，故卷帙內容互異。是書宋代流傳者有二：一題手澤，三卷⑪；一題志林集，一卷，即宋末左圭收於百川學海者。明代流傳有三：一曰湯雲孫編五卷本，納百川學海本論古於其中；二曰商濬輯刋稗海本，併仇池筆記爲一書；三曰毛晉汲古閣刋蘇子瞻志林本，內容與諸本逈異。茲分述如下：

一、百川學海本

題「東坡先生志林集」，一卷，載論古十三則，係析自東坡後集卷十一。

二、說郛百卷本

見卷二十九，題「東坡手澤」，三卷，凡十五條。其中巫蠱、辨文選二條，僅見仇池筆記；論用兵、艾人、宰我非叛臣、論霍光四條，見稗海十二卷本；漢武帝、孫卿子、絕慾爲難、婦姑皆賢、祭春牛文、卦影六條，見五卷本，唯標題略異；餘妻作送夫詩、益智、何國三條，爲各本所未載。

三、說郛百卷本

見卷九十五，題「志林」，一卷。凡載論古十三則，係全錄自百川學海本東坡先生志林集。

四、明萬曆三十年海虞趙開美刋本

刻入東坡雜著六種中，題「東坡先生志林」，五卷，卷末有萬曆乙未海虞趙用賢序。全書起記游、終論古，凡二十九類，二百有二條。半葉九行，行十八字。單魚尾。

五、明焦評朱墨套印本

藏國立中央圖書館，題「東坡先生志林」，五卷，卷前有西吳沈緒蕃弱瞻父漫題之小引，次有志林總論一篇，輯陳眉公，茅鹿門、王聖俞、袁中郎、陳元植、呂雅山、謝疊山諸人論志林之語。是本係據湯雲孫五卷本刻，凡二十九類，二百有二則，半葉八行，行十八字，板心題「東坡志林卷幾」，下記頁碼。

六、稗海本

題「東坡先生志林」，十二卷，三百六十六條，今傳本以此爲最多，乃納仇池筆記爲書之故。

七、毛晉綠君亭蘇米志林本

藏國立中央圖書館，二卷，乃毛晉輯東坡全集外之小品百零七則及題跋百二十則而成，雖名志林，而內容實異。半葉八行，行十八字。

八、學津討原本

題「東坡志林」，五卷，係據湯雲孫五卷本刻。

九、叢書集成本

題「東坡志林」，五卷，係據學津討原本排印，而附稗海本多出之條於后。

十、重編說郛百二十卷本

見卷二十五，題「志林」，一卷，係據湯雲孫五卷本之前四卷，節錄其四十九條。

東坡酒經

是書文僅一篇，曰一卷，論造酒之方，不見宋元諸家書目，明末人重編百川學海及陶珽重編說郛始輯此經，其文原載東坡後集卷九，係明人摘出別行之，後重訂欣賞編及舊小說中亦收之，今唯不見單行本。

雜書琴事

宋元諸家書目不載，明末陶珽重編說郛始收此書，全書凡十三則，原載於明萬曆三十四年吳興茅維刋七十五卷本東坡全集卷七十一，係明人摘出別行者，今不見單行本。

廣成子解

是書晁公武郡齋讀書志及文獻通考著錄，舊本無傳，今流傳以明嘉靖刻本最早，四明范欽初刻入二十種奇書中，後稗乘、重編說郛、函海、藝海珠塵、道藏諸叢刻均收此書，皆翻刻自范氏奇書本者，而藝文印書館百部叢書本，則據范氏奇書本影印。

東坡題跋

凡六卷，未見各家書目，明虞山毛晉汲古閣津逮祕書中始收之，商務印書館叢書集成本據以影印，凡五百九十五則，係毛晉自明萬曆三十四年吳興茅維刋七十五卷本之東坡全集卷六十六至七十一輯出別行者。

蘇文忠公集

據子由東坡先生墓誌銘及宋史本傳，東坡有東坡集四十卷，後集二十卷、奏議十五卷、內制十卷、外制三卷、陶詩四卷；陳振孫書錄解題、晁公武郡齋讀書志及文獻通考經籍考所載並同，而另增應詔集十卷，凡一百有二卷，即世稱之東坡全集。宋史藝文志亦著錄之，然名目極爲繁瑣⑫。而東坡集名目及傳本於有宋甚夥，如近人余嘉錫先生四庫提要辨證論之已精，茲不贅述。今行世之東坡全集有大全、七集兩本。大全出坊本，遭明人竄改，頗令世病；七集出宋刋，明人增第續集，堪稱善本。然以東坡聲名之故，書賈增添速售，比比有之，故僞作詩文頗具⑬，則須稍辨之也。

茲考徵今流傳板本如左：

一、宋眉山刋大字本

題「蘇文忠公文集」，藏國立中央圖書館，存卷十七，半葉九行，行十五至十八字不等，小字雙行，單魚尾。板心下記刻工姓名，計宋彥、朱順、程柳、秦元一、王執、張宣、王萬、八茂等。玄、弦、恒字缺筆，避宋諱也。

二、宋慶元間黃州刋本

藏國立中央圖書館，題「東坡先生集」，存卷十四、十五。半葉十行，行十六字，雙魚尾。板心上記字數，下記刻工姓名，計王九、阮圭、吉父、京、李、明、仁、淸、志、森、生、元、態、益、宗、信、華等，另有「庚午重刋」、「庚子重刋」、「乙卯刋」等字，係宋末重修補刋者也。桓、愼、敦三字缺筆，避宋諱也。

三、明成化四年吉安知府程宗刋本

藏國立中央圖書館及南港中央研究院，題「蘇文忠公全集」。凡東坡集四十卷、東坡後集二十卷、東坡奏議十五卷、東坡外制集上中下三卷，東坡內制集十卷、東坡應詔集十卷、東坡續集十二卷、都一百十卷，即所謂之七集本也。半葉十行，行二十字，雙魚尾。卷前有成化四年春二月朔通議大夫禮部右侍郎國史副總裁翰林學士兼經筵官郡人李紹撰重刋蘇文忠公全集序、王宗稷編東坡先生年譜、潁濱先生撰東坡先生墓誌銘、宋贈蘇文忠公太師敕、乾道元年閏正月望選德殿書賜蘇嶠之宋孝宗御文忠蘇軾文集贊並序、宋史蘇軾本傳。目錄分見各集前。李紹序謂明仁宗時亦嘗命工翻刻蘇集，工未畢而上升遐。郡守程侯得宋曹訓所刻舊本及明仁宗所刻未完新本，重加校閱，依舊本卷帙，取舊本無而新本有之詩文，和以陶詩，合編爲續集十二卷，續集之名始於成化本也，雖仍爲七集，然與一百二卷之宋本已異矣！宋本內制十卷，成化本後增樂語一卷；宋本和陶集四卷，成化本編之於續集中，餘集依宋本之舊。宋刻蘇集既不可得，世稱蘇集僉推成化本最古，唯誤字多，殊爲憾事。集中有目錄連屬篇目之卷，有不連屬之卷，奏議九、十兩卷連屬一篇，其連屬者尚存宋本舊式。成化本字體倣松雪書，尚存元刻遺意，是瞿氏鐵琴銅劍樓藏書目誤爲元刻，則其古雅精美亦可知矣！

四、明嘉靖十三年江西布政司重刊本

藏國立中央圖書館，南港中央研究院殘，題「蘇文忠公集」，凡百十卷。是本據成化本重刻，行款咸同，唯增其總目於卷前，卷末題「嘉靖十三年江西布政司重刋」、「南豐縣學校諭繆宗道校正」二行。然重刻時成化本續集十二卷之板已亡，故搜其逸文詩重編，非其舊也，據寶華盦刋本所附之校勘記及繆荃孫跋，知此本少詩文凡九十三首，但校訂舊本誤字，則頗勤謹⑭。

五、明萬曆三十四年吳興茅維刋本

藏國立中央圖書館，凡七十五卷，係分類編集，與舊本之分集編次者異。半葉十行，行十九字，板心下記葉數，卷前有萬曆丙午正月既望瑯琊焦竑序、萬曆丙午元月日吳興茅維序、贈太師誥詞、乾道九年閏正月望選德殿書賜蘇嶠之宋孝宗御製文忠蘇軾文集贊並序、本傳、墓誌銘、年譜及總目。書分五十四類⑮，唯不及詩，且篇目多篇爲七集本所無，亦有七集本具而此本無者，竄亂之處實多。

六、明末文盛堂刋本

藏國立中央圖書館，題「東坡先生集」，係據茅氏本翻刻，故亦七十五卷，行款、分類皆同，卷前有吳門項煜序及目錄。

七、清康熙蔡士英刋本

藏國立中央圖書館，題「東坡全集」，係據嘉靖本修訂，凡百十五卷，目錄七卷，附王宗稷編東坡先生年譜一卷，半葉十行，行十九葉，單魚尾，上題書名，下記卷，葉數。卷前有宋孝宗御製文忠蘇軾文集贊並序、宋贈太師敕、凡例七則、年譜、墓誌銘、本傳。凡分六十一類⑯，卷前凡例云：「長公全集舊惟江西、京本二刻行世，其間魯魚亥豕之訛，互有短長，今酌其善者從之，其他意義深遠不可強通者，並存其舊，以示闕疑之意。」又云：「江西舊作前、後、續、奏議、應詔、內外制六集，既非編年，殊乘類聚，今並紛爲分類，以便覽者。」云江西本者，即指嘉靖十三年江西布政司刋本而言。

八、清宣統元年寶華盦影刋明成化本

藏國立中央圖書館、南港中央研究院、國立台灣大學，題「東坡七集」，凡百十卷。半葉十行，行二十字，雙魚尾，魚尾中題集名卷數，下記葉數。卷前有贈太師制、李紹序、宋孝宗御製文忠蘇軾文集贊並序、本傳、年譜、墓誌銘。目錄分刻於各集前，無總目。卷末附繆荃孫撰東坡校記上下二卷、宣統庚戌上元日江陰繆荃孫跋。是本係光緒三十四年至宣統元年，端方總督兩江時，以江南圖書館所藏成化刻本影刻，屬江陰繆荃孫校刋，原多缺卷缺葉，繆氏以其所藏錢求赤校宋殘本及嘉靖本校補，附以校勘記二卷，其續集則據嘉靖補本、非成化原刻也⑰，以是本源出宋刻，故時人皆謂蘇集中此本最善，唯余嘉錫先生嘗取明刻七十五卷全集本與續集對勘，則全集中詩文，續集未收者甚多⑱，故今傳世蘇集諸本中，當推明成化本最佳，雖誤字頗多，然較能保持東坡著作之眞也。民國以來，中華書局、商務印書館均據此成化刋本重印行世，世界書局並有排印斷句本東坡七集。

經進東坡文集事略

是書凡東坡之文四百九十八篇，郞曄編選，並爲之注，光宗紹熙年間表以進呈，故名「經進」。東坡詩注頗多，文注則獨此一部，而其注「大都依據史傳，取材務與原文印合，而不以捃摭爲長」⑲，而其爲貴者，不唯以有注爲善，尙具訂補全集之益也，蓋郞氏之選，雖非全帙，然重要諸作，盡在其中，且有三十餘短篇，爲全集所未載者，復有文中較今本多數十百字者若干篇。

是書進呈，雖未獲頒行，但宋代曾刋版，惜流傳不廣，故宋元明均未見著錄，四庫全書亦未云及，至清初季滄葦書目始載其名，而其所藏乃宋刋殘本，後歸張金吾，張氏且云「全書卷數無考」，其罕見可知。迨日本島田重禮購得宋刋足本，島田翰著錄於古文舊書考，世人方知其書凡六十卷，此藏本後爲荊州田吳炤購得，欲刋行而武昌之役起於湖北，遂喪失不全僅存四十七卷⑳。民國十年羅振常據張鈞衡及潘宗周兩家所藏宋刻殘本，配合張氏校印本，仍闕四十一至四十五卷，則援邵長衡校刻施注蘇詩例，依目補其文，而注則闕如。羅氏校印本，行款悉依宋本，並撰考異四卷附後，其後上海商務印書館復據潘張二家藏宋本影入四部叢刊初編，所缺四十一至四十五諸卷，則據明成化本東坡七集補其正文，是書遂傳於世。

茲將今日傳本考徵於后：

一、宋刋本

抗戰中爲國立中央圖書館購得，著錄於該館善本書目及宋本圖錄。半葉十二行，小注雙行，行二十一字，雙魚尾，版心上或下記每版字數。題「經進東坡文集事略」，署「迪功郎新紹興府嵊縣主簿臣郎曄上進」。卷前有袁克文及日人內藤偉二氏手書題記，又有羅振玉觀款。

二、民國九年上海蟫隱廬刋本

藏國立中央圖書館，題「經進東坡文集事略」，卷前有民國辛酉孟春上虞羅振常重校宋本郎注東坡文集序，次校例十八則，後有「歲在庚申季冬上海蟫隱廬用仿宋聚珍字鑄版印行」牌記，及「上海聚珍仿宋印書局錢塘丁仁監製」一行，次羅振常撰郎氏事輯，次御製文集序、蘇文忠公贈太師制，附東坡先生言行、劉珽敬摹蘇文忠公遺像、像贊，次目錄，次行署「迪功郎新紹興府嵊縣主簿臣郎曄上進」。是傳本集烏程張氏潘氏所藏二宋刋殘本校印，行款依宋本之舊，缺卷四十一至四十五，則援邵子湘校刻施注蘇詩之例，依目補文，注付闕如，又仿鄱陽胡氏刻文選之例，爲考異四卷附後，尚有考異補遺一卷，係據東坡七集及大全集，與呂東萊評點之古文關鍵集注之觀瀾文諸本，校其同異而成。

考異補遺後羅振常又輯有經進嘉祐文集事略及經進欒城文集事略各一卷，亦各附考異。是本字體仿宋，刷印俱佳，考校精詳。

三、商務四部叢刊初編本

是本據烏程張氏、南海潘氏所藏宋刋殘本兩帙配合影印。卷前有乾道九年閏正月望選德殿書賜蘇嶠之御製文集序、次蘇文忠公贈太師制及東坡先生言行、次爲目錄。缺卷四十一至四十五，依目據明成化刻全集本補其文，亦無注。民國四十九年世界書局又據四部叢刊影印郎注本、羅氏蟫隱廬本、寶華盦刋七集本、大全集本互校斷句印行、逐卷附校記。

王狀元集註分類東坡先生詩

舊題宋王十朋集註，是書前有王氏、趙夔序，皆係依託者，非二氏之作㉑。是書各本分類不同，趙序稱分五十類，宋建安余氏萬卷堂本分二十五卷七十二類，宋黃善夫家塾刻本爲七十九類，善本書室藏書志謂宋元刋本分七十六類，惜諸本今皆無見，今日傳本亦異，故提要稱其分類頗多乖舛，爲查愼行蘇詩補註所譏，茲考徵今日傳本於后：

一、元建安虞平齋務本堂刋本二十五卷附傅藻（澡）紀年錄一卷

上海商務印書館據南海潘氏藏本影入四部叢刊。舊誤爲宋刋，葉德輝始辨爲元刻㉒，半葉十一行，行十九至二十四字不等，雙行注，行二十五至三十四字不等，雙魚尾。卷前有王十朋及趙夔二序，

次註家姓氏，其後有篆書「建安虞平齋務本書堂刋」，次則東坡紀年錄及目錄。凡分七十八類，共收詩二千有二十三首。

二、元廬陵坊刋本二十五卷附東坡年錄一卷

藏國立中央圖書館，題「增刋校正王狀元集註分類東坡先生詩」，卷前有王十朋及趙夔二序，次王十朋集註東坡詩姓氏，其後有「廬陵□□□□書堂新刋」雙行木記，次目錄及東坡紀年錄。半葉十二行，行二十一字，小注雙行，行二十六字，雙魚尾，魚尾間題「坡詩卷數」。有廬陵須溪劉辰翁批點，分七十八卷，與建安務本堂刋本同，唯次第稍異。

三、元刋巾箱二十卷

藏國立中央圖書館，卷一至六、十三、十五至十七、十九、二十題「選東坡詩註，卷七、十二、十四、十八題「選坡詩註」，卷八及十題「須溪批點選坡詩註」，卷十一題「東坡詩選註」。署「禮部尚書端明殿學士兼侍讀學士贈大師謚文忠公蘇軾」、「廬陵須溪劉辰翁批點」。無刻書序跋、目錄，且不著編輯者姓名。半葉九行，行十七字，雙行小注，字數同，雙魚尾，版心上或下方記每板字數，正文旁刻有圈點。是書係分體編次，凡五言古詩六十九首、七言古詩八十首、五言律詩二十七首、七言律詩五十二首、七言絕句九十七首、摘奇五言百七十一首，計四百九十六首。

四、明成化間汪氏誠意齋集書堂刋本二十五卷附東坡紀年錄一卷[23]

是書乃覆刻元廬陵坊刋本、分類、行款、次第皆同。劉辰翁批點。

五、明萬曆間吳興茅維刋本三十二卷附東坡記年錄一卷

藏國立中央圖書館，題「東坡先生詩集註，署「宋眉山蘇軾子瞻著，宋永嘉王十朋龜齡纂集，明吳興茅維孝若芟閱」。半葉十行，行二十一字，雙行小字，字數同。前有王十朋及趙夔二序，次百家註分類東坡先生詩姓氏，次目錄及藻（薻）紀年錄。茅氏併元本七十八類爲三十類，凡三十二卷，增和陶詩，共收兩千五百十八首，唯刪元本注文十萬餘言，已非宋本之舊。

六、明崇禎間梁谿王永積刋本三十二卷附東坡紀年錄一卷

題「東坡先生詩集註」，署「宋眉山蘇軾子瞻著，永嘉王十朋龜齡纂，明梁谿王永積崇嚴閱」。是本係據吳興茅維刋本翻刻，故行款、版式、分類、卷數皆與之同，唯缺前人序跋，亦乏百家註分類東坡先生詩姓氏。

七、日本明曆二年松柏堂刋本二十五卷附東坡紀年錄一卷

藏國立中央圖書館，題「東坡詩集註」，卷首有王十朋及趙夔二序，次則增刋校正王狀元集註分類東坡先生詩姓氏，其後有篆書「建安虞平務本書堂刋」雙行木記，次爲目錄及東坡紀年錄。半葉九行，行十五字，雙行小注，字數同，黑口，雙魚尾。

八、清康熙三十七年新安朱從延刋本三十二卷附東坡紀年錄一卷

係據明茅維本重刻，分全書爲二十九類，併酬和、酬答二類爲一。四庫之著錄，即依是本。

施注蘇詩

是書爲宋施元之取東坡之詩，以編年排比，博辨詳注，而顧禧助之，其子施宿廣之，凡編年詩三十九卷，帖子遺詩一卷、和陶詩二卷及目錄二卷，並附年譜一卷，爲宿所撰。陸游嘗序之㉔，推崇至甚。宋代注東坡詩者雖衆，唯傳世者，僅所謂王十朋之分類，及施氏之編年兩本，而王十朋註出僞託，云註本實以此本爲佳，昔人已定評之㉕，故有宋即稱善本。

是書凡四十二卷，始刻於宋嘉泰二年，陸游序之，其後六十年，景定年間鄭羽復就嘉泰原版修補印行，唯傳本甚少。元明二代未聞有翻刻者，清康熙宋牧仲，始得宋刻，然已佚卷一、卷二、卷五、卷六、卷八、卷九、卷二十三、卷二十六、卷三十五、卷三十六、卷三十九、卷四十，凡十二卷，僅存三十卷，乃囑毗陵邵長蘅補注其闕，並撰王注正僞一卷，又訂定王宗稷年譜一卷，冠於集首，惟僅補注八卷，病，罷，別囑錢塘馮景注之，乾隆初高宗詔內府據宋氏刻本重刻，即古香齋袖珍十種本，民國五十三年台北廣文書局據之影印，乃廣傳於世。

茲將今日流傳版考徵於后：

一、宋嘉泰二年淮東倉司刊本

藏國立中央圖書館，殘存目錄卷下、正文卷三、卷四、卷十至十三、卷十五至二十、卷二十九、卷三十二至三十四、卷三十七、卷三十八，凡十九卷。是本爲宋牧仲舊藏，後遞經翁覃溪、吳荷屋、南海潘氏、葉潤臣、鄧詩龕等收藏，皆殘存三十卷；光緒間歸湘潭袁伯夔，火，又較前佚十二卷，抗戰間乃爲中央圖書館購得。白口，左右雙欄，單魚尾，魚尾下題書名及卷、葉數，下記刻工，唯書口爛損，刻工已不可識。半葉九行，行十六字；雙行小注，字數同。玄、泫、徵、樹、桓、構、完、㲉、塡、淳等字，皆缺末筆。

二、清康熙三十八年己卯商丘宋氏宛委堂刋本

藏台北國立故宮博物院，凡施注蘇詩四十二卷，附年譜一卷、王注正譌一卷、蘇詩續補遺二卷。卷首有康熙己卯夏五商丘宋犖、庚辰上巳日滏陽張榕端二序，次康熙己卯孟陬六日毗陵邵長蘅題舊本施注蘇詩、註蘇姓氏、邵長蘅纂註蘇例言十二則、邵氏撰王註正譌一卷、宋犖家藏東坡笠屐圖及宋犖題識、宋孝宗贈蘇文忠公太師敕、宋孝宗御製文忠蘇軾文集贊並序、宋史蘇軾本傳、子由撰東坡先生墓誌銘、王宗稷編邵長蘅重訂之東坡先生年譜一卷、施註蘇詩總目二卷、蘇詩補遺總目，書末附馮景補注蘇詩續補遺二卷。半葉十行，行二十一字；雙行小注，行三十一字。單魚尾，尾下題「施注蘇詩卷之幾」，下記葉數。每卷開卷頂格題「施注蘇詩卷之幾」，署「漫堂先生宋犖、樸園先生張榕端閱定，長洲顧嗣立、毗陵邵長蘅、商丘宋至删補」。

三、乾隆古香齋袖珍十種本

藏台北國立故宮博物院，係清高宗詔內府據宋氏宛委堂刋本重刻者，題「古香齋監賞袖珍施注蘇詩」，署「商邱宋犖、滏陽張榕端閱定；長洲顧嗣立、毗陵邵長蘅、商丘宋至删補」。半葉十行，行二十一字，雙行小注，行三十一字。行款、內容、卷數悉與宋氏刋本同。台北廣文書局即據此印行。

坡仙集

十六卷，明李贄選，並批點。是集卷一至十，括有賦、頌、墓誌銘、銘、偈、贊、傳、碑、記、敘、祭文、祝文、志林、雜作、經說、論、表狀、樂語、啓、書柬、策問並對策及策略等，奏議、內制、外制，係自前後集中選出。卷十一至十五爲別集，錄東坡事實五百條，蓋本之於王世貞蘇長公外紀。卷十六爲年譜，年譜後語、本傳。

今其傳本，蓋有：

一、明萬曆己未程明善重刋本

前有萬曆庚子夏瑯琊焦竑序，後有萬曆己未仲夏程明善跋及坡仙集總目。半葉九行，行二十字，書中旁刻圈點及評語。

二、明末重刻印

卷首有瑯琊焦竑序、卓吾先生復焦秫陵書、校閱姓氏，重刻坡仙集凡例三則、總目。半葉九行，行二十字，單魚尾，尾上題「坡仙集」，上記卷數，下記葉數，板式與程刻本略同，唯板匡及字體略小。

訂補坡仙集

三十八卷，爲陳繼儒就李贄批選本而增選訂補者，李氏批選本有文無詩，陳氏則益補詩詞，凡賦一卷，詩六卷，各體文及策問、奏議、內外制二十四卷、詞一卷、別集五卷、年譜本傳一卷。其書初刻於萬曆間，後世未見翻刻。萬曆刊本，藏國立中央圖書館，半葉十行，行二十字，單魚尾，尾上題「訂補坡仙集」，尾下記卷、葉數、圈點，評語傍刻文中。卷首有萬曆庚子夏瑯琊焦竑、陳繼儒二序，次訂補坡仙集總卷目，下或注「增補」、「選補」，再次訂補坡仙集各卷篇目詳目。三十八卷復依地支分為十二集。

宋蘇文忠公集選

藏國立中央圖書館，是書凡三十卷，明崔邦亮選於萬曆二十七年，後世未再重刻。共選賦十四首、辭五首、四言古詩七首、樂府雜調十一首、五言古詩五十六首、七言古詩七十一首、五言律詩十八首、五言排律九首、七言律詩三十三首、五言絕句十三首、六言絕句五首、七言絕句四十二首、詩餘二十三首、策一道、上書五篇、狀十六篇、劄子十五篇、策略策別策斷二十五篇、表十八篇、啓二十篇、書六十八篇、論四十四篇、試論十二篇、序十篇、記三十四篇、傳九篇、碑五篇、銘十五篇、贊十四篇、頌二篇、靑詞一篇、祝文二十六篇、行狀一篇、墓誌銘五篇、神道碑二篇、雜著三十四篇。卷題「明河南道監察御史魏郡崔邦亮選，大理寺右少卿大粱楊四知校，河南左布政使武陵姚學閔閱」，卷前有楊四知序，次附宋史蘇文忠公本傳，又次為宋蘇文忠公選目錄。半葉十行，行二十字，雙魚尾。

蘇長公小品

明王聖俞選評，皆選其簡短者，計一百六十八篇，釐爲二卷。萬曆間其友人章萬椿爲之付梓，錄王氏評語於書眉或篇末。稍後吳興凌啓康重編爲四卷，以朱墨兩色套版印行。

茲述此二刻於后：

一、明萬曆三十九年辛亥萬椿心遠軒刋本

藏國立中央圖書館，署「古楊王納諫聖俞評選，友人章萬椿古生、陳以忠恕先、李勇彥直、何偉然僊郎、李瑛玉樹、章萬桂本貞，門人施我素去琛、何士傑有萬、張圓長庚參校。」板心題「蘇長公小品」，半葉九行，行二十一字。卷前有廣陵王聖俞自序，序後有「萬曆辛亥八月既望雕於章氏之心遠軒」碑記，次章萬椿序及辛亥秋日滎城汪元啓序，再次蘇長公小品總目。

二、明吳興凌啓康刋朱墨套印本

是本分四卷，收文與章本同，唯編次異。卷前有施辰賓、吳興凌啓康、廣陵王納諫及古生章萬椿四序，次凡例。半葉八行、行十九字。正文墨印，圈點及書眉、篇末評語則以朱印。

蘇長公集選二十二卷附艾子雜說一卷

明錢士鰲選，凡二十二卷，六百六十二篇，今傳者爲原刻，以後世未再翻刻是也。是書刻於萬曆二十六年戊戌，爲福寧府刋本，半葉九行，行二十二字，四周單欄，板心題「蘇長公集選」，卷首有萬曆戊戌錢士鰲自序及目錄。

東坡詩選十二卷

明袁宏道選，譚元春增刪㉖。凡選坡詩七百餘首。是書於明天啓元年刋於白門，題「公安袁宏道中郎閱選，景陵譚元春友夏增刪」，有宏道序，後世未有翻刻，今傳本藏國立中央圖書館，半葉九行，行十九字，書眉上附刻袁、譚二人評語。

東坡文選二十卷

明鍾惺評選，計賦一、序四、記十四、傳一、論十五、策略策別策斷等十六、奏議九、表十、啓四、書五十三、碑三、墓誌銘六、祭文四、說四、跋五、書事一、贊七、銘十、頌六、祝文二、偈一、雜文六、外制五、內制十四，凡二百一篇。是書明代迭經傳刻，今傳存者有：

一、明萬曆庚申四十八年刋本

藏國立中央圖書館，署「明景陵鍾惺定」，半葉八行，行十七字，板心上題「東坡文選第幾卷」，有匡廓而無界欄，卷首有明萬曆庚申歲七月十五日鍾惺書並序及目錄。

二、明天啓刋本

藏國立中央圖書館，係據萬曆庚申四十八年本翻刻。半葉九行，行十九字，板心題「東坡文選」

。卷首有鍾惺序，次東坡文選目錄。評語刻於書眉，行邊或篇末。

三、明刻朱墨套印本

藏國立中央圖書館，亦係據萬曆庚申四十八年本翻刻，半葉九行，行二十字。正文墨印，圈點及評語未印，有匡廓而無界欄。卷前有鍾惺書並序，次爲評選及參閱者姓氏㉗，次目錄、書眉、行邊及篇末刻有朱筆評語。

蘇文忠公文選六卷

是書係明閔爾容選，蓋取茅坤、錢穀二家選評本而擷取之㉘，以朱墨藍三色套版印刷，後世未再翻刻，今藏國立中央圖書館，凡論、策略、書、記、序、贊、碑、神道碑、賦共九十一篇，其中以論居多，凡三十一篇。半葉九行，行十九字，板心題「東坡」。正文以墨印，錢士鰲圈點及書眉所刻評語以硃印，茅坤圈點則以黛色印。卷前有沈闈章序，次凡例及總目。

蘇長公表啓

明錢櫝編㉙，係輯東坡文集中表、啓而成，計表三卷六十五篇，啓二卷八十二篇。是出原刊於明末吳興淩濛初，以朱墨套印，後世未再翻刻。國立中央圖書館有藏，半葉八行，行十八字，有匡廓而無界欄，本文墨印，圈點及書眉或評語則以朱印，卷首有吳郡錢櫝序，爲松陵盛文明書寫上板，次淩濛初序。

東坡禪喜集

東坡時有談禪之文，明萬曆徐長儒輯其談禪小品，凡九卷，唐文獻曾刻之，凌濛初以其遺漏尚多，更爲補輯，得十七則，重新編次，釐爲十四卷，萬曆癸卯，馮夢禎爲之點閱，評語其上，天啓元年凌氏以朱墨套印之，四庫總目別集存目，即據凌氏輯本著錄。

今考徵傳本於后：

一、明萬曆熊玉屏刋本

藏南港國立中央研究院，凡九卷，題「蘇東坡先生禪喜集」，每卷之前題「錢塘楊爾曾聖魯校書」、「潭邑書林熊玉屏繡梓」。半葉十行，行十八字，單魚尾，版心上題「東坡禪喜集」，蓋即徐長儒編，唐文獻付梓者也，前有萬曆庚寅花生日陳繼儒序。凡九卷，卷一曰頌，卷二曰贊，卷三曰偈，卷四曰銘，卷五曰記，卷六曰書後，卷七曰序傳文疏書，卷八曰禪喜紀事，卷九曰佛印問答語錄。

二、明天啓元年辛酉吳興凌濛初刋朱墨套印本

藏國立中央圖書館，凡十四卷，題「東坡禪喜集」，下署「眞實居士馮夢禎批點」、「即空居士凌濛初輯增」。卷前有無年代希維居士陸樹聲及萬曆庚寅陳繼儒二序及總目。卷末有天啓辛酉春吳興凌濛初跋並書，及萬曆癸卯春眞居士馮夢禎跋凌濛初藏元板傳燈錄語。

是本與萬曆刋本相校，頗有增刪。增者，卷三之油水偈、地獄變二則；卷六（即萬曆本之卷五）之四菩薩閣記、大悲閣記二則；卷七至卷十二（即萬曆本之卷七）之修養帖寄子由一則；卷十三之雜志七則；卷十四禪喜記事（即萬曆本之卷八），增多五則，係據破琴詩引、燕石齋補五燈會元、丹鉛總錄、外紀、志林等輯補。刪者萬曆本之卷九也。餘卷一、二、四、五悉同。

蘇長公合作

明鄭圭評選，凌啓康增編，係鄭氏評選東坡文可爲舉業之範者，以授門人。計賦、記、策、論、序、跋、署、贊、偈、頌、銘、祭文、上書、簡牘，共一百四十九篇，釐爲八卷。鄭氏原書未見諸家著錄，今之流傳，則萬曆末年凌啓康增輯重編本也。凌氏依鄭氏評選本，輯諸家評語而重編之，其批點則以明高啓、李贄兩家爲主。鄭氏合作原分內外兩篇，內篇錄制舉經濟之文，其序次爲書劄、策、論、表、啓、內外制；外篇錄海外論著禪喜小章，其序次爲詞、賦、記、碑、銘、贊、頌、偈、序、跋、祭文、雜文、書柬。重編本則改依文選之序次，以賦爲首，次詞、記、敍、上書（附疏）、內外制、劄子、策、論、贊、頌、碑、銘、序跋、尺牘、雜文、祭文等十六類。

凌氏除更易鄭氏原本之順序外，復增補各體五十八篇，及輯錄宋史東坡本傳及諸家雜說、評論爲附錄一卷。凌編本凡經二刻，初刻本各體文鄭氏原選及增選混列，增選之文，則於題下註「增正」二字以別之；重刻本則以鄭選之文爲八卷，凌氏增選之各體文五十八篇別爲補二卷，以免混淆，今鄭氏原本既不可見，重編初刻本亦未見傳本，存世者厥唯凌編之重刻本耳。

凌編重刻本係萬曆四十八年水凌氏歧閣以朱墨藍三色套印者，凡蘇長公合作八卷，補二卷，附錄一卷，國立中央圖書館及東海大學圖書館均藏之。半葉八行，行十九字，有匡廓而乏界欄。卷首有萬曆庚申江左錢一淸、茹芝居士凌啓康二序，及鄭之惠引；次凡例十則、總目。正文墨印，旁刻圈點及批語，書眉及篇末附刻諸家評語、考釋。高啓之批點及諸家之評詞，以朱印；李贄之批點及諸家之考釋，則以藍印。

蘇長公密語

明吳京輯評。計選詩二、賦七、銘二十八、頌偈十六、贊二十七、序七、記二十、傳二、評史十一、雜著二十四、論二、說二，凡百四十八篇，釐爲十卷。卷前有吳用先序，蓋云此集但選頌偈銘贊之文，而遺論策奏疏者，以東坡之神韻存於是焉。是書原刻於明天啓間，後代未再翻刻，國立中央圖書館有藏，題「新安後學吳京省之甫纂集」，扉葉有木記署「安上堂選諸公批評東坡密語，本衙藏版」。首卷爲本傳、像贊及自評。半葉八行，行十九字，有匡廓而無界欄。書眉附刻評語，篇末有總評，正文墨印，旁刻圈點，圈點及評語則以朱印。

蘇長公文燧

明陳紹英編，刻於崇禎四年辛未，題「蘇長公文燧」㉚，署「武林陳紹英生甫甫選定」，後世未再翻刻，僅藏國立台灣師範大學圖書館，半葉九行，行二十字。

此集不分卷，凡選賦九、記二十四、序七、書後十二，論二十七、策十七、策問二、表六、外制九、內制十三、奏議一、箚子二、上書二、啓十四、書十九、尺牘三十二、雜文九、史十二、傳二、說三、頌六、贊十九、銘十二、偈三、碑六、祝文三、祭文八、墓誌四，共二百三十七篇。

蘇文奇賞

明陳仁錫選評。原刻於崇禎四年，題「明太史長洲陳仁錫明卿父選評」，卷前有陳仁錫序，後世未再翻刻，藏東海大學圖書館，凡三十一卷。

蘇公寓黃集

是集係明文部郎陸志孝謫官黃州別駕時，囑文學王行父搜輯蘇軾謫居黃州時所爲詩文，彙編而成，計二卷，另附錄一卷。原刻於萬曆十一年癸未，署「嘉禾陸志孝校梓」，後世未再翻刻，國立台灣師範大學有藏，卷前有萬曆癸未吳國倫及鄒迪光二序，卷末有陸志孝跋，半葉九行，行十九字，單魚尾，上題「寓黃集」。

寓惠錄

是書係明方介卿集東坡謫居惠州時之詩文而成，計四言古詩五首、五言古詩五十八首、七言古詩十三首、五言律詩三十九首、七言律詩三十一首、五言絕句一首、七言絕句二十一首；表一篇、賦二篇、頌一篇、文三篇、記一篇、贊三章、銘七章、書簡七十五首、雜著八篇。其刻於惠州，自有特殊之意義寓焉。

是書初名「寓惠集」，凡十卷，首刻於明正德七年，屢經變故，六刻於萬曆四年，前五刻已佚不傳，其存於世，唯六刻耳。六刻即萬曆四年惠州官刻藍印本，見藝風藏書續記，又藏國立中央圖書館，唯缺第二、三卷。半葉八行，行十八字，單魚尾。卷前有明萬曆四年丙子仲春望月廣東惠州知府李幾嗣重刻寓惠錄序，次列校正、謄清者姓氏，次爲目錄，附錄本傳、蘇文忠公遺像並贊，白鶴峯祠圖。卷末有林民止跋，並有附錄一卷，係輯黃庭堅、蘇過所作有關軾寓惠時事詩，及前人刻是集之序跋而成。

東坡集選

明陳夢槐選，凡五十卷，附外紀二卷，外紀逸編一卷。卷一至二十題「小文類」，計志林五卷、雜記二卷、雜文一卷、書後一卷、書事一卷、尺牘二卷、贊二卷、銘二卷、頌一卷、偈一卷、箴疏一卷、序一卷；卷二十一至三十一題「文類」，計記三卷、傳一卷、書一卷、啓一卷、祝文一卷、祭文一卷、墓誌一卷、碑文一卷、擬作一卷；卷三十二至四十題「大文類」，計策問一卷、制策一卷、策略一卷、策別策斷一卷、論一卷、表狀一卷、內外制詔敕、批答、表本等共一卷、奏議二卷；卷四十一爲賦屬，卷四十二爲辭屬、附樂語、卷四十三至四十九爲詩屬、卷五十爲詩餘未署年月。

是書原刻於明萬曆間，國立中央圖書館藏之，半葉九行，行十九字，單魚尾。卷前有陳繼儒序，次刋「集選長公文諸家姓氏」及「後學參閱姓氏」，次附錄宋史蘇文忠公本傳、王宗稷編蘇文忠公年譜、及瑯琊王世貞編蘇文忠公外紀上下二卷、豫章璩之璞所輯之外紀逸編一卷。民國四十四年台北新興書局嘗據以重印，改名爲「蘇東坡全集」，以冒全帙則須辨之也。

蘇文忠公居儋錄

是書係輯東坡謫居儋耳時之詩文而成，流傳甚罕，唯藏國立中央研究院史語所一帙。前有序文一篇，首末均缺，作者不詳，書中亦未題編者。書分五卷：卷一載年譜一、古蹟八、言行十六；卷二載表二、書二十九、記二、銘二、說二、歌二、賦二；卷三、四爲詩，計九十五首；卷五爲附錄，計元范梈東坡祠記，載酒堂記二篇、宋明題詠之詩十四首。半葉十行，行二十字，單魚尾，刋本年月不詳。唯所錄題詠之詩，最晚之作者爲黃光昇，黃氏卒於萬曆十四年，則序中之云及「辛丑」，或萬曆二十九年也，據此當係萬曆間本。

補註東坡編年詩

清查慎行撰，係補注宋犖刊本邵長蘅之遺漏舛誤而成㉛，凡正集四十五卷，又補錄帖子詞口號詩一卷、遺詩補編二卷、他集互見詩二卷，而以同時倡和散附各詩之後，共五十卷，別以年譜冠於前。

查氏於此書用力甚勤，盧文弨雖指其校讎去取之間有未盡，仍不能不許其「考正歲月，辨僞釋滯，洵有功於蘇氏」㉜；四庫提要評是書雖卷帙浩博，不免牴牾，「然考核地理、訂正年月、引據時事、元元本本，無不具有條理。非惟邵註新本所不及，即施註原本、亦出其下」。是書由初白姪開於乾隆辛巳刋版，即國立中央圖書館「廣陵查氏香雨齋刋本」也，近廣雅書局亦翻印之。

是本半葉十行，行二十一字，雙行小注，行三十一字，白口，單魚尾，魚尾下題「蘇詩補註卷數」，下記葉數，再下題「香雨齋」三字。卷前有宋孝宗御製蘇文忠公集序並贊、康熙壬午仲春初白菴主人查愼行所撰補註東坡先生編年詩例略、東坡先生年表、補註東坡先生編年詩采輯書目、補注東坡先生編年詩目錄。卷末有乾隆辛巳查開跋。此本僅載查氏補注，而不載施注，後人頗以兩讀爲病。

蘇詩補註

清翁方綱註。係補查愼行註蘇詩之闕誤，得助於歙縣曹吉士而成。凡八卷，卷一補四十三條，增二十條；卷二補三十四條，增十二條；卷三補四十三條，增七條；卷四補四十六條，增八條；卷五補四十九條，增十四條；卷六補三十一三條，增二十五條；卷七補二十七條，增七條，後附書札二通；

卷八附原注序略及顧景繁志道集。計補原注二百七十五條，增補九十四條。

是書乾隆四十七年，翁氏刻於蘇齋叢書中，咸豐元年伍崇曜重刋入粤雅堂叢書，民國十三年上海博古齋據翁氏原刻影印，民國二十年商務印書館叢書集成初編則據粤雅堂叢書本排印。近廣文書局影印古香齋袖珍本施注蘇詩，並以粤雅堂叢書本蘇詩補註影附於後。

蘇詩查注補正

清沈欽韓補正。蓋查愼行蘇詩補正，旨於補施、王二家注之闕，糾邵蘅刋改之妄，惜紕繆仍多，故沈氏又撰是書以補其闕，凡四卷。

是書長洲蔣鳳藻於光緒八年刋入心矩齋叢書中，題「蘇詩查注補正　光緒戊子夏日　古何震題」，分三行印之，背有「長洲蔣鳳藻香生甫校刋心矩齋中藏板」木記。半葉十一行，行二十一字，小字雙行。字數同。線口，雙魚尾，魚尾間題「蘇詩查注補正」，魚尾下題「心矩齋校本」。卷前有道光壬午沈欽韓題識，每卷末題有篆字「光緒八年歲在横艾敦牂常州蔣氏心矩齋校正刋行」一行。台北廣雅書局有翻印本。

蘇文忠公詩合註

清馮應榴撰。係取王、施、查三氏註蘇詩之本，稽其同異而辨之，取其長、去其短、補其闕，刪其誤而成㉝。至其編年排比次序，係遵查本，若查本編次有顯然失當者，則隨條辨正，然徵引太繁，或不如查註之簡覈謹嚴。

乾隆五十八年馮氏以是書自行刋版印行，乃今日通行之本，藏國立中央圖書館及國立臺灣大學研究所圖書館。葉十一行，行二十六字，小字雙行，行三十四字，單魚尾，上題「蘇文忠詩合註」。扉葉有牌記，題「桐鄉馮星實輯定」、「蘇文忠公詩合註文畬德記發兌」、「踵息齋藏板」，卷前有乾隆癸丑馮應榴自序、乙卯嘉定錢大昕序，次蘇文忠合註凡例十二則、總目、蘇文忠詩舊註辨定、宋孝宗贈蘇文忠公太師敕、趙夔、王十朋百家註東坡先生詩二舊序、王十朋纂集之百家註分類東坡先生詩姓氏、陸放翁施註原序、鄭羽重刋施註本跋、通行王註本各序、宋牧仲刋施註刪補本各序、附邵蘅註蘇例言，刪補施註本附錄註蘇姓氏四條，查愼行補註例略、抄本查註附錄題跋雜綴各條，翁方綱蘇詩註序、翁本附錄各條、東坡畫像、王宗稷編蘇文忠年譜、宋史蘇軾本傳、墓誌銘、目錄。其編次從查註本，計編年詩四十五卷、帖子口號詩一卷，他集互見詩二卷，補編詩二卷，凡五十卷。卷末有重排千字文跋蘇文忠詩合註後，署「乾隆庚戌孟秋月上澣受業門人南昌袁紳拜手」，及乾隆癸丑三月馮集梧跋，末行題「受業孝感胡志熊長陽彭淑襄校」、「秀山盛世琦仁和胡紹元校字董刋」。後代未再翻印。

蘇長公二妙集

是集題「明焦竑批點，夜郎楊文驄閱，錢塘徐象橒梓」。所謂二妙者，乃尺牘、詩餘也。凡二十二卷，計尺牘二十卷，凡一千二百七十七篇；詞二卷，凡三百十九闋。今取東坡全集本與此集相較，知此集之尺牘乃輯自明萬曆三十四年吳興茅維刋七十五卷本東坡全集之卷五十至六十一，唯將十二卷析爲二十卷；詞則全據該本之卷七十四、七十五兩卷。按焦氏之序，不見載於焦氏澹園集，而評語淺陋，不類焦氏之言，或疑是集出於坊賈，而冒焦氏名耳。

此集原刋於明天啓元年辛酉，係錢塘徐象橒曼山館刋行，卷前有辛酉西安方應祥、盧陵楊師孔二序及萬曆四十六年戊午焦竑自序。半葉十行，行十八字，小字雙行，字數同，單魚尾，魚尾上題「東坡二妙」，下署「曼山館」，書眉偶刻評語。每卷校閱者不同，除夜郎楊文驄外，尚有武林馮汝南、沛國朱蔚然、江夏黃居中、茂苑許自昌、南譙彭昌治、仁和張堯翼、鹽田翁彥登、仁和陳紹英等。後世未再翻刻，國立台灣大學圖書館藏存原刋。

蘇文忠公詩編註集成

清王文誥撰。凡蘇文忠公詩編註集成四十六卷、編年總案四十五卷、諸家弁言一卷、王施註諸家姓氏考一卷、墓誌銘註一卷、本傳註一卷，編錄清聖祖高宗御評一卷、詩目一卷、兩宋雜掇一卷、蘇海識餘四卷、牋詩圖一卷，計百有三卷。詩以編年，註以百家註、施注及查、馮之註爲主，餘家附之

㉞。

此書錄古今體詩二千三百八十九首，帖子口號詞六十五首。編年總案者，采東坡前後集之制誥書狀序傳銘記詞賦論說之文，悉納之，事或未備，則佐以明允、子由諸集，並系以詩之應入案者，合爲編年，自東坡始生，至於北歸，綜六十六年，釐爲四十五卷。其餘未備者，補撰於蘇海識餘四卷中。

王氏撰成後，於嘉慶二十四年雕板，歷三年而成於道光二年，即今國立中央圖書館及國立故宮博物院圖書館藏之武林王氏韻山堂刋本也。是本半葉十一行，行三十字，單魚尾。前者道光癸未三年阮元、梁同書、阮達三、韓崶四序，及王文誥自序、凡例三十則，又附刻趙松雪摹蘇文忠公遺像及王文誥撰像贊。光緒十四年浙江書局曾予重刻，民國五十六年台灣學生書局亦曾據原刻影印之。

角山樓蘇詩評註彙鈔

淸趙克宜註。是書以紀昀所評蘇詩爲主㉟，兼載查愼行評語，而王文誥評之可取者，亦間采之，唯以己見附於各評之後。此書雖以紀評爲主，而頗有删訂，蓋軾詩凡二千餘首，其不經意或酬應之作，居太半焉，故精選其古今體詩九百二十三首，釐爲二十卷。又以軾詩有互見於他集者，已歷經前人辨正，信非軾所作者，得二十三首，其衆口傳誦而實不工者，得自三十五首，編爲附錄三卷，其編輯大旨如此！

是書刋於淸咸豐二年，國立中央圖書館有藏，卷前有咸豐壬子沈歧、張崇蘭二序、趙氏自序及凡例二十一則。半葉十行，行二十一字，小字雙行，字同，單魚尾，後世未再翻刻。

東坡詩話

是書郡齋讀書志及文獻通考著錄二卷，宋史藝文志及鄭樵通志藝文略著錄一卷，今均不傳。唯明末重編一百二十卷說郛本中輯有東坡詩話一卷，凡錄東坡詩詞題跋三十一則[36]，係自明萬曆三十四年吳興茅維刋七十五卷本之東坡全集卷六十七、六十八卷中選出別行者。

東坡尺牘

是書係將東坡全集之書簡輯出，釐爲二卷，凡選錄尺牘一百四十六首，題「海陽黃嘉惠長吉父校，雲間陳繼儒仲醇父定」。原刻於明末，後世未再翻刻，國立中央圖書館有藏，半葉九行，行二十字，單魚尾。無序跋，書眉刻有評語。

東坡詞

蘇軾之詞集，古本流傳甚少，或蘇集在北宋迭經禁燬，故東坡詞集之北宋刻本，既不可見，南宋刻本，亦難尋覓。東坡詞一稱東坡樂府，宋史藝文志著錄東坡詞一卷，陳振孫直齋書錄解題著錄東坡詞二卷，卷數不同，當非一本，惜已佚傳，未能考校其異同。

茲將流傳刊本考徵於后：

一、元仁宗延祐七年庚申葉曾南阜書堂刻本

題「東坡樂府」，半葉十行，行十八字，白口，左右雙邊，卷前有葉曾序。書分上、下二卷，卷上收錄坡詞一百十五門，卷下一百六十六闋。此本係東坡詞今日傳世之最早刻本，雖所收爲衆刊本中之最少者，然誤亂極稀，清俊隱秀，最能存眞。是書爲清黃丕烈舊藏，著錄於蕘圃藏書題識，後遞經汪士鐘芸精舍、楊紹和海源閣收藏，今存於中國大陸。民國四十八年中華書局嘗影印流傳，世界書局復據以影入中國詞學叢書。

二、明萬曆三十四年吳興茅維刋七十五卷東坡全集本

東坡全集卷七十四計收詞百十八闋，卷七十五計收詞二百有一闋，凡三百十九闋，唯竄亂頗多。

三、明萬曆四十六年瑯琊焦刋編蘇長公二妙集本

二妙集卷二十一、二十二收東坡詞，題「東坡先生詩餘」，係從茅維本輯出，刻入集中，內容、次第皆同。

四、明崇禎三年庚午毛晉汲古閣刋六十名家詞本

題「東坡詞」，一卷。凡錄東坡詞三百二十八闋，依字數多寡，分調編次；較延祐刋本少十四闋，唯另增六十一闋，其中不可信者居多。卷末有毛晉跋，云：「東坡詩文不啻千億刻，獨長短句罕見。近有金陵本子，人爭喜其詳備，多渾入歐黃秦柳作，今悉删去。」故四庫提要謂其所收，未免泛濫

。光緒十四年戊子錢塘汪氏據此本重刋，而中華書局四部備要六十家詞本，上海商務印書館國學基本叢書本，亦皆據此本排印。

五、明海陽黃嘉惠校刋本

題「東坡小詞」，署「海陽黃嘉惠長吉父校」，凡二卷，各收詞五十三闋，共百有六闋，選自茅維東坡全集本，亦分調編次。藏國立中央圖書館，半葉九行，行二十字，單魚尾，書眉刻有諸家評語。此書前後無序跋，不詳刻版年月，依其字體觀之，殆天啓至崇禎年間所刋。

六、民國十一年歸安朱祖謀彊村叢書本

題「東坡樂府」，凡三卷，係據四印齋覆刻元延祐本重編，且將毛晉汲古閣本之異文著於詞後，元刻之確爲譌闕者，則依毛本正之。舊本東坡詞皆分調編次，其爲編年，則以此本始，其依據爲傅藻（澡）之東坡紀年錄、王宗稷之東坡年譜及王文誥之蘇詩總案，又證以題注，參酌審定，將其所考者，釐爲二卷；其無可考者，別爲一卷，仍依元刻本分調編次。故其書卷一編年百有六闋，卷二編年九十八闋，卷三從調百三十六闋，凡三百四十闋。是書半葉十一行，行二十一字，小注雙行，字數同，黑口。卷前有宣統二年庚戌夏五月金壇馮煦次，次凡例七則及目錄，卷末有朱祖謨識語。民國四十九年廣文書局復據之影印。

七、民國十五年中華書局排印林大椿校輯本

凡東坡樂府上、下二卷，依元延祐本編次；另補遺一卷，係從汲古閣本補五十九闋，東坡詩集補四闋、東坡後集及草堂詩餘各補一闋，共三百三十七闋，卷末附校記、跋。

八、民國二十五年商務印書館排印龍榆生校箋、朱祖謀編年圈點本

題「東坡樂府箋」，分三卷。卷一編年百有六闋，卷二編年百闋、卷三不編年百三十八闋，計三百四十四闋。其編年次第悉依朱氏彊村叢書，唯所收較朱氏多四闋。龍本首創編年與箋注合一，極利初學，民國四十七年大陸商務印書館重印之，民國六十九年台北華正書局，亦復影印行世。

九、民國二十六年上海商務印書館排印之唐圭璋編全宋詞本

是本題「蘇軾詞」，凡三卷，係依朱本刪補，卷一計百有六闋，卷二計九十八闋，卷三計百四十闋，凡三百四十四闋，他本誤入者附錄之，計十三闋。無箋注。民國五十四年大陸中華書局曾予重編，雖云收錄不無雜糅，但其中確有前此各本之所未發，可補龍本及現存各本之不足者也。

十、民國五十六年香港曹樹銘編蘇東坡詞本

題「蘇軾東坡詞」，凡三卷。卷一編年百有十一闋，卷二編年百有十二闋，卷三不編年八十有八闋，計三百十一闋；次爲附錄，其一互見詞四闋，其二誤入詞二十八闋，其三可疑詞七闋，計三十九闋。以龍榆生及重編全宋詞爲主要依據。卷前有蘇東坡醉草念奴嬌「大江東去」舊拓本插圖及東坡行跡簡圖，次蘇軾小傳、編定說明及次論；卷末收有日本京都大學教授小川環樹撰之「蘇東坡詩詞用韻考節要」、曹氏撰之蘇東坡詞籍著錄、蘇東坡年表、蒐羅頗富。

註釋

①據蘇籀欒城遺言。

②四庫提要引老學庵筆記：「其書初遭元祐黨禁，不敢顯題蘇軾之名，而稱之曰毘陵先生，以軾終於常州故也。」

③據王宗稷東坡先生年譜。

④九卷見宋史藝文志；十一卷本見晁公武郡齋讀書志，清錢曾述古堂書目；十卷本見陳振孫直齋書錄解題。

⑤據善本書寶藏書志。

⑥據王宗稷東坡先生年譜及宋史本傳。

⑦據郡齋讀書志。

⑧如陳振孫直齋書錄解題，即著錄十卷。

⑨參四庫提要二卷據兩淮馬裕家藏本著錄云。

⑩此據舊鈔本，明天啓刊本則缺論菊，本秀二僧二條，凡一百三十六條。

⑪原本佚，獨元末陶宗儀說郛嘗摘錄十五條，較諸今本，頗有同異，尚有今本所未載者。

⑫宋志前後集作七十卷，又別出補遺三卷，南征集一卷，詞一卷、南省說詩一卷，別集四十六卷、黃

州集二卷、續集二卷、北歸集六卷、儋耳手澤一卷、年譜一卷。

⑬四庫提要、近人張心澂僞書通考、梁啓超古書眞僞及年代，皆言及之。

⑭繆宗道重刋蘇文忠公全集義例云：「舊本模糊及元寫差錯，今有證據無疑者，方塡補改正，凡二千餘字，其無據而難明者仍舊闕疑，蓋二什之一耳。」又「舊本每行二十字，故五言詩數首聯載者，混接成片，而韻腳多少不倫，不便觀覽，今據韻分析，於各首之末空白一字，以別首數。」

⑮五十四類：賦、論、經義、邇英進讀、講筵進記、策問、雜策、策略、序、說、記、傳、墓誌銘、行狀、碑、銘、頌、箴、贊、偈、表狀、奏議、制敕、內制敕文、內制詔策、內制敕書、內制口宣、口宣、內制批答、內制表本、內制國書、內制靑詞、內制朱表、內制疏文、內制齋文、內制祝文、內制導引歌詞、樂語、啓、書、尺牘、靑詞、疏文、祝文、哀詞、雜著、評史、雜文題跋、詩題跋、書帖題跋、畫題跋、琴、雜器題跋、人物雜記、修煉雜記、詞。

⑯六十一類：詩、和陶詩、和陶詩辭、詞、琴操、賦、敍、記、傳、論、制策、策略、策斷、雜策、策問、南省說書、邇英進讀、奏議、表狀、啓、書、尺牘、碑、墓誌銘、行狀、祭文、哀詞、解、說、評史、評文選、書後、書事、贊、銘、頌、箴、疏、靑詞、疏文、祝文、偈、雜文、擬作、志林、外制制　、外制制　、內制敕文、內制詞　、內制　書、內制口宣、內制批答、內制表本、內制靑詞、內制朱表、內制疏文、內制齋文、內制祝文、內制祭文、樂語。

⑰繆氏跋云：「今陶齋制府以圖書館藏本刻而傳之，影摹惟肖，原板模糊處，則據嘉靖本，荃孫又得錢求赤據宋刻校本，佳處尤多，以後東坡集當以此爲佳本也。惟明人所編續集與前後集，奏議重出

多篇，即本集中如和孔宗翰詩一卷內亦重出，可謂雜糅，至嘉靖本脫落，亦只在續集中，決非出自吉本。今吉本誤之顯然者，據嘉靖本、錢校本改之，而別爲札記以志所據；嘉靖本之重出、脫落亦著之，訛字則記不勝記矣！」

⑱余氏云：「如全集卷五十四有程正輔尺牘七十首，續集卷內只有二十四首，則其遺漏多矣！」

⑲據潘宗周寶禮堂宋本書錄。

⑳羅振常重校宋本郎注東坡文集校例云：「田本爲日本島田氏舊藏，本是全帙，宣統辛亥田氏於湖北付刊，未鳩工而亂作，書遂散失不完，今存卷一至二十五、卷三十四至六十，共五十二卷。」考田氏藏本後歸南海潘氏寶禮堂，寶禮堂宋本書錄云：「全書六十卷，歸田氏時，完善無缺，今佚去卷二十六至三十二、卷四十至四十五、卷四十七至六十，目錄僅四十卷，係書估剜改，不足信。吳興適園張氏藏本與此同，惜亦缺後十九卷，恐世間更無完本矣！」二者所載卷數異，唯羅氏旣之所缺僅卷二十六至三十三凡八卷，而其所據校印本尙闕卷四十一至四十五，則此五卷彼時亦在闕列，故知田氏藏本並無五十二卷之多，亦不致如寶禮堂所云之少，二者所記皆誤。考田氏藏本曾遞經袁克文收藏，民國乙卯年袁克文購得後嘗題記於書首，見國立中央圖書館宋本書錄，其云：「後爲田某購歸，攜至武昌，經辛亥之變，旋經失去。亂定重獲，已缺卷第二十六至三十三，及卷第四十一至四十五諸卷，幸首尾獨完。」是知所闕爲十三卷也。

㉑據四庫提要。

㉒見書林清話卷四、十。

㉓國立中央圖書館藏有清滋德堂傳鈔明汪氏誠意齋刊本一帙，爲黃格抄本，半葉十行，行十八行，雙行小注，行十九字。

㉔載渭南文集卷十五。

㉕如張榕端序清康熙宋氏宛委堂刊本云：「施氏體宗編年，一洗永嘉分類之陋，而援引必著書名，詮詁不乖本事。又於註題之下務闡詩旨，引事徵詩，因詩存人，使讀書得以考見當日之情事。」

㉖譚氏序云：「斯選也，袁中郎先生有閱本存於家，予得之其子述之，而合諸夙昔之所見增減焉。」故此集乃譚元春據袁宏道評閱本增減而成。

㉗評選者爲鍾惺伯敬，參閱者爲徐亮元亮、閔振業士隆、閔振聲襄子。

㉘沈閬章序云：「明興，操觚家遞爲評選，屈指未易更僕數。豐寳錢先生業加品隲，而鹿門先生又有文抄行海內，然覽者不無浩夥之歎。余友閔氏爾容復取而綜核之，批評以豐寳爲宗，間採鹿門附焉，考訂嚴確，則是集非泛帙也。」

㉙各善本書目均誤題「明盛文明」編。

㉚自序云：「獨怪子瞻文，自有本領，而習之者，徒襲其貌以取資，如抱甕灌畦，苟無源本，終究稿索，余故遴選子瞻文若干首付梓，欲人緣其文以師其意，毋徒從指上索音。周禮司爟掌行火之政，令四時變國火以救時疾。今夫文之時變而不一也，亦猶榆柳杏之以時禪也，隨變而不出於蘇，貴夫持器者按侯取焉，余故名之曰燧，以見子瞻之文，任取無窮，而學人取之，不徒爲宿火困則可耳。」由此可知「文燧」名書之由。

㉛四庫提要云：「愼行是編，凡長蘅等所竄亂者，並勘驗原書，一一釐正。又於施注所未及者，悉蒐採諸書以補之，其間編年錯亂，及以他詩溷入者，悉考訂重編。」

㉜見翁方綱蘇詩補註引語。

㉝應榴自序云：「取王、施、查三本之註，各批閱一過，見其體例互異，卷帙不同，無以取便讀者，爰爲合而訂之，意不過擇精要，删複出焉耳，及尋繹再四，乃知所註各有舛訛，因援證羣書，並得諸舊本，參稽辨補，朝夕不輟者，凡七年而粗就。」

㉞其凡例云：「蘇文忠公詩名編註集成者，一曰編，一曰註，彙爲集成也。編者施註編年創始也，查氏改編補編，則改施誤編，補編未編也。馮合註糾之，則誤改原編，誤補新編也。然所糾是非不一，往往施查交失，而合註不任編責，詩多懸宕。其原編、改編、補編之誤，查註、合註之未辨者，復倍蓰焉。今詳加考訂，諸有歸宿。註者以王註、施註、查註、合註爲正，邵註、李註、馮註、翁註、曁諸家論說皆附。」

㉟紀氏評本凡五十卷，道光中其門人涿州盧坤嘗以朱墨套板刻印于廣州，見葉德輝郎園讀書志及增定四庫全書簡目錄標注邵章續錄。又有香雨齋刋本，見文祿堂訪書記著錄，惟今台灣均無藏本。

㊱其三十一則：書孟東野詩、題孟郊詩、書淵明飲酒詩、題淵明詩、題淵明飲酒詩後、題鮑明遠詩、記退之拋青春句、書子美雲安詩、書子美聰馬行、書子美黃四娘詩、評子美詩、書子美憶昔詩、題柳子厚詩、評韓柳詩、書子厚詩、書樂天香山寺詩、書韓李詩、書淵明詩、書薛能茶詩、書鄭谷詩、書王梵志詩、書黃魯直詩後二首、書曹希蘊詩、書贈陳季常詩、書參寥論杜詩、記關右壁間詩、書彭城觀月詩、題秧馬歌後、跋黔安居士漁父詞、記西邸詩。

四庫全書簡目錄標注邵章續錄。又有香雨齋刊本，見文祿堂訪書記著錄，惟今台灣均無藏本。

㊱其三十一則：書孟東野詩、題孟郊詩、書淵明飲酒詩、題淵明詩、題淵明飲酒詩後、題鮑明遠詩、記退之拋青春句、書子美雲安詩、書子美聰馬行、書子美黃四娘詩、評子美詩、書子美憶昔詩、題柳子厚詩、評韓柳詩、書子厚詩、書樂天香山寺詩、書韓李詩、書淵明詩、書薛能茶詩、書鄭谷詩、書王梵志詩、書黃魯直詩後二首、書曹希蘊詩、書贈陳季常詩、書參寥論杜詩、記關右壁間詩、書彭城觀月詩、題秧馬歌後、跋黔安居士漁父詞、記西邸詩。

第三節　子由著述考徵

子由修辭簡嚴，論事精確，閎肆之文、英邁之氣，不遜乃兄，故子瞻評其文，以爲子由之文實勝僕，而世俗不知，乃以爲不如；其人深不願人知之，其文如其爲人，故汪洋澹泊，有一唱三歎之聲，而其秀傑之氣，終不可掩①。其著述極富，而其文集，出於手定，與東坡諸集出自他人裒輯者不同，故自宋以來，原本相傳，未有妄爲附益者②。茲將子由流傳今日之著述，考徵於后。

詩集傳

宋史藝文志：「蘇轍詩解集傳二十卷。」今日所見，有兩蘇經解本及四庫全書本。明萬曆刊兩蘇經解本題「潁濱先生詩集傳」，無目錄，半葉十行，行二十一字，單魚尾。四庫全書本仿經解刻本，半葉八行，行二十一字。

春秋集解

宋史藝文志稱：「蘇轍春秋集傳十二卷。」文獻通考作集解，與今本合，知宋志誤矣。自序稱：「自熙寧間謫居高安，爲是書，暇輒改之，至元符元年，卜居龍川，凡所改定，覽之自謂無憾。」蓋積十餘年，其用心勤懇，愈於奮臆遽談者遠矣！其說以左氏爲主，左氏不可通，乃取公穀啖趙諸家以足之。今日流傳爲明萬曆兩蘇經解本及四庫全書本，題「潁濱先生春秋集解」，卷前有「春秋集解引」一篇。

論語拾遺

宋史藝文志稱：「蘇轍論語拾遺一卷。」子由有詩傳已著錄，是書前有自序，稱少年爲論語略解，其兄東坡軾謫居黃州時撰論語說，取所解十之二三，大觀丁亥，閒居潁川，與其孫籀等講論語，因取東坡說之未安者，重爲此書；東坡書今不見傳本，莫詳孰是，其說亦不可復考，此書所補，凡二十七章。今日流傳有明萬曆刊兩蘇經解本及清順治刊說郛本。

孟子解

宋史藝文志稱：「蘇轍孟子解一卷。」舊本首題「潁濱遺老」，乃其晚歲退居之號，然陳振孫書錄解題考之，實少年作也。凡二十四章。今日流傳有明萬曆兩蘇經解本及四庫全書本。

古史

子由讀太史公書，患其疏略，乃因遷之舊，上自伏羲神農，下訖秦始皇，爲本紀七、世家十六、列傳三十七，謂之古史，凡六十卷。四庫評云：「其去取之間，頗爲不苟，存與遷書相參考，固亦無不可矣！」蓋「史至於司馬遷，猶詩至於李杜，書至於鍾王，畫至於顧陸，非可以一支一節，比擬其長短者也。③」今日流傳板本，國立中央圖書館藏有明南監刋本及萬曆三十九年豫章刋本。

一、萬曆三十九年豫章刋本

卷前有古史序，署「萬曆辛亥春瑯琊焦竑著」。次亦古史敘，署「萬曆三十九年中秋吉日南昌後學劉曰寧撰朱統鍇書」。次爲目錄，再次則較之古史敘，卷末有跋一篇，署「紹聖二年三月二十五日」。單魚尾，半葉十行，行二十字。

二、明南監刋本

卷首有「南雍刻古史序」，署「萬曆壬子上元日賜進士第奉訓大夫右春坊右諭德掌南京翰林院署國子監事東越孫如游書」；次有「刻子由古史序」，署「萬曆壬子元日石渠舊史瑯琊焦竑書」。次爲子由之古史敘，次則目錄，目錄後題校刻姓氏云：「大明萬曆三十九年南京國子監刋」、「署監事右諭德掌南京翰林院孫如游校閱」、「監丞高如斗，博士李廷諫、蕭象烈，助教王養俊、黃居中、史宣政、朱一統，學政張師繹、羅大冠、胡文熺、何節，學錄張嵩、師承寵，典簿王湛，典籍吳俊民同校。」無跋。單魚尾，半葉十行，行二十字。

龍川略志、別志

宋史藝文志稱：「蘇轍龍川志六卷。」按晁公武讀書志載：龍川略志六卷，別志四卷，稱子由元符二年夏居循州，杜門閉目，追惟平昔，使其子遠書之於紙，凡四十事，其秋復紀四十七章。今本龍川略志作十卷，別志作二卷；略志凡三十九事，較晁氏所記少一事，別志則四十八事，較晁氏所記多一事。蓋商維濬刻本，離析卷帙，已非其舊，又誤竄略志中一事入別志中，並轍序所稱十卷之文，亦濬所追加也。略志惟首尾兩卷記雜事十四條，餘二十五皆論朝政；別志所述，多耆舊之餘聞④。茲考徵龍川略志、別志於后。

今日流傳之龍川略志板本有：

一、明弘治刋百川學海本

卷前有「蘇黃門龍川略志引」一篇，次目錄。卷一下署「左迪功郎新授撫州宜黃縣主簿主管學事劉信校正」。板心僅寫「蘇」字及卷「數」。半葉十二行，行二十字，字跡潦亂。

二、舊鈔本

卷前亦爲「蘇黃門龍川略志引」，次目錄。白口，板心右下有「彝齋書鈔」四字，半葉十行，行二十字。

三、四庫全書本

與別志二卷合刻。

今日流傳之龍川別志有：

一、明會稽商氏刋稗海本

題「蘇黃門龍川別志」，署「會稽商氏半埜堂校刋。每條第一行頂格，次行以下皆低一格。單魚尾，半葉九行，行二十字。

二、明刋說海彙編本

無署校刋者姓氏，板式與稗海本皆同。

三、清順治刋說郛本

題「龍川別志」，一卷，凡九則，蓋節選本也，每則各行皆頂格。半葉九行，行二十字。藏國立中央圖書館。

四、明刋清康熙間修補稗海本

題「蘇黃門龍川別志」，每則首行頂格，次行以下皆低一格。半葉九行，行二十字。國立中央圖書館，國立中央研究院史語所、國立師範大學、私立東海大學皆藏之。

遊仙夢記

敘述熙寧十年，南京幕府之夢境傳奇，今日流傳有明末刋五朝小說宋人百家小說傳奇家本，藏國立中央圖書館、國立中央研究院傅斯年圖書館，半葉九行，行二十字，計三十二行。

道德經解

是書宋史藝文志稱二卷。係晚居海康所刋者。其旨立於佛老同源，又引中庸之說以相比附，其兄東坡跋曰：使漢初有此書，則孔老爲一；使晉宋間有此書，則佛老不爲二。子由之學，本出入於二氏之間，故得力於二氏特深，而其發揮二氏者，亦足以自暢其說。今日流傳之板本者：

一、明萬曆刋兩蘇經解本

題「道德經解」，二卷，藏國立中央圖書館。上篇卷一自道可道章第一至道常無爲章第三十七，下篇卷二自上德不德章第三十八至信言不美章第八十一。卷末有三「題老子道德經後」，一爲「大觀二年十二月十日子由題」，二爲「十一日再題，三爲「萬曆二年冬十有二月二十日宏甫題」。

二、明吳興凌氏刋朱墨套印本

題「老子道德經」，署「宋眉山蘇轍註」，老子列傳後題「凌以棟批點」，凡四卷附考異，藏國立中央圖書館。

卷首有「蘇子由道德經註序」，署「溫陵李載贄題」。次漢河上公老子序、次司馬遷老子列傳，次隋薛道衡廟碑。再次爲「篇目」，隔行書「河上公章句」。

上經卷一自「體道第一」至「淳風第十七」（即萬曆刋本「道可道章第一」至「太上章第十七」），上經卷二自「俗薄第十八」至「爲政第三十七」（即萬曆刋本「大道章第十八」至「道常無存章第三十七」），下經卷一自「論德第一」至「淳風第二十」（即明萬曆刋本「上德不德章第三十八」至「以正治國章第五十七」，下經卷二自「順化第二十一」至「顯質第四十四」（即萬曆刋本「其政悶悶章第五十八」至「信言不美章第八十一」）。正文末題「錢塘弟子顧珩子發寶藏，男田恭閱」。

次有「題老子道德經後」一篇。半葉八行，行十八字。末附「老子考異」。

文集

蘇子由文集，係子由手定，與東坡諸集出自他人裒輯者異，故自宋以來，原本相傳，未有妄爲附益者⑤。其卷數即欒城集五十卷後集二十四卷三集十卷應詔集十二卷，正集皆元祐以前作，後集乃元年至崇寧四年所作，三集則崇寧五年至政和元年所作，有潁濱遺老自引，應詔集乃其孫籀集，其策論與應試諸作也。今日流傳之板本有：

一、宋孝宗時眉山刋大字本

題「蘇文定公文集」。一藏國立故宮博物院，殘存卷四至六、卷十至十五、卷二十、卷二十六、卷二十七、卷三十七、卷三十八、卷四十一至四十四，計十八卷；後集存卷七至十三、卷十七至二十，計十一卷；三集存卷六至十，計五卷；及應詔集十二卷。一藏國立中央圖書館，計殘存卷二十五、卷二十六，計二卷。半葉九行，行十五字，白口，板心下記刻工姓氏。

二、明東吳王執禮清夢軒刋本

是本凡欒城集五十卷、後集二十四卷、三集十卷、應詔集十二卷。藏國立中央圖書館。首列本傳、謚議二篇，板心題「蘇文定公集」，單魚尾，下題「黃州湯世仁刋」；次目錄，目錄後有「清夢軒藏板」五字，各卷卷尾有「清夢軒」三字。卷一大題後署「宋西蜀蘇轍子由著明東吳王執禮子敬顧天叔禮初仝校」，他卷或獨署王執禮校，應詔集又皆署二人仝校。半葉十行，行二十字。又有淳熙六年從政郎充筠州州學教授鄧光跋、淳熙己亥曾孫朝奉大夫權知筠州軍州事翊（**勳案**：翊爲詡之誤字）跋，次列校刋官名：文林郎筠州軍事判官倪思，從政郎充筠州州學教授鄧光、奉議郎知筠州高安縣事閭丘泳，次有開禧丁卯四世孫朝奉郎權知筠州軍州事蘇森跋，蓋清夢軒從宋筠州本重刋，王執禮顧天叔同爲校字也。

四庫全書總目著錄即爲此刻，提要稱自宋以來，原本相傳，未有妄爲附益者，此本爲明代舊刻，尚少譌闕，所據猶宋時善本云，則宋刻欒城集不可得其全豹，當以此刻爲最古。

三、明嘉靖辛丑蜀府活字本

是本凡欒城集五十卷、後集二十四卷、三集十卷，藏國立中央圖書館。

清夢軒本，爲東吳王執禮顧天叔校刊，頗多誤字，此刻校對細緻，夐然不同。卷前有欒城集序，署「嘉靖二十年歲在辛丑五月吉日儀封劉大謨書」；次又一序，署「嘉靖辛丑夏五月巡按四川監察御史前翰林吉士交河王珩序」。次有凡例七則，及「蘇文定公謚議」，再次則目錄。三集後有三跋及校勘官名，依次爲「淳熙六年七月望日從政郎充筠州州學教授鄧光謹書」、「淳熙六年己亥中元日曾孫朝奉大夫權知筠州軍州事詡謹書」、校勘官「文林郎筠州軍事判官倪思、從政郎充筠州州學教授鄧光、奉議郎知筠州高安縣事閭丘泳」、「開禧丁卯上元日四世孫朝奉郎權知筠州軍州事蘇森謹書」。最末爲「欒城集序」一篇，惜殘，未見名署⑥。半葉十行，行二十字，單魚尾。

四、明末刊茅坤等評本

題「合刻三先生潁濱文匯」，凡十卷。前列目錄，卷一、二論，卷三至七策，卷八上書，卷九書，卷十記。各卷題下署「錢唐錢穀豐寰父（一行）皇明吳興茅坤鹿門父（二行）竟陵鍾惺伯敬父（三行）評定」，短評朱筆於書額，計引楊愼、錢穀、鍾惺、茅坤、陸樹聲、唐順之諸人之語，總評於各篇之末，行文低一格。半葉九行，行二十字。

五、明末宜和堂刊本

書册題「潁濱文抄」，右署「重訂李卓吾先生評定」左署「宜和堂藏板」。凡二卷，藏國立中央圖書館。首列目錄，計有：論、策、書、記、辭。板心上題「潁濱」二字，次題卷次、葉數，下題「

宜和堂」三字。次有「考實」，簡述子由之生平及著述。各卷題下署「武林趙養默淵子父閱（一行）明溫陵李贄宏甫父原選（二行）西甌陳鑾和聲父訂（三行）」。半葉九行，行二十字，小注雙行。書額有短評，篇末有總評，首行低一格，次行以下低二格，計引：楊升菴、李卓吾、姜鳳阿、袁中郎、趙淵子、鄭君一、唐荊川、茅鹿門、鍾伯我、陶石簣、王鳳洲、楊廉夫、謝疊山、樓迂齋、陳迂齋、李于鱗、陳簡鍾、綏之諸人語。

六、清初鈔本

是本凡欒城集五十卷後集二十四卷三集十卷應詔集十二卷，藏國立中央圖書館。半葉九行，行二十二字。卷前無序，三集卷十末有鄧光跋、蘇詡（勳案：子由曾孫名詡刋本誤刻翊，詡之弟謣、誦均「言」旁）跋，次列校勘官姓氏：倪思、鄧光、丘泳，次蘇森跋。最末有「欒城集後序」一篇，署「嘉靖辛丑夏六月朔四川按察司提督水利帶管提學僉事膠東崔廷槐書」。是本蓋鈔集前述諸本而成者，並無特色可言。

附註

①見宋史蘇轍傳。

②據四庫全書總目卷一百五十四別集七。

③見四庫全書總目卷五十史部別史類。
④以上參考四庫全書總目卷一百四十子部小說類。
⑤據四庫全書總目卷一百五十四別集七。
⑥按「欒城集後序」，清初鈔本有全帙，署「嘉靖辛丑夏六月朔四川按察司提督水利帶管提學僉事膠東崔廷槐書」，詳見清初鈔本。

第四節　結　語

章學成云：「讀史漢之書，而察徐廣、裴駰、服虔、應劭諸家之注釋，其間不得遷，固之意者，十常四、五焉。以專門之攻習，猶未達古人之精微，況泛覽所及，愛憎由己也！」余閱三蘇著述各版本以及諸家對三蘇文之評論或釋註，亦或難免此病。試舉數例，論析如次，以就教賢者：

一、老泉究竟是否明允之號：

世以老泉稱明允者，早自南宋始，如：宋紹熙本、東萊先生標注老泉先生文集十二卷，宋婺州刊本老泉先生文解十一卷，其後如明之凌濛初刊本蘇老泉文集、明刊巾箱本老泉文集十四卷、明刊本蘇老泉全集十六卷：

清姚培謙老泉詩鈔一卷、孫琮蘇老泉文選二卷、儲欣老泉先生全集錄五卷、康熙三十七年吳郡邵仁泓安樂居校刋本、蘇老泉先生全集二十卷附附錄二卷、民國以還有羅振常老泉先生文集補遺二卷，均以老泉稱爲明允之號。影響所及，近人如曹銘蘇氏譜系①、謝武雄蘇洵言論及其文字之研究②、陳宗敏蘇老泉其人其書③、張樸民懷才不遇蘇老泉，亦沿襲前人之誤，而未加深察，張樸民更謂：「世人多以蘇洵自號老泉，實因蘇軾稱其父蘇洵之墓爲老泉，集有老泉焚黃文可證，當時老泉這個名號，僅蘇氏子孫如此稱謂，後兩宋文人震於蘇氏之名，都相沿稱之老泉，老泉遂爲蘇洵之號④。」張氏臨文乘興之筆，有「想當然」之妙。唯1.老泉焚黃文爲東坡之作，果其父號爲老泉，以此爲題，便多疵議；2.以明允號老泉者，始自南宋，北宋從無此說。明人黃燦、黃煒重編嘉祐集紀事言之最爲詳明：「一夕余舉老泉文相質，先生（馬元調）爲析大旨，笑曰：『而亦以老泉爲明允乎？非也。老泉，固子瞻號也。吾嘗見子瞻墨迹矣，其圖書記曰：「東坡居士，老泉山人。」八字合爲一章，且歐、曾諸大家所爲誌銘哀輓詩具在，有號明允以老泉者乎？』余唯唯。然老泉之名，童而習之，一旦歸之長公，竊疑其別自有說。已而辨證諸書，則所以糾此誤者，援據詳實，凡三、四見，而葉少蘊燕語更明列其故，葉、蘇同時，當必不謬。已又檢法書，至子瞻陽羨帖，則向所稱圖書記，允已照耀碑版矣。」⑤按葉夢得石林燕語云：「蘇子瞻謫黃州，號東坡居士，東坡其所居地也。晚又稱老泉山人，以眉山先塋有老人泉，故云……。」⑥復按：老泉焚黃文已不可復見，且東坡之父號老泉，能以老泉爲名之乎？

二、蘇文中所稱之韓子究竟是否韓愈

明允上歐陽內翰第一書文中之韓子世之論者多指韓愈。吾友姚蒸民教授（現任考試委員）獨不以爲然。渠提示數則理由：

1.官家著錄韓非子之書，始終稱爲韓子，南宋而後，古文風大盛，學者方有尊韓愈爲韓子，而將韓非子之書改稱爲韓非子者。然亦僅有紹興年間晁公武之郡齋讀書志係如此著錄，若稍後王應麟之困學紀聞，漢書藝文志考證等書，固仍直稱韓非書爲韓子也；2.北宋時孟學初盛，老莊申韓之學亦盛，迨呂公著輔政時，乃令禁主司出題不得用老莊書，舉子不得以申韓佛學爲學，宋史本傳可參；3.宋傅藻之紀年錄云：明允年二十有七，始發奮讀書，六年而大究六經百家之旨。此所謂百家自然包括韓非；4.明允自云其初則惶然駭然則胸中豁朗，倘其所謂之韓子係韓愈文，又何須駭然邪？

韓子爲韓非子，余初亦謂然。而姚教授所提第三點理由所謂六經百家之書自然包括韓非，證諸明允所爲文，洋溢縱橫之氣，益覺其見解獨到。惟細讀明允上歐陽內翰第一書云：

執事之文章，天下人莫不知之，然竊自以爲，洵知之特深，愈於天下之人。何者？孟子之文，如長江大河，渾然流轉，魚黿蛟龍，萬怪惶惑，而抑遏蔽掩，不使自露，而人望見其淵然之光，蒼然之色，而亦自畏避，不敢迫視。執事之文，紆餘委備，往復百折，而條達疏暢，無所間斷，氣盡語極，急言竭論，而容與閑易，無艱難勞苦之態。此三者，皆斷然自爲一家之言也。惟李翶之文，其味黯然而長，其光油然而幽，俯仰揖讓，有執事之態；……蓋執事之文，非孟子，韓子之文，而歐陽子之文也。⑦

如就「韓子之文如長江大河，渾然流轉，魚黿蛟龍，萬怪惶惑，而抑遏蔽掩，不使自露，而人望見其淵然之光，蒼然之色而亦自畏避，不敢迫視。」⑧諸語證之東坡潮州韓文公廟碑文：

「下與濁世掃粃糠，西遊咸池略扶桑。草木衣被昭回光，追逐李杜參翱翔；汗流籍、湜走且僵、滅没倒影不能望。作書詆佛譏君王，要觀南海窺衡、湘、歷舜九疑弔英、皇，祝融先驅海若藏，約束蛟鱷如驅羊。」⑨

明允所指之韓子，應爲韓愈甚爲顯明，此其一；且明允在上歐陽內翰第一書中論孟子、韓子、歐陽子三家之文後，緊接論及：

「惟李翺之文，其味黯然而長，其光油然而幽，俯仰揖讓，有執事（指歐陽修）之態。」⑩李翺係韓愈弟子，則明允此文之韓子，自當爲韓愈。復據王安石送孫正之序云：

「時乎楊墨已不然者，孟軻氏而已。時乎釋老已不然者，韓愈氏而已。如孟韓者可謂術素修而志素定也……不以孟韓之心爲心者，異衆人乎？」⑪

更明指韓爲韓愈。

三、明允廢學與摧折復學之年歲：

明允送石昌言北使引云：「昌言聞吾廢學雖不言察其意甚恨……吾以壯大，乃能感悔，摧折復學。」⑫係指明允十八歲初舉進士不第而言，非謂明允少年時期不知學也。明允謝相府啓云：「洵幼而讀書，固有意於從宦。」⑬上皇帝書云：「臣本凡才，無路自進。當少年時，亦嘗欲僥幸於陛下之科學。」⑭正與送石昌言北使引所云：「吾後漸長，亦稍知讀書，學句讀，屬對聲律。」相符合。至於「摧折復學」，即傅藻紀年錄所謂：「明允年二十七，始發奮讀書」也。「昌言甚恨」，當指十九歲至二十七歲間之事，據明允極樂院六菩薩記云：「父母俱存，兄弟妻子備具……終日嬉遊，不知有生死之悲。」明允與程氏夫人結婚於天聖五年（公元一〇二七年），時年十九歲，復據明允祭亡妻文云：「昔予少年，游蕩不學。子雖不言，耿耿不樂。我知子心，憂我泯沒。」可知明允所云「游蕩不學」，是指從十九歲結婚至二十七歲發憤苦讀之一段歲月。否則，其妻即不會「耿耿不樂」，「憂其泯沒」矣。此須補充說明者，明允之「游蕩不學」，並非世俗所謂之「游手好閒，不務正業。」是指不應進士試，而與「志氣卓然，以豪傑稱鄉里。」「使得攝尺寸之柄，當不魯莽」之「士君子」史經臣、史沆兄弟以及「飲食不相舍，談笑久所陪。」之陳公美等游。「摧折復學」，指「二十七歲始大發憤，謝其素所往來少年，閉戶讀書爲文辭。」⑮明允上歐陽內翰第一書自云：「洵少年不學，生二十七始知讀書，從士君子游。」正可證明明允「年二十七始大發憤，二十五歲始知讀書，而非大發憤之年。」或云：「二十五歲始大發憤讀書」，當係大陸學者曾棗庄據明淩濛初刋本蘇老泉文集與明巾箱本蘇老泉文集而以明允上歐陽內翰第一書稱：「洵少不喜學，生二十五歲，始知讀書。」而立之說。實則，不特歐公蘇明允墓志銘稱：「二十七歲始大發憤。」張文定老蘇墓表與明黃氏貴堂刋本重編嘉祐集均作「二十七」。

四、辨姦論究竟是否明允所作：

辨姦論作者不是明允之說，始於淸李紱、蔡上翔，李蔡二人並認係邵伯溫所僞造，而明允手筆自後再無人作同類之懷疑。迨中共進行「批林批孔」運動時，復極力爲李、蔡之論辯護，甚至不容異議，但學術界皆知其爲當時政治鬥爭之鬧劇而已。茲就李、蔡之見，分駁如次：

(1)以內容否定辨姦論爲明允所作：

蔡上翔謂：

明允衡量古人，料度時事，偏見獨識，固多有之；然必能暢其說，實爲千古文豪。以嘉祐全集考之，亦惡有辨姦亂雜無章若此哉？⑯

吾人細觀辨姦論首舉「事有必至，理有固然。惟天下之靜者，始能見微而知者」之論點；次舉史實以證其說；而後以「今有人」領起，轉入對王安石不指名之批判；末則以「莫獲知言之名」作結。全文論點分明，中心突兀，結構謹嚴，文筆暢達，正明允散文雄辯之特性，烏得謂之「亂雜無章」、「不成文理」乎？李紱謂王安石「其術即未善，而其心則可原，曾何奸之有？」語固可取，但此僅能謂明允之論是否公正，而與辨姦論是否爲明允所作無關。且明允之論多有縱橫之筆，益不能以此而謂非明允之作也。

尤有進者，吾人若將辨姦論之觀點與管仲論作一比較，如出一轍。辨姦論所使用之語言，亦爲明允所習用之語言。譬如：辨姦論首言「事有必至，理有固然，唯有天下之靜者，始能見微而知者，月暈而風，礎潤而雨。」管仲論次段言「夫功之成，非成於成之日，蓋必所由起；禍之作，不作於作之日，亦必有所由兆。」又如辨姦論云：「凡事之不近人情者，鮮不爲大奸慝，豎刁、易牙、開方是也。」管仲論云：「豎刁、易牙、開方非人情，不可近。」他如：上皇帝書結語云：「天下無事，臣每每狂言，以迂闊爲世笑；然臣以爲必將有時而不迂闊也。……惟陛下不以一布衣之言而忽之。」與辨姦論以預言者自居，望其言之不中，以「免天下將被其（王安石）禍」之思想亦若合一契。

(2)以歷史時間否定辨姦論爲明允所作：

蔡上翔王荊公年譜考略卷十云：

（慶曆）四年（公元一〇四四年），曾子固稱其人爲古今不常有；皇祐三年（公元一〇五一年）文潞公荐其恬退；乞不次進用。至和二年（公元一〇五五）初見歐陽修，次年以王安石、呂公著並薦於朝，稱安石德行文章爲衆所推。……是年明允至京師，始識安石，安有臚列其醜惡一至此極，而猶屢見稱於南豐、廬陵、潞國若此哉？⑰

按：慶曆六年（公元一〇四六年）曾鞏向歐陽修推薦王安石書云：

鞏之友有王安石者，文甚古，行稱其文。雖已得科名，然居今知安石者尚少也。彼誠自重，不願知於人。然如此人，古今不常有。如今時所急，雖無常人千萬，不害也。顧如安石，不可失也。⑱

歐陽修讀王安石文，確欣賞有加。慶曆七年（公元一〇四七）曾鞏與王介甫第一書云：「歐公悉見足下之文，愛嘆誦寫，不勝其勤。」又云：「歐公甚欲一見足下。」皇祐三年（公元一〇五一年）安石鄞縣任滿曾鞏復推薦王安石云：「乞不次進用」，而爲安石所拒，遂通判舒州。在舒州任上時，歐陽修等復向朝廷推荐云：「王安石才性賢明，篤於古學。」並荐其進京，亦爲安石所拒。由此觀之，王安石確早享大名矣。然貶安石者亦不乏其人。如：

1.邵伯溫聞見錄云：

> 魏公知揚州，王荊公初及第爲簽判。每讀書至達旦，略假寐日已高，急上府，多不及盥漱。魏公見荊公少年，疑夜飲放逸。一日從容謂荊公曰：「君少年，毋廢書，不可自棄。」荊公不答，退而言曰：「韓公非知我者。」⑲

於此可知明允辨姦論謂其「囚首喪面。」是其來有自矣。東坡論周種擅議配享自劾箚子云：

> 昔王安石在仁宗、英宗朝，矯詐百端，妄竊大名，或以爲可用。惟韓琦獨識其奸，終不肯進。使琦不去位，安石何由得志。⑳

以今觀之，安石謀國之忠，固無可疑，但當時以安石爲奸者，蓋不止明允一人而已也。

2.宋史鮮于侁傳云：

> 初，王安石居金陵，有重名，士大夫以爲相。侁惡其沽激要君，語人曰：「是人若用，必壞天下。」㉑

明允辨姦論作於嘉祐八年（公元一〇六三年）。是年王安石母喪，士大夫皆弔。明允以朝士不辨其姦，而作辨姦論云：「以蓋世之名，而濟其未形之患，雖有願治之主，好賢之相，猶將舉而用之，則其爲天下患，必然而無疑者。」與鮮于侁「是人若用，必壞亂天下。」如出一口。又據歷代通鑑輯覽所謂「館閣之命屢下，安石屢辭。」以及神宗以「安石歷先帝朝，召不赴，頗以爲不恭。今天不至，果病邪，有所要邪？」之語，譽之者以爲「恬退」，固有所因，惡之者，以爲「沽激要君」，亦不爲無據。

3. 宋史張方平傳：

方平頃知皇祐貢筆，或稱其（指王安石）文學，辟以考校。既入院，凡院中之事；皆欲紛更。方平惡其人，檄使出。自是未嘗與語也。㉒

4. 宋史李師中傳：

師中始仕州縣，邸狀報包拯參加政事，或云朝廷自此多事矣。師中曰：「包公何能爲，今鄞縣王安石者，眼多白，甚似王敦，他日亂天下，必斯人也。」㉓

王安石於慶曆七年（公元一〇四七年）知鄞縣，距嘉祐八年（公元一〇六三年）明允作辨姦論已十七年。由此觀之，在明允作辨姦論十七年前，李師中早已有類似之觀點矣。即或有人以爲明允辨姦論係作於嘉祐元年王蘇初見之時，亦已相距十年矣。

5. 宋史吳奎傳：

臣嘗與安石同領郡牧，見其護前自用，所爲迂闊。萬一用之，必紊亂朝綱。㉔

按吳奎仁宗朝奉使契丹，遇其主加旌號，邀使者入賀。奎自以使事有職不爲往。其爲人剛正有膽識若此，而對安石所作之評斷，自有其分量。

綜上所述，可知在明允作辨姦論前，以荊公爲「姦」、「詐」者，不乏其人。則辨姦論中所謂「囚首喪面」、即韓魏公所見之「多不及盥漱」、「與人異趣」，即張方平所指「凡事皆欲紛更」，所謂「姦」，所謂「陰賊陰狠」，即仁宗所云「王安石詐人也。」，所謂「口誦孔老之言，身履夷齊之行……以爲顏淵、孟軻復出。」即曾子固稱頌其「文甚古，……行稱其文……古今不常有者。」所謂「誤天下蒼生者必此人也。」「其爲天下患必然而無疑者。」即吳奎所指「護前自用，所爲迂闊，萬一用之，必紊亂綱紀。」辨姦論無非集當時斥王安石言論之大成而又爲最尖銳之作而已，非明允一人之見也，明矣。

(3)以始見之書否定辨姦論爲明允所作：

李紱書辨姦論云：

其文始見邵氏聞見錄中。聞見錄編於紹興二年（公元一一三二年）至十七年（公元一一四七年），婺州州學教授沈斐綸老蘇文集附錄二卷，載有張文定公方平所爲老泉墓表，中及辨姦，又有東坡謝張公作墓表書一通，專序辨姦事。竊意此三文皆贋作。……疑墓表與辨姦皆邵氏於事後補作也。㉕

辨姦論早見於張方平樂全集中，李紱以始見於聞見錄，顯然不合理。李紱爲使其所見有突破性之貢獻，竟強斷張方平樂全集中文安先生墓表及東坡集中謝張公作墓表書二文均爲僞作。此種專爲王安石辯護之心態，忽略其可取信於人之立說。爲研究學術者之大忌。李紱云：

以荊公爲聖人者神宗也；命相制辭，在熙寧二年（公元一〇六九年）；而老泉卒於英宗治平三年（公元一〇六六年），皆非其所及聞也。㉖

蔡上翔云：

所最可怪者，無如攙入命相制詞。明允卒於治平三年；至熙寧三年，安石始同平章事，是時安道同朝，安得錯繆至此！㉗

殊不知張方平文安先生墓表已明言：「先生（明允）既沒三年，而安石用事。」足徵張方平審知安石拜相係明允死後之事。至於墓表中所謂「嘉祐初，王安石名始盛，黨友傾一時（連歐陽修亦已善之）」，自是事實，前文已述及。唯墓表中接「其命相制曰」，插入已相隔十三年之事，確有可議之處。但王安石命相制詞，並無「生民以來，數人而已。」可見張方平文安先生墓表，係信筆行文，未加考據，致有魯魚亥豕之訛而已。古文中類此情形者，屢見不鮮。歐陽修朋黨論：「後漢獻帝盡取天下名士，囚禁之，目爲黨人。」將桓、靈二帝之事，誤爲獻帝所爲；韓愈柳子厚墓誌銘：「七世祖慶爲拓跋魏侍中，封濟英公。」其實據柳子厚先侍御府君神道表所云七世祖柳慶爲拓跋魏侍中，封平齊公。六世祖柳旦爲周中書侍郎，封濟英公，始爲正確，便是明顯之例。

⑷以版本否定辨姦論爲明允所作：

李紱云：

馬貴與經籍考，列載蘇明允嘉祐集十五卷，而世俗所刻不稱嘉祐，書名既異，又多至二十卷，並列入洪範，謚法等單行之書，又增附錄二卷，意必贋作攔入其中。近得明嘉靖壬申太原守張鏜翻刻巡案御史澧南壬公家藏本，其書名卷帙並與經籍考同，而諸論中獨無所謂辨姦論者，乃益信爲邵氏贋作。㉘

蘇明允文集歷代版本甚多，卷數多寡，亦互有不同，故究以何種版本卷數，較近其本來面貌，謹爲分析於后：

1.歐陽修蘇明允墓誌銘云：「蘇洵有文集二十卷，謚法三卷。爲太常因革禮有一百卷，作易傳未成。」

2.曾鞏蘇明允哀詞云：「明允所爲文集有二十卷行於世，所集太常因革禮有一百卷，更定謚法二卷，藏於有司。又爲易傳未成。」

3.張方平文安先生墓表云：「所著文集二十卷，謚法三卷，易傳十卷，集成太常因革禮一百卷。」

明允同時代人所記載者，均謂明允文集爲二十卷本，而非十五卷本。且不稱嘉祐集，僅稱文集。尤以幾策，權書、衡論、洪範論、史論等均完成嘉祐元年之前。李紱將洪範視爲單行之書，不應收入明允集中，驗諸歐陽修、曾鞏、張方平三人所稱之明允文集，僅以太常因革禮，謚法等列爲單行本，顯見李紱之誤。就筆者所知，除十五卷本嘉祐集外，其他各種版本，包括南宋紹興年間所刋十六卷嘉祐新集，明崇禎十年仁和黃氏貢堂刋本重編嘉祐集、明吳興凌濛初刋本宋墨套印本蘇老泉文集，明巾箱本老泉先生文集均收有辨姦論。

⑸以流傳詭秘否定辨姦論爲明允所作：

蔡上翔云：

辨姦論爲一人私書，初傳於世，亦詭秘莫測。㉙

葉夢得石林燕語記載有關辨姦論流傳經過云：

明允作辨姦論一篇，密獻安道，以荊公比王衍、盧杞，而不以示歐陽文忠。荊公後微聞之，因不樂子瞻兄弟。兩家之隙，遂不可解。辨姦論久不出，元豐間，子由從安道辟南宋，請爲明允墓表，特載之。蘇氏亦不入石。比年，少傳於世。㉚

據此可知：辨姦論初出，僅能「密獻安道。」而不敢「以示歐陽文忠者」，蓋安石「以蓋世之名，而濟其未形之患。雖有願治之主，好賢之相，猶將舉而用之。」明允文中已顯示歐陽文忠對王安石之看法，與明允不同之故，此其一；張方平自知皇祐貢舉以來，即「未嘗與（安石）語」，因此，「荊公後微聞之」，不可能出於張方平處；而是出於明允其他同道之間，此其二；元豐年間，王安石雖已罷相，支持新法之神宗猶在，東坡兄弟均因反對新法而貶謫，故對張方平雖表彰其父有先見之明，而感激涕零，但「亦不入石」。其艱苦之處境，蓋可見矣，此其三；北宋自神宗、哲宗至徽宗諸朝，均在打擊元祐黨人，且曾明令禁行三蘇文集，「辨姦論久不出」，理所必然，此其四；迨南宋初高宗朝，僉以北宋之亡，實安石新法之害，三蘇之文始大受褒美，葉夢得所謂「比年，少傳於世。」當指此時，此其五；觀此，可知辨姦論之流傳曲折，非如蔡上翔所謂「詭秘莫測」矣。

五、「徘徊於斗牛之間。」「斗牛」究竟是何星座與是否符象緯。

東坡前赤壁賦：

少焉，月出於東山之上，徘徊於斗牛之間。

張爾岐蒿庵閒話云：

張知命云：「七月日在鶉尾，望時日月相對，月當在陬訾。斗、牛二宿在星紀，相去甚遠，何緣徘徊其間？坡公於象緯未嘗留心，臨文乘快，不復深考耳。」㉛

按：鶉尾爲中文星次名，史記正義謂：「翼二十二星，軫四星，長沙一星，轄二星，合軫七星，皆爲鶉尾。」地理通釋謂：「自張十八度至軫十一度，日鶉尾之次，今楚分野。」晉書天文志謂：「自張十七度至軫十一度爲鶉尾。」據此而視赤道南北星座圖（見中央氣象局七十一年編印天文星曆中西星對照圖）鶉尾星次應與西名黃道十二宮之獅子宮室女宮相當。娵訾星，據爾雅釋天謂：「營室謂之定，娵訾之口，營室東壁也。」晉書天文志：「自危十六度至奎四度爲娵訾，衛之分野，屬幷州。」營室即室宿。以此對照赤道南北星座：（西譯名）圖娵訾星次應與西名雙魚宮中之飛馬相當。再細看赤道南北星座二（中名）圖，可知斗牛二宿在鶉尾娵訾之間，而娵訾在北緯二十度至三十度之間，據中央氣象局天文科張科長告稱：月球白道總在黃道南北五度至十度之間運轉，則張知命謂「七月日在鶉尾，望時日月相對，月當在婭言。」已不符象緯。是則東坡文中所指之斗牛，實乃黃道上之斗宿與牛宿，非臨文乘快，未詳象緯耳。至於古今文選將牛斗註爲北斗星與牽牛星，大陸學者牛寶彤註爲牛宿與南斗星，均與象緯相牛甚遠。蓋不論南斗、北斗均偏離黃道三十度之外矣。牽牛（河鼓）雖在黃道十度之內，但與南斗、北斗亦相去甚遠，若謂「日出而徘徊其間」，更不符象緯也。

附註

①見曹銘著東坡詞編年校注及其研究。
②見謝武雄著蘇洵言論及其文字之研究。
③見中華文化復興月刊第六卷第十二期第四十四頁。
④見反攻雜誌第三百八十一期第九頁。
⑤見明黃燦、黃煒重編嘉祐集紀事。
⑥見葉夢得石林燕語。
⑦見嘉祐集上歐陽內翰第一書。
⑧同⑦。
⑨見世界書局本蘇東坡全集韓文公廟碑。
⑩同⑦。

⑪見中華書局本臨川集送孫正之序。
⑫見嘉祐集送石昌言北使引。
⑬見嘉祐集謝相府啓。
⑭見嘉祐集上皇帝書。
⑮見歐陽永叔蘇明允墓誌銘。
⑯見蔡上翔王荊公年譜考略。
⑰同⑯。
⑱見曾鞏南豐類稿。
⑲見邵伯溫聞見錄。
⑳同⑨。
㉑見宋史鮮于侁傳。
㉒見宋史張方平傳。
㉓見宋史李師中傳。
㉕見穆堂類稿。
㉖同㉕。
㉗同⑯。
㉘同㉕。

㉙同⑯。

㉚同⑥。

㉛見張爾岐蒿閒話。

第四章　三蘇與北宋散文運動

第一節　北宋散文運動發生之原因

散文運動發端於唐，而大成於宋者，文體自然之流變，固爲主因，而北宋國勢積弱激發其科舉取士之改革，亦爲促成散文運動大放光芒之誘因。中國之散文，秦、漢以前實爲最燦爛，有生氣之時代。先秦之作如論語、孟子、左氏春秋、國語、呂覽、荀子、韓非子、戰國策……等，其文字之精粹生動，遠非後代文家所可彷彿，西漢賈誼，史遷之文，議論暢達而辭雄勁，但已不復有戰國時代狂飆烈火般之偉觀壯采矣。東漢以降文氣益弱，建安諸子乃此末流中之迴光反照而已。故至兩晉、六朝、寖成纖巧文學，遂有駢四儷六之文產生，使文字從廣大之原野而步入象牙寶塔之中，成爲少數文人賣弄文字技巧之物。「遺理存異，尋虛逐微，競一韻之奇，爭一字之巧，連篇累牘，不出月露之形，積案盈箱，唯是風雲之狀。」迨至隋、唐初仍受六朝風氣之影響，文體卑微，中有李諤者，嘗上書主張：「屏黜浮詞，遏止華僞。自非懷經抱質，志道依仁，不得引預搢紳，參廁纓冕。」且須敕令州縣：「普加搜訪，有如此者，具狀送臺。」顧此皇皇巨文，有如投小石於巨川，毫無發生作用。唐興，風尚不改，武后之世，陳子昂嘗有改革齊、梁風氣之豪志，同時有富家謨、盧藏用、吳少微者，亦皆棄徐，庾以宗經典。開元、天寶之際，蕭穎士、李華者出，以其絕代之才華，力棄俳綺，復歸於古，一時應和甚多。但未大舉散文之大纛以鼓吹之，故其所造成之影響，並未廣大。迨貞元、元和之間，天才家韓愈出而登高一呼，柳宗元等羣起響應，散文運動於馬開展。惟以六朝駢儷，積弊深久，至五代而復熾，宋初西崑體諸作家，仍襲其衣缽，靡豔相尚。據田況儒林公議云：「楊億在兩禁，變文章之體，劉筠、錢惟演輩從而效之，以新詩更相屬和，億後編敘之，題曰西崑酬唱集。」則西崑體實倡於楊億。謂之西崑者億序以爲取玉山策府之名也。自楊億、劉筠尚聲偶之辭，天下學者，靡然從之，使有識之士，俶然憂之，於是次第展開散文復興動，此即所謂「天道循環無往不復。」「天道周星，物極必反。」觀詩變而爲騷，騷變而爲賦，賦變而爲辭，辭又復變而爲排賦、駢賦、律賦，由律賦一變而爲文賦，正與散文而駢文，復由駢文而散文，皆文體自然演變之法則也。

北宋提倡寫韓柳式散文，以牛希濟爲最早，其文章論云：「浮豔之文，焉能臻於道理。」並指駢文之弊在於「忘於教化之道，以妖豔爲勝。」然眞正標榜散文，反對「時文」應爲柳開，柳開應責一文中謂：

> 非在辭澀言苦，使人難誦讀之；在於古其理，高其意，隨言短長，應變制作，同古人行事，是謂古文也。……吾之道、孔子、孟軻、楊雄、韓愈之文。①

其以道爲本而文爲末之主張，對「時文」華靡之風當有救弊之積極作用。范仲淹尹師魯集序云：「五代文體薄弱，皇朝柳仲塗起而麾之。」頗有肯定柳開提倡散文運動之功績。但因其創作成就不高，非特未能袪除「五代文弊」，反而成爲西崑體作家。王禹偁、孫何、丁謂，雖能散文，亦因才力不高，人微言輕，更不足以敵楊、劉。其後穆修、石介、尹洙、宋祈力斥西崑。石介怪說對西崑代表人物楊億斥之尤力。怪說下半篇云：

或曰：「天下不謂之怪，子謂之怪，今有子不謂怪，而天下謂之怪，請爲子而言之可乎？」曰：「奚其爲怪也？」曰：「昔楊翰林欲以文章爲宗於天下，憂天下未盡信己之道，於是盲天下人目，聾天下人耳，使天下人目盲，不見有周公、孔子、孟軻、揚雄、文中子吏部之道；使天下人耳聾，不聞有周公、孔子、孟軻、揚雄、文中子吏部之道。俟周公、孔子、孟軻、揚雄、文中子吏部之道滅，乃發其盲、開其聾，使天下唯見己之道，唯聞己之道，莫知其佗。今天下有楊億之道四十年矣，今人欲反盲天下人目聾天下人耳，使天下人目盲不見有楊億之道；使天下人耳聾，不聞有楊億之道。俟楊億道滅，乃發其盲，開其聾，使目唯見周公、孔子、孟軻、揚雄、文中子吏部之道；耳唯聞周公、孔子、孟軻、揚雄、文中子吏部之道。周公、孔子、孟軻、揚雄、文中子吏部之道，堯、舜、禹、湯、文、武之道也。三才、九疇、五常之道也，反厥常則爲怪矣。夫書則有堯、舜典、皋陶、益稷謨、禹貢、箕子之洪範；詩則有大小雅、周頌、商頌；春秋則有聖人之經；易則有文王之繇，周公之爻，夫子之十翼。今楊億窮妍極態，綴風月，弄花草，淫巧侈麗，浮華纂組，刓鎪聖人之經，破碎聖人之言，離析聖人之意，蠹傷聖人之道。使天下不爲書之典、謨、禹貢、洪範；詩之雅、頌；春秋之經；易之繇、爻、十翼；而爲楊億之窮妍極態，綴風月，弄花草，淫巧侈麗，浮華纂組，其爲怪大矣。是人欲去其怪，而就於無怪，今天下反謂之怪而怪之。嗚呼！②

穆修答喬適書上半篇云：

近辱書並示文十篇、終始讀之，其命意甚高。自及淮西來，嘗見人言足下少年樂古文，固耳聞而心存之，但未敢輕信人說，今遂果知足下能然。蓋古道息絕不行於時已久，今世士子習尙淺近，非章句聲偶之辭，不置耳目。浮軌濫轍，相跡而奔，靡有異塗焉。其間獨敢以古文語者，則與語怪者同也。衆又排詬之，罪毀之，不目以爲迂，則指以爲惑，謂之背時遠名，闊於富貴，先進則莫有譽之者，同儕則莫有附之者。其人苟失自知之明，守之不以固，持之不以堅，則莫不懼而疑，悔而思，忽焉目復去此而即彼矣。噫！仁義中正之士，豈獨多出於古而鮮出於今哉？亦由時風衆勢驅遷溺染之，使不得從乎道也。③

范仲淹云：

唐貞元、元和之間，韓退之主盟於文，而古道最盛。僖、懿以降，寖及五代，其體薄弱。皇朝柳仲塗起而麾之，髦俊率從焉。仲塗門人能師經探道，有文於天下者多矣。洎楊大年以應用之才，獨步當世，學者刻辭鏤意，有希髣髴，未暇及古也。其間甚者專事藻飾，破碎大雅，反謂古道不適於用，廢而弗學者久之。④

歐陽修云：

予少家漢東，漢東僻陋無學者，吾家又貧無藏書。州南有大姓李氏者，其子彥輔頗好學。予爲兒童時多游其家，見存弊筐儲故書在壁間，發而視之，得唐昌黎先生文集六卷，脫落顛倒無次序，因乞李氏以歸，讀之，見其言深厚而雄博。然予猶少，未能悉究其義，徒見其浩然無涯若可愛。是時天下學者楊、劉之作，號爲時文，能者取科第，擅名聲，以誇榮當世，未嘗有道韓文者。予亦方舉進士，以禮部詩賦爲事。年十有七，試於州，爲有司所黜，因取所藏韓氏文復閱之。則喟然歎曰：「學者當至於是而止爾。」因怪時人之道，而顧己未嘗學，徒時時獨念於予心，以謂方從進士干祿以養親，苟得祿矣，當盡力於斯文以償其素志。後七年舉進士及第，官於洛陽，而尹師魯之徒皆在，遂相與作爲古文，因出所藏昌黎集而補綴之。求人家所有舊本而校定之。其後天下學者亦漸趨於古，而韓文遂行於世，至於今蓋三十餘年矣，學者非韓不學也，可謂盛矣。」又云：「天聖之間，予舉進士於有司，見時學者務以言語聲偶擿裂，號爲文，以相夸尚。而子美不顧也。⑤

李覯云：

古道不逞，辭科漫長，不由經濟，一出聲病，源而海之，以至今日。……故雖浮華淺陋之輩，率爲可用，聲律取士，孰不曰宜！學小則易工，利近則可欲，員位可數，而求之者多，國朝患其或私謁也，於是糊其名，易其書，混致於考官之手，固不知其立身之行，幹蠱之才，雖有仁如伯夷，孝如曾參，直如史魚，廉如於陵，一語不中，則生平委地；況執其柄者，時或非人，聲律之中，又有遺焉，薦於鄉，奏於禮部，第於殿庭，偶失偶得，如弈棋耳。名卿大臣以其無舉知之責也，閉其口不復言，天下士俛視同術，疏若秦越，養威重，崇愛惡，管庫之隸，灑掃之僕，皆得以保任，而惜一言以舉遺逸。雖然好古潔廉之士，寧忍饑而死耳，安能仰面以希其咳唾！於戲！學道之無益也如此夫！宜其腐儒小生，去本逐末，父詔其子曰：「何必讀書，姑誦賦而已矣。兄教其弟曰：「何必有名，姑誦賦而已矣。」⑥

觀石介、穆修、范仲淹、歐陽修、李覯之言，可見散文之没落，西崑勢力之囂張。無怪乎柳開、祖無擇、尹洙、李覯、宋祁輩，雖皆作散文，並無損於西崑聲勢。甚或若輩人中，有反受西崑影響者，「辭澀言苦」，不可卒讀。如宋祈之文追逐「險語」、「新語」，即顯蹈李翺「陰怪」之窠臼。在穆修、尹洙之前，王禹偁、孫何、丁謂，亦能散文，但以才力不足，人微言輕，無以敵抗西崑之威勢，丁謂與楊大年酬唱，反列名於西崑酬唱集中，西崑熏染之力於此可知其梗概矣。嘉祐二年，北宋散文宗匠歐陽修，以主典貢舉之力，力矯西崑頹靡之弊，於是文風始爲之丕變。

北宋散文宗匠歐陽修自謂其散文，實淵源於蘇子美、尹師魯。據邵伯溫聞見錄云：

錢惟演留守西都，因府第雙桂樓西城，建臨園驛，命永叔、師魯作記，永叔文先成，凡千餘言。師魯曰：「某只用五百字可紀。」及成，永叔服其簡古。永叔自此始爲古文。」永叔作蘇子美集序，又謂子美學散文在先，而子美實與穆伯長遊，故永叔之散文，遠固淵源於韓愈，近及師友於蘇、尹也。宋史歐陽修傳對此已有明白之交代：「歐陽修，字永叔，廬陵人。四歲而孤，母鄭氏守節自誓，親誨之學，家貧，至以荻畫地學書，幼敏悟過人，讀書輒成誦。及冠嶷然有聲。宋興且百年，而文章體裁，猶仍五季餘習，鎪刻駢偶，淟涊弗振。士因陋守舊，論卑氣弱。蘇舜元、舜欽、柳開、穆修輩，咸有意作而張之，而力不足。修遊隨，得唐韓愈遺稾於廢書簏中，讀而心慕焉。苦志探賾，至忘寢食。必欲並轡絕馳而追與之。並舉進士試。南宮第一，擢甲科。調西京推官，從尹洙遊，爲古文，議論當世事，迭相師友。⑦

歐陽修所爲文，朱晦庵以爲「敷腴溫潤，一唱三歎。」⑧荊溪林下偶談云：「和平之言難工，感慨之詞易好。近世文人能兼之者，惟歐公，如吉州學記之類，和平而工者也；如豐樂亭記之類，感慨而好者也。然豐樂亭記意雖感慨，辭猶和平。至於蘇子美集序之類，則純乎感慨矣。乃若憤悶不平如王逢原，悲傷無聊如刑居實，則感慨而失之者也。」⑨又曰：「歐公凡遇後進投卷可采者，悉錄爲一册，名曰文林。公爲一世文宗，於後進片言隻字，乃珍重如此，令人可以鑒矣。」觀此：可知歐陽修實爲北宋散文運動之主導。迨眉山三蘇出後，王安石、曾鞏諸公相繼行之，散文之鉅流，終於衝倒駢儷之礁石。唯集北宋散文運動之大成者，厥爲歐陽修游揚拔擢之眉山蘇氏父子三人，而蘇軾對散文運動之功，更有人以之比杜甫之於唐詩者。

北宋自趙匡胤陳橋兵變，黃袍加身伊始，戒於自身登位之事，乃採用趙普之議，杯酒釋諸將兵權，而以文官領軍。寖成文職浮靡，武職嬉慢，社會瀰漫虛矯奢靡之氣。東坡通判杭州時，賀新郎詞序，對當時社會安逸享樂之生活，嘗有深刻動人之描述：

余倅杭日，府僚湖中高會，羣妓畢集。惟秀蘭不來。營將督之再三，乃來。僕問其故，答曰：「沐浴倦臥，忽有叩門聲急，起詢之，乃營將催督也。整妝趨命，不覺稍遲。」時府僚有屬意於蘭者，見其不來，恚恨不已，云必有私事。秀蘭含淚力辯，而僕亦從旁冷語，陰爲之解。……秀蘭進退無據，但低首垂淚而已。僕乃作一曲，名賀新郎，令秀蘭歌以侑觴，聲容妙絕，府僚大悅，劇飲而罷。⑩

仁宗崩，韓琦治昭陵，向州縣攤派費用，海內騷然。號稱賢相之韓琦尚且如此，其他臣下更不言而喻矣。再讀東坡諫買浙燈狀：

臣伏見中使傳宣下府市司，買浙燈四千餘盞，有司具實眞以聞。陛下又令減價收買，現已局數掬收，禁止私買，以須上令……謂陛下以耳目不急之玩，而奪其口體必養之資，賣燈之民，例非豪民。舉債出息，畜之彌年，不食之計，望此向日。……而臺官又劾陛下以廢嚴刑悍吏，捕而戮之……方今百冗未除，物力凋弊。……⑪

神宗銳意改革之君，猶有買燈繁費，苛擾人民之事，北宋君臣奢靡安樂，上下相尚成風，而不知旱澇頻繁，盜匪滋生，內有餓殍，賑濟尚力有未逮，外有強虜，歲輸更需索無厭。甚至如道學之士，亦但知言心言性，置四海之困窮不言，國勢積弱，固其來有自矣。

宋史呂蒙正傳記載：

嘗燈夕設宴，蒙正侍，上語之曰：「五代之際，生靈凋喪，周太祖自鄴南歸，士庶皆罹剽掠，下則火災，上則彗孛，觀者恐懼，當時謂無復太平之日矣。朕躬覽庶政，萬事粗理，每念上天之貺，致此繁盛，乃知理亂在人。」蒙正避席曰：「乘輿所在，士庶走集，故繁盛如此，臣嘗見都城外不數里，饑寒而死者甚衆，不必盡然。願陛下視近以及遠，蒼生之幸也。」上變色不言。蒙正侃然復位，同列多其直諒。⑫

太宗時，北宋新興銳氣尚在，猶有「嘗見都城外不數里，饑寒而死者甚衆」之象。眞宗澶淵之盟後，開創向遼國歲輸繒帛之惡例，生靈塗炭，而朝廷之上仍以爲「繁盛」者，更不堪聞問矣。宋史王禹偁傳載王禹偁向眞宗建言五事中，其二事即：

減冗兵，併冗吏，使山澤之饒，稍流於下。……冗吏耗於上，冗兵耗於下，此所以盡取山澤之利、而不能足也。⑬

仁宗時范仲淹任參知政事，條陳十事，前三事即：明黜陟；抑僥倖；精貢舉。神宗時王安時爲相，其推行新法亦無非理財政，興農桑，整軍政，此皆洞察民隱，深惡僞飾太平之象所採取之改革措施。其所以改此之由，實五代虛矯誇飾文風之遺弊也。歐陽修之大力提倡散文，即有感於散文之消長攸關政治之盛衰，故在蘇氏文集敘云：

予嘗考前世文章政理之盛衰，而怪唐太宗致治幾乎三王之盛，而文章不能革五代之餘習。後百有餘年，韓、李之徒出，然後元和之文始復於古。唐衰兵亂，又百餘年，而聖宋興，天下一定，晏然無事。又幾百年，而古文始盛於今。自古治時少而亂時多，幸時治矣，文章或不能純粹或遲久而不相及，何其難之若是歟？豈非難得其人歟？⑭

附註

①見河東先生集
②見石守道先生集
③見河南穆公集
④見河南先生集
⑤見陽文忠公集
⑥見直講李先生文集
⑦見宋史歐陽修傳
⑧見朱子全集
⑨見荊溪林下偶談
⑩見東坡詞賀新郎序
⑪見蘇東坡全集

⑫見宋史呂蒙正傳
⑬見宋史王禹偁傳
⑭見歐陽文忠公文集

第二節　三蘇集北宋散文運動之大成

北宋自眉山三蘇之文出，遂文運宏開，文壇氣象爲之一新。凡愛好散文之士，莫不以蘇文爲圭臬，據史載明允至京師，歐陽修上其文權書、衡論、機策二十二篇，既出，一時學者競效其文①。又據清波雜志載：「崇寧、大觀間海外詩盛行，朝廷雖嘗禁止，賞錢增至八十萬，禁愈嚴，而傳愈多，往往以多相誇，士大夫不能誦坡詩，便自氣索，而人或謂之不韻」②。甚或有異國之士，以「軾」、「轍」命名者。高麗文士金富軾、金富轍兄弟，學者翕然從之，而蜀士尤甚。有語曰：「蘇文熟，吃羊肉；蘇文生，吃菜根」④。後世文家多以蘇文爲師，誠如邵希雍云：「三蘇之文，不特爲古文師，亦嘗爲今文師也」⑤。合璧事類云：「蘇洵生軾、轍，以文章名世，故時人謠曰：『眉山生三蘇，草木盡皆枯。』」元、明之間臨海朱右唐宋六先生集，即以三蘇合爲一家。明朝歸安茅順甫唐宋八大家文鈔，眉山蘇氏父子復幷列其中，而居其三焉。三蘇文在文壇上之崇高地位，自是篤定。

三蘇之文，所以能稱爲集北宋散文運動之大成者，其原因有二：第一、三蘇文超越時空性：現代散文家常有所謂古典散文與現代散文之稱，此或多或少係囿於時空觀念使然。焦循雕孤樓集文說云：「學者以散行爲古文，散行者，質言之者也，其質言之，何也?有所以言之者，而不可不以質言也。夫學充於此，而深有所得，則見諸言者，自然成文，如何之水，隨高下屈折以爲波瀾，水不知也。」今人據此以謂「古文」乃「散文」之精者，即是一例。其實「古文」、「散文」乃先後取名之異耳，同時以別於四六對偶有聲律之駢文而言之一種文體。且「散文」一詞早見宋人羅大經鶴林玉露：「四六特拘對耳，仍貴渾融有味，與散文同。」並非譯自西洋 Prose與 essay而來。桐城鉅子劉大櫆論文偶記中，強調散文之準則，以「神氣」行文，講求「自然」，字句之短長，聲調之抑揚高下，以及辭義之排比，均無一定之規律，但求參差而多變化，用字措詞務出於己意。此實淵源於三蘇父子之文藝論。西人霍夫曼 (C. Hugh Halman) 所編之 A Hand Book to Literature 一書謂「Prose」四大要素：①不必有規律之韻律；②須合乎文法與邏輯，且敘述清楚；③且有一般共識之文字風格；④任何事物皆可入之，不受限制。亦不出三蘇文論之範疇。明允謂風水相遭，自然成文，乃天下之至文；東坡則謂其文曰：「吾文如萬斛泉源，不擇地而出，在平地滔滔汩汩，雖一日千里無難；及其山石曲折，隨物賦形，而不可知也。所可知者，常行於所當行，常止於不可不止，如是而已，其他非吾所知也。」在策略總敘讚美戰國散文「雖不能盡通於聖人，而皆卓然盡於可用，出於其意之所謂誠然者。」「盡意而求言，信己而不役於人。」而責斥「忘己以徇人」之場屋文章，在思堂記中云：「言發於心，而沖於口，吐之則逆人，茹之則逆予。以爲寧逆於人也，卒吐之。」子由則在上樞密韓太尉書中謂：

「文者氣之所形，然文不可以學而能，氣可以養而致。」以「太史公行天下，覽四海。」故其文「寬厚宏博。」亦即文心雕龍所謂：「屈平所以能洞鑒風騷之情者，抑亦江山之助乎」之意。由此可知三蘇父子之文藝觀，洵可謂古今一理，中外相通，三蘇文益顯其超時空性之價值矣。第二、三蘇文影響最深最遠：歷代以父子三人同享文壇盛譽者，宋代有三蘇，三蘇之前有魏國三曹：曹操、曹丕、曹植，三蘇之後有明代三袁：袁宗道、袁宏道、袁中道。三曹以在朝之尊，倡導自易爲力。但建安諸子文行不一，其所創作，遠不及三蘇。三蘇父子，出身田野，以文行一攻，創作藝術卓絕，反能影響深遠，而非其他文家所可及。南宋的陸游、楊萬里，明之李贄、焦竑、袁宗道、袁宏道、袁中道，歸有光，清之方苞、劉大櫆、姚鼐等，無不以慕學蘇文，而自成一家，使散文之體系，有如層巒疊岫，連綿不絕，至清季而不少衰。雖然中經道學家之抨擊，如程頤云：

問：「作文害道否？」曰：「害也。凡爲文不專意則不工，若專意則志局於此，又安能與天地同其大也？書云：『玩物喪志。』爲文亦玩物也。」⑥

謂作文爲玩物喪志而害道，其至攻擊韓愈倡古文爲「倒學」⑦。又如朱熹，不特無視乎韓愈之尊，甚至柳宗元、歐陽修，以及三蘇父子亦大肆撻伐云：

東京以降，訖於隋、唐，數百年間，愈下愈衰，則其去道益遠，而無實之文亦無足論。韓愈氏出，始覺其陋，慨然號於一世，欲去陳言以追詩、書六藝之作，而其弊精神，磨歲月，又有甚於前世諸人之所爲者。然猶幸其略知不根無實之不足恃，因是頗泝其源而適有會焉，於是原道諸篇始作。而其言曰：「根之茂者其實遂，膏之沃者其光曄，仁義之人，其言藹如也。」其徒和之，亦曰：「未有不深於道而能文者。」則亦庶幾其賢矣。然今讀其書，則其出於諂諛戲豫放浪而無實者，自不爲少。若夫所原之道，則亦徒能言其大體，而未見其有探討服行之效，使其言之爲文者，皆必由是以出也。故其論古人，則又直以屈原、孟軻、馬遷、相如、揚雄爲一等，而猶不及於董、賈，其論當世之弊，則但以詞不己出而遂有神狙聖伏之嘆。至於其徒之論，亦但以剽掠僭竊爲文之病，大振頹風，教人自爲爲韓之功，則其師生之間，傳受之際，蓋未免裂道與文以爲兩物，而於其輕重緩急本末賓主之分，又未免於倒懸而逆置之也。自是以來，又復衰歇數十百年，而後歐陽子出。其文之妙，蓋已不愧於韓氏。而其曰「治出於一」云者，則自荀、揚以下皆不能及，而韓有聞焉，是則疑若幾於道。然考其終身之言與其行事之實，則恐其亦未免於韓氏之病也。抑又嘗以其徒之說考之，則誦其言者，既曰「吾老將休，付子斯文」矣，而又必曰「我所謂文，必與道俱」。其推尊之也，既曰「今之韓愈」矣，而又必引夫「文在在茲」者，以張其說。由前之說，則道之與文，吾不知其果爲一耶？爲二耶？由後之說，則文王、孔子之文，吾又不知其與韓、歐之文，果若是其班乎否也？嗚呼！學之不講久矣，習俗之謬，其可勝言也哉！⑧

謂韓愈之作：「其出於諂諛戲豫放浪而無實者，自不爲少。」謂歐陽修：「考其終身之言與其行事之實，則恐其亦未免於韓氏之病也。」至於責明允費七、八年工夫，熟讀古聖賢之文，只爲「欲學古人說話聲響」⑨。責東坡平日言盡道理，但作昌化峻靈王廟碑，引尼姑升天之說，「似喪心人說話」⑩。雖然，道學家「起於元祐，盛於淳熙，其徒有假其名以欺世者，眞可以噓枯吹生。……稍有議及其黨，必擠之爲小人，雖時君亦不得而辨之矣⑪」之氣燄，但畢竟是屬於當時新舊黨爭之異象，對三蘇集散文運動之大成，從而建立影響深遠之散文完整體系，則非但毫髮未傷，反而益顯其光芒也。⑫

附註

①見宋史文苑傳
②見淸波雜志
③見游宦紀聞
④見老學庵筆記
⑤見淸宣統二年刊版三蘇文集序
⑥見二程語錄
⑦同註⑥
⑧見朱文公集卷七十讀唐志
⑨同註⑥

⑩同註⑥
⑪見癸辛雜識續集下道學
⑫同註②

第三節　結　語

北宋散文運動之開展，所以能如火如荼，波瀾壯闊，其誘因固發端於有識文士，不滿於駢儷競辭尚采，忽視情實之弊，但當時政治積弊之深，激起科舉改革，亦有力因素。

散文運動雖起於唐代，由韓愈、柳宗元之大力倡導，而使駢儷之國度，爲之式微。但繼起之李翺、李漢、皇甫湜、孫樵、呂溫、劉禹錫、李德裕等，或因才力之不逮，或因詩名之淹抑，或因政治官僚之牽累，其所爲散文，均不能如韓、柳之「閎其中而肆其外」①，「盡取揚、馬之雄奇萬變，而內之於萬物之中」②之卓異不羣。致晚唐、五代直至宋初，駢文之氣焰復熾，散文之邦國又將淪胥。幸賴有識之士，如柳開、王禹偁、尹洙、石怪「穆修等，先後崛起，爲中國散文運動，再造高潮。復因歐陽修之力搜韓愈、柳宗元之文集，廣爲刋行，北宋散文六君子：歐陽修、曾鞏、王安石、蘇明允、蘇東坡、蘇子由於焉誕生。此六君子，以散文相輝映，形成一雄偉壯觀之標幟，成爲士子學習散文之圭臬。呂東萊之古文關鍵一書，選輯韓愈、柳宗元、歐陽修、曾鞏、蘇明允、蘇東坡、蘇子由、張耒等八人六十篇文章，將每一文之命意、結構、句法、字法等，均予以詳細評註批點，指出學習散文之不二法門。隨後元末明初朱右之八先生文集，雖已失傳。但未久唐順之文編，除選錄左傳、國語、史記等散文之外，亦選錄韓愈、柳宗元、歐陽修、曾鞏、王安石、及三蘇父子之文，唐、宋散文之歷史地位，至此應可確立。茅坤唐宋八家文鈔，更肯定散文運動之永恒價值。茅坤在書中自序云：

魏、晉、宋、齊、梁、陳、隋、唐之間，文日以靡，氣日以弱，強弩之末，且不及魯縞矣，而況穿札乎？昌黎、韓愈首出而振之，柳柳州又從而和之，於是始知非六經不以讀，非先秦、兩漢之書不以觀，其所著書論敘記頌辯諸什，故多所獨開門戶，然大較並尋六藝之遺略相上下而羽翼之者。貞元以後，唐且中墜，沿及五代，兵戈之際天下寥寥矣。宋興百年，文運天啓，於是歐陽公修從隋州故家覆瓿中，偶得韓愈書，手讀而好之，而天之士，始知通經博古爲高，而一時文人學士彬彬然附離而起，蘇氏父子兄弟及曾鞏、王安石之徒，其間材旨小大，音響緩亟，雖屬不同，而要之，於孔子所刪六藝之遺，則共爲家習而戶眇之者也。……予於是手掇韓公愈、柳公宗元、歐陽公修、蘇公洵、軾、轍、曾公鞏、王公安石之文，而稍爲批評之，以爲操觚者之劵，題之曰：八大家文鈔。③

根據明史：

坤善古文，最心析唐順之。順之喜唐、宋諸大家文，所著文編，唐、宋人自韓、柳、歐、三蘇、曾、王八家外，無所取，故坤選八大家文鈔。其書盛行海內，鄉里小生無不知茅鹿門者。④

由此可知茅坤唐宋八大家文鈔一書，盛行之況。散文建立完整之系統，亦因此而益形鞏固，故雖中經道學家之大力抨擊，而不少衰。即至民國初年五四新文學運動之產生，亦只是以白話取代文言，亦即以現代語言，漸次取代以往語言，並未脫離散文創作之精神與路線，袁宗道所謂「時有古今，語言亦有古今；今人所詫謂奇字奧句，安知非古之街談巷語耶？」⑤即此之意。

附註

①見韓愈進學解
②見曾國藩先生哲畫像記
③見唐宋八大家文鈔卷首原敘
④見明史卷二百八十七
⑤見白蘇齋集論文上

第五章　三蘇文之淵源

第一節　思想淵源

三蘇之文，辭辯閎偉，博古宜今，卓乎可敬而仰也。其爲文態度，既異道家之言，亦別歐曾時人究其原由，當歸其思想淵源也。

明允大器晚成，得歐陽修之引薦①，聲名顯赫。明允嘗自述學文歷程云：

洵少年不學，生二十五歲，始知讀書，從士君子遊，年既已晚，而又不遂，刻意厲行，以古人自期，而視與己同列者，皆不勝己，則遂以爲可矣。其後困益甚，然後取古人之文而讀之，始覺其出言用意與己大異。時復內顧，自思其才，則又似乎不遂止於是而已者。由是盡燒其曩時所爲文數百篇，取論語、孟子、韓子及其他聖人賢人之文，而兀然端生，終日以讀之者，七、八年矣。方其始也，入其中而惶然，博觀於其外，而駭然以驚；及其久也，讀之益精，而其胸中豁然以明，若人之言固當然者，然猶未敢自出其言也。時既久，胸中之言日益多，不能自制，試出而書之；已而再三讀之，渾渾乎覺其來之易矣，然猶未敢以爲是也。②

由此可知明允之思想精華，實源於論語、孟子、韓子及聖人賢人之文，時日既久，擴而充之，故能渾渾乎覺其來之易也；明允又云「其充於中者足，而後發乎外者大以光」③，蓋亦其爲文之道也，是以累積知識，臨文方能水到渠成，蔚爲大觀。

明允又云：

> 今洵用力於聖人賢人之術，亦已久矣。其言語，其文章，雖不識其果可以有用於今而傳於後與否，獨怪其得之之不勞。方其致思於心也，若或起之；得之心而書之紙也，若或相之。夫豈無一言之幾乎道？千金之子，天子之宰相，求而不得者，一旦在已，故其心得以自負，或者天其亦有以與我也。曩者見執事於益州，當時之人，淺狹可笑，飢寒窮困亂其心，而聲律記問又從而破壞其體，不足觀也已。數年來退居山野，自分永棄，與世俗日疏闊，得以大肆其力於文章，詩人之優柔，騷人之情深，孟、韓之溫淳，遷、固之雄剛，孫、吳之簡切，投之所嚮，無不如意。常以爲董生得聖人之經，其失也流而爲迂；晁錯得聖人之權，其失也流而爲許；有二子之才而不流者，其惟賈生乎？惜乎今之世，愚未見其人也。④

菲薄時文，既足掩齒，故明允肆力學習詩、騷、孟、韓、遷、固、吳、賈之文，得諸心而書諸紙，雖謙言未能「以一能稱以一善書」⑤，唯其承繼孔子、孟子、荀子、楊雄、韓愈之思想精髓，確是斑斑可見。

明允之獨崇韓愈而不及柳宗元者，蓋韓愈所謂「文」乃純指散文而言。柳宗元之所謂「文」實兼韻文而言。兩者可於答劉正夫書與楊評事文集後序，知其梗概。韓愈答劉正夫書云：

夫百物朝夕所見者，人皆不注視也。及睹其異者，則共觀而言之。夫文豈異於是乎？漢朝人莫不能爲文，獨司馬相如太史公劉向揚雄爲之最。然則用功深者其收名也遠。若皆與世沈浮，不自樹立，雖不爲當時所怪，亦必無後世之傳也。足下家中百物，皆賴而用也，然其所珍愛者必非常物。夫君子之於文，豈異於是乎？

今後進之爲文，能深探而力取之，以古聖賢人爲法者，雖未必皆是，要若有司馬相如太史公劉向揚雄之徒出，必自於此，不自於循常之徒也。若聖人之道不用文則已，用則必尙其能者。能者非他，能自樹立不因循者是也。⑥

柳宗元楊評事文集後序云：

文有二道：辭令褒貶，本乎著述者也之導揚諷諭，本乎比興者也。著述者流，蓋出於書之謨訓，易之象繫，春秋之筆削，其要在於高壯廣厚，詞正而理備，謂宜藏於簡册也。比興者流，蓋出於虞夏之詠歌，殷周之風雅，其要在於麗則淸越，言暢而意美，謂宜流於謠誦也。茲二者，攷其旨義，乖離不合，故秉筆之士，恒偏勝獨得，而罕有兼者焉。

由此可見韓愈力倡散文，專在改變當時之駢文，而特創一体，其爲文之態度，乃「能自樹立，不因循。」「不自樹立……必無後世之傳。」以司馬相如，太史公、劉向、揚雄不自於循常，乃極稱之。明允「文須自成一家」之思想，濫觴何自於此當可思過半矣。

東坡之思想較乃父既廣且深，既具儒家之正統，亦深佛老之理念，其弟子由曾云：

少（指其兄東坡）與轍皆師先君，初好賈誼，陸贄書，論古今治亂，不爲空言。既而讀莊子，喟然歎息曰：「吾昔有見於中，口未能言，今見莊子，得吾心矣。」及出中庸論，其言微妙，皆古人所未喻。嘗謂轍曰：「吾視今世學者，獨子可與我上下耳。」既而謫居於黃，杜門深居，馳騁翰墨，其文一變，如川之方至，而轍瞠然不能及矣。後讀釋氏書，深悟實相，參之孔、老，博辯無礙，浩然不見其涯也。⑥

錢謙益亦云：

吾讀子瞻司馬溫公行狀，富鄭公神道碑之類，平鋪直序如萬斛水銀，隨地湧出，以爲古今未有此體，茫然莫得其涯涘也。晚讀華嚴經，稱性而談，浩如烟海，無所不有，無所不盡。乃喟然而嘆曰：「子瞻之文，其有得於此乎？」文而有得於華嚴，則事理法界，開遮湧現，無門庭，無墻壁，無差擇，無擬議，世諦文字，因已蕩無纖塵，又何自而窺其淺深，議其工拙乎？……蘇黃門言少習制舉，與先兄相後先，自黃州已後，乃步步趕不上。其爲子瞻行狀曰：「公讀莊子，喟然歎息曰：『吾昔有見於中，口未能言，今見莊子，得吾心矣。』後讀釋氏書，深悟實相，參之孔、老，博辯無礙。」然則子瞻之文，黃州已前得之於莊，黃州已後得之於釋，吾所謂有得於華嚴者信也。⑦

二人之言，道盡東坡思想之深廣性。東坡於政治上具儒家勤政愛民、積極入世之一面，故平生極仰慕儒家思想之賈誼及陸贄，嘗云：

文人之盛，莫如近世，然私所敬慕者，獨陸宣公一人。家有公奏議善本，傾侍講讀，嘗繕寫進御，區區之患，自謂庶幾於孟軻之敬王，且欲推此學於天下，使家藏此方，人挾此藥，以待世之病者，豈非仁人君子之至情也哉？⑧

又云：

儒者之病，多空文而少實用，賈誼、陸贄之學，殆不傳於世。老病且死，獨欲教子弟，豈意姻親中，乃有王郎乎？⑨

東坡深受儒家思想之影響，故於哲宗元祐二年上策朝廷，具言政治革新方案，力圖「勵精庶政，督察百官，果斷而力行」⑩，唯東坡亦兼有中庸時中之至性，強烈抨擊激進思想，是以神宗之時，上書批評王安石推行新法失中之弊害，而種埋其後宦途坎坷之禍根。

東坡政途迍邅，南北流離，所以能豁然自處，隨遇而安者，即佛老思想涵養之功也。東坡云：

凡物皆有可觀，苟有可觀，皆有可樂，非必怪奇瑋麗者也。餔糟啜醨，皆可以醉；果蔬草木，皆可以飽。推此類也，吾安往而不樂？夫所爲求福而辭禍者，以福可喜而禍可悲也。人之所欲無窮，而物之可以足吾欲者有盡；美惡之辨戰乎中，而去取之擇交乎前；則可樂者常少，而可悲者常多，是謂求禍而辭福。夫求禍而辭福，豈人之情也哉？物有以蓋之矣！彼遊於物之內，而不遊於物之外。物非有大小也，自其內而觀之，未有不高且大者也。彼挾其高大以臨我，則我常眩亂反覆，如隙中之觀鬥，又焉知勝負之所在？是以美惡橫生，而憂樂出焉，可不大哀乎？⑪

此亦即佛老思想所賜予東坡豁達之人生觀。唯佛家之禪靜及老莊之放逸，其於東坡仍有所戒懼焉，東坡云：

學佛老者本期於靜而達，靜似懶，達似放；學者或未至其所期，而先得其所以，不爲無害。僕常以此自疑，故亦以爲獻。⑫

即因東坡能透視佛老思想之短，故在其四十餘年之政治生涯中，雖屢遭挫折，然文學創作卻了無消極頹廢之跡，其能臻極古人之藝術，將韓柳以來提倡之文體，攬向另一層峯，蓋以儒學爲基之「三教合一」思想之所致也。

子由之思想亦兼具儒釋道三家，故與韓歐之衛道闢佛老者全然牴牾。子由嘗述云：

既長，乃觀百家之書，從橫顚倒，可喜可愕，無所不讀，泛然無所適從。蓋晚而讀孟子，而後徧觀乎百家而不亂也。而世之言者曰：「學者不可以讀天下之雜說，不幸而見之，則小道異術，將乘閒而入於其中。」雖揚雄尙然曰：「吾不觀非聖之書。」以爲世之賢人所以自養其心者，如人之弱子幼弟。不當出而置之於紛華雜擾之地。此何其不思之甚也！古之所謂知道者，邪詞入之而不能蕩，詖詞犯之而不能詐，爵祿不能使之驕，貧賤不能使之辱，如使深居自閉於閨闥之中，兀然頹然而曰知道云者，此乃所謂腐儒者也。⑬

其所謂「觀百家之書，從橫顛倒，可喜可愕，無所不讀」，思想之涵容性不言而喻，亦唯其「晚而讀孟子，而後徧觀乎百家而不亂」，故任其不排斥諸子百家之思想，卻仍以儒家思想爲中心。儒家思想之外，子由所尤好者，即佛老思想也，據蘇文定公謚議云：

> 惟公挺生西蜀，毓秀山川，天材最高，資稟實厚，而又有父文安先生爲之師，有兄文忠公爲之師友，蓋其所學所行，皆本原乎家傳，而文章事業，卓乎可敬而仰也。嗚呼！公爲元祐名臣，行事在國史，聲名在天下，人其誰不知之？宜不待歷數以合文定之謚者，請粗陳其略。觀公少年擢兩科，與其父兄俱以文名世，而公之文汪洋澹泊，深醇溫粹，似其爲人。文忠嘗稱之，以爲實勝己。其所爲詩騷銘頌書記論譔與夫代言之作，率大過人。蓋流傳於人間，散落於夷狄者，不知其幾，而所謂愛重其文則一也。嘗傳詩、春秋，訓釋先儒之未達；又注老子，深窮道德之旨，而發明佛老之相類；其後作古史，所論益廣，以刪補子長雜亂殘闕之失。⑭

子由家學淵源，故著述範圍極廣，涵蓋儒佛老各家之論解，其中老子解即嘗爲其兄東坡讚賞云：

> 使戰國有此書，則無商鞅韓非；使漢初有此書，則孔老爲一；晉宋間有此書，則佛老不二。⑮

除老子思想外，子由之於佛理亦有絕高之領悟，子由曾云：

> 予自十年來，於佛法中漸有所悟，經歷憂患，皆世所希有，而眞心不亂，每得安樂。崇寧癸未，自許遷蔡，杜門幽坐，取楞嚴經翻覆熟讀，乃知諸佛涅槃正路，從六根入，每趺坐燕安，覺外塵引起六根，根若隨去，即墮生死道中，根若不隨，返流全一，中中流入，即是涅槃眞際，

觀照既久，如淨琉璃，內含寶月，稽首十方三世一切佛菩薩羅漢僧，慈悲哀愍，惠我無生法忍，無漏勝果，誓願心心護持，勿令退失。⑯

又云：

予讀楞嚴，知六根源出於一，外緣六塵，流而爲六，隨物淪逝，不能自返。如來憐愍衆生，爲設方便，使知出門即是歸路，故於此經，指涅槃門，初無隱蔽。若衆生能洗心行法，使塵不相緣，根無所偶，返流全一，六用不行，晝夜中中流入，與如來法流水接，則自其肉身，便可成佛。如來猶恐衆生於六根中，未知所從，乃使二十五弟子，各說所證，而觀世音以聞思修爲圓通第一。其言曰：「初於聞中，入流無所，所入既寂，動靜二相，了然不生，如是漸增，聞所聞盡，盡聞不住，覺所覺空，空覺極圓，空所空滅，生滅既滅，寂滅見前。」若能如是，圓拔一根，則諸根皆脫，於一彈指頃，遍歷三空，即與諸佛無異矣。既又讀金剛經，說四果人須陀洹名爲入流，而無所入，不入色聲香味觸法，是名須陀洹。乃廢經而歎曰：「須陀洹所證，則觀世音所謂『初於聞中，入流無所』者耶？」入流，非有法也，唯不入六塵，安然常住，斯入流矣。至於斯陀含名一往來，而實無往來，阿那含名爲不來，而實無來。蓋往則入塵，來則返本，斯陀含雖能來矣，而未能無往。阿那含非徒不往，而亦無來。至阿羅漢則往來意盡，無法可得。然則所謂四果者，其實一法也，但歷三空，有淺深之異耳。⑰

又云：

予久習佛乘，是知出世第一妙理。然終未了，所從入路。頃居淮西，觀楞嚴經，見如來諸大弟子多從六根入，至返流全一，六用不行，混入性海，雖可以直造佛地。心知此事，數年於茲矣，而道久不進。去年冬，讀傳燈錄，究觀祖師悟入之理，心有所契，必手錄之，寘之坐隅。⑱

由上諸文可見子由深究佛理之一斑，亦正因子由融合儒佛思想於一爐，是以散文運動之名與父兄齊焉。

附註

①見歐陽文忠公文集薦布衣蘇洵狀。
②見嘉祐集上歐陽內翰第一書。
③見歐陽忠公文集與樂秀才第一書。
④見嘉祐集上田樞密書。
⑤見嘉祐集上歐陽內翰第二書。
⑥見欒城後集亡兄子瞻端明墓誌銘。
⑦見初學集讀蘇長公文。
⑧見蘇東坡集答虔倅俞括奉議書。
⑨見蘇東坡集答王庠書。

⑩見蘇東坡集辯試館職策問箚子。
⑪見蘇東坡集超然臺記。
⑫見蘇東坡集答畢仲舉書。
⑬見欒城集上兩制諸公書。
⑭見欒城集卷首。
⑮見蘇東坡集子由老子解後。
⑯見欒城集書楞嚴經後。
⑰見欒城集書金剛經後。
⑱見欒城集書傳燈錄後。

第二節　三蘇之貫道說

三蘇以其寬闊之襟懷，包容佛釋道三家之思想，不欲韓愈、歐陽修之衛「道」而斥佛老，此以儒學爲根柢之「三教合一」論，即三蘇貫道說之基也。

自韓愈言「所志於文者，不惟其辭之好，好其道焉爾」，其後諸古文家明有志於文，總不欲直言好其辭耳，必至明允始敢揭櫫爲文而學文之宣言，試觀其評論昔人時賢之文章云：

執事之文章，天下之人，莫不知之。然竊自以爲，洵之知之特深，愈於天下之人，何者？孟子之文語約而意盡，不爲巉刻斬絕之言，而其鋒不可犯。韓子之文，如長江大河，渾浩流轉，魚黿蛟龍，萬怪惶惑而抑遏蔽掩，不使自露，而人望見其淵然之光，蒼然之色，亦自畏避不敢迫視。執事之文，紆餘委備，往復百折，而條達疏暢，無所間斷，氣盡語極，急言竭論，而容與閒易，無艱難勞苦之態。此三者，皆斷然自爲一家之文也。惟李翺之文，其味黯然而長，其光油然而幽，俯仰揖讓，有執事之態；陸贄之文，遣言措意，切近的當，有執事之實！而執事之才，又自有過人者。蓋執事之文，非孟子、韓子之文，而歐陽子之文也。①

其就文論文之態度，與道學家及歐曾諸人迥異，而特重於出言用意之法也，故其論文章之風格，不復論及文章之內容，亦無散文家屢言之「道」焉；雖然，非明允即略此「道」也，其唯「道」者，於明允胸中，無似韓歐之重視耳。明允嘗云：

大凡文之用四：事之實之，詞以章之，道以通之，法以檢之，此經史所兼而有之者也。雖然，經以道法勝，史以事詞勝；經不得史無以證其褒貶，史不得經無以酌其輕重；經非一代之實錄，史非萬世之常法，體不相沿，而用實相資焉。夫易、禮、樂、詩、書，言聖人之道與法詳矣，然弗驗之行事，仲尼懼後世以是爲聖人之私言，故因赴告策書以修春秋，旌善而懲惡，此經之道也。猶懼後世以爲己之臆斷，故本周禮以爲沉，此經之法也。至於事則舉其略，詞則務其簡，吾故曰：「經以道法勝。」史則不然，事既曲詳，詞亦誇耀，所謂褒貶論贊之外無幾，吾故曰：「史以事詞勝。」使後人不知史而觀經，則所褒莫見其善狀，所貶弗聞其惡實，故曰：「經不得史無以證其褒貶。」使後人不通經而專使，則稱謂不知所法，懲勸不知所沮，吾故曰：「史不得經無以酌其輕重。」經或從僞赴而書，或隱諱而不書，若此者衆，皆適於教而已，吾故曰：「經非一代之實錄。」史之一紀、一世家、一傳，其間美惡得失，固不可以一二數，則其論贊數十百言之中，安能事爲之褒貶，使天下之人動有所法如春秋哉？吾故曰：「史非萬世之常法。」夫規矩準繩，所以制器，器所待而正者也。然而不得器，則規無所效其圓，矩無所用其方，準無所施其平，繩無所措其直，史待經而正，不得史則經晦，吾故曰：「體不相沿，而用實相資焉。」噫！一規、一矩、一準、一繩，足以制萬器，後之人其務晞遷、固實錄可也，愼無若王通、陸長源輩囂囂然冗且僭，則善矣。②

此文雖析言經史相互依存之關係，唯「大凡文之用四」句，將事、詞、道、法四者並列，爲文章之四用，故道之爲用，已失其至高無上之位矣！而經籍之重要性銳減，須與史相資爲用矣！

東坡謂孔、老、儒、釋殊途而同歸③，故其所稱之道，係道其所道，而非韓歐所謂之道。東坡曾云：

論道之大小，雖至於大菩薩，其視如來，猶若天淵然。及其以無所得故而得，則承蜩意鉤，履狶畫墁，未有不與如來同者也。以吾之所之，推至其所不知，嬰兒生而導之言，稍長而教之書，口必至於忘聲，而後能言，手必至於忘筆，而後能書，此吾之所知也。口不能忘聲，則語言難於屬文，手不能忘筆，則字畫難於刻琱，及其相忘之至也，則形容心術，酬酢萬物之變，忽然而不自知也。自不能者而觀之，其神智妙達，不既超然與如來同乎？故金剛經曰：「一切賢聖，皆以無爲法而有差別。」以是爲技，則技疑神。以是爲道，則道疑聖。古之人與人皆學，而獨至於是，其必有道矣。④

是以東坡所稱之道，乃無所不在，無處不藏者，故菩薩、如來、或承蜩意鉤、履豨畫墁，皆有道存焉，故與韓歐之儒道截然不同，觀其評韓愈之道可知也，東坡謂：

聖人之道，有趨其名而好之者，有安其實而樂之者。至於粟米蔬肉桑麻布帛，天下之人，內之於口，而知其所以爲美，被之於身，而知其所以爲安，此非有所役乎其名也！韓愈之於聖人之道，蓋亦知好其名矣，而未能樂其實，何者？其爲論甚高，其待孔子、孟軻甚尊，而拒楊、墨、佛、老甚嚴，此其用力亦不可謂不至矣。然其論至於理而不精，支離蕩佚，往往自叛其說而不知。昔者宰我、子貢、有若，更稱其師，以爲生民以來未有如夫子之盛，雖堯、舜之賢，亦所不及，其遵道好學，亦已至矣。然而君子不以爲貴，曰：「宰我，子貢，有若，智足以聖人之汙而已矣。若夫顏淵，豈亦云爾哉？」蓋亦曰：「夫子循循焉，善誘人。」由此觀之，聖人之道，果不在於張而大之也。韓愈者，知好其名，而未能樂其實者也。⑤

韓愈之文既爲歷代古文家推崇，東坡亦極其誇讚，唯論及韓愈之道，東坡則盡其批評之舌，言其好其名而未能樂其實，對韓愈之拒揚，墨、佛、老亦深表不然，故道之難明，可得而知矣，東坡亦曾歎云甚矣道之難明也！論其著者，鄙滯而不通；論其微者，汗漫而不可考。其弊始於昔之儒者，求為聖人之道而無所得，於是務為不可知之文，庶幾乎後世之以我為深知之也。後之儒者，見其難知而不知其空虛無有，以為將有所深造乎道者而自恥其不能，則從而和之曰然。相欺以為高，相習以為深，而聖人之道日以遠矣。⑥

後之儒者，既自恥其未逮，而聖人之道日以遠矣！故東坡建言求道之法曰：

故世之言道者，或即其所見而名之，或莫之見而意之，皆求道之過也。然則道卒不可求歟？蘇子曰：「道可致而不可求。」何謂致？孫武曰：「善戰者致人，不致於人。」孔子曰：「百工居肆以成其事，君子學以致其道。」莫之求而自至，斯以為致也歟？南方多沒人，日與水居也。七歲而能涉，十歲而能浮，十五而能沒矣。夫沒者豈苟然哉！必將有得於水之道者。日與水居，則十五而得其道；生不識水，則雖壯見舟而畏之。故北方之勇者，問於沒人，而求其所以沒，以其言試之河，未有不溺者也。故凡不學而務求道，皆北方之學沒者也。⑦

所謂「道可致而不可求」，即言道不可空求，須持續其生活實踐中，方可獲致，孔子曰：「百工居肆，以成其事，君子學以致其道。」此之謂也，惜乎世俗所云之「道」，或「即其所見而名之」，故泥於個別之跡象，或「莫之見而意之」，故出於主觀之臆測，東坡以「南方多沒人，日與水居也」為喻，正足謂生活實踐於「道可致而不可求」之重要意義。

東坡之文得力於佛老，乃不爭之實也，故所謂道，不拘於儒家之道，唯其不拘於儒道，故能求物之妙而了然於心，待其充然勃鬱，故能了然於口手，故東坡之文與道俱焉，此其貫道說也。

東坡之弟子由，獨拈一「氣」字，亦明其不敢有作文之意也，其上樞密韓太尉書云：

「轍生好爲文，思之至深，以爲文者氣之所形。然文不可學而能，氣不可以養而致。」⑧

時人僅知文可學而能，至於氣，則「雖在父兄，不能以移子弟」⑨，然子由云「文不可學而能，氣可養而致」，何以如是？蓋三蘇皆用力於文字，又皆明不敢有作文之意也；其用力於文字，即明允「兀然端坐，終日以讀之者七八年」之謂；其不敢有作文者，又即明允「不求有言，不得已而言著」之謂，此即蘇門之家學也。

東坡才高，能由文以致道，更能進而因道以成文，用力於文字，則其了然於心者可了然於口手，不敢有作文之意，則其了然於口手者又莫非了然於心之流露也，此境界既非子由之所能，故子由有「文不可以學而能」之謂也。是以神化妙境雖不可學，言語句讀又不屑顧，唯「生好爲文」，未能忘情，故不得不求之於「氣」矣！而稱文乃氣之所形，氣養則文自工焉。

至於子由對氣之闡述，頗多發明，嘗云：

孟子曰：「我善養吾浩然之氣」。今觀其文章，寬厚宏博，充乎天地間，稱其氣之大小。太史公行天下，周覽四海名山大川，與燕趙間豪俊交遊，故其文疏蕩，頗有奇氣。此二子者，豈嘗執筆學爲如此之文哉？其氣充乎其中，而溢乎其貌，動乎其言，而見乎其文，而不自知也。

文中二例，一爲孟子之內在修養，一爲史遷之外在閱歷。內在修養，自內證入，悚然不易；外在閱歷，自外行宜，故有依循之經焉。子由論養氣之法，較重於太史公者，故云：

轍生十有九年矣，其家居所與游者，不過鄰里鄉黨之人；所見不過數百里之間，無高山大野可登覽以自廣；百氏之書雖無所不讀，然皆古人之陳跡，不足以激發其志氣；恐遂汩沒，故決然捨去，求天下奇聞壯觀，以知天地之廣大。過秦漢之故都，恣觀終南嵩華之高，北顧黃河之奔流，慨然想見古之豪傑。至京師，仰觀天子宮闕之壯，與倉廩府庫城池苑囿之富且大，而後知天下之巨麗。見翰林歐陽公，聽其議論之宏辯，觀其容貌之秀偉，與其門人賢士大夫游，而後知天下之文章，聚乎此也。太尉以才略冠天下，天下之所恃以無憂，四夷之所憚以不敢發，人則周公召公，出則方叔召虎，而轍也未之見焉。且夫人之學也，不志其大，雖多而何爲？轍之來也，於山見終南嵩華之高，於水見黃河之大且深，於人見歐陽公，而猶以爲未見太尉也，故願得觀賢人之光耀，聞一言以自壯，然後可以盡天下之大觀而無憾者！⑪

是以養氣之法，有待於豐富之閱歷以激發其氣，進而形諸文氣，故須登高山大野以自廣，故須求天下之奇聞壯觀以知天地之廣。劉彥和歎「江山之助」⑫，不亦此乎！

附註

①見嘉祐集上歐陽內翰第一書。

②見嘉祐集史論上。

③東坡祭龍井辯才文云：「嗚呼！孔、老異門！儒、釋分宮，又於其間，禪律相攻。我見大海，有北南東，江河雖殊，其至則同。」見蘇東坡全集。

④見蘇東坡集虔州崇慶禪院新經藏記。

⑤見蘇東坡集韓愈論。

⑥見蘇東坡集中庸論上。

⑦見蘇東坡集日喩。

⑧見欒城集上樞密韓太尉書。

⑨見昭明文選典論論文。

⑩仝註⑨。

⑪仝註⑨。

⑫文心雕龍物色篇：「若乃山林皐壤，實文思之奧府，略語則闕，詳說則繁。然屈平所以能洞監風騷之情者，抑亦江山之助乎！」

第三節　結語

三蘇文思想之淵源，博大深遠。唯其博大深遠，故能獨創一家之言，各樹一格之見。但純就文之風格言，三蘇父子同受韓愈之影響最深。韓愈答李翊書云：

> 愈之所爲，不自知其至猶未也。雖然；學之二十餘年矣！始者非三代兩漢之書不敢觀，非聖人之志不敢存，處若忘，行若遺，儼乎其若思，茫乎其若迷；當其取於心而注於手也，惟陳言之務去，戛戛乎其難哉！其觀於人，不知其笑之爲非笑也。如是者亦有年，猶不改，然後識古書之眞僞，與雖正而不至焉者，昭昭然白黑分矣。而務去之，乃徐有得也。當其取於心而注於手也，汩汩然來矣。其觀於人也，笑之則以爲喜，譽之則以爲憂，以其猶人之說者存也。如是者亦有年，然後浩乎其沛然矣。
>
> 吾又懼其雜也，迎而距之，平心而察之，其皆醇也，然後肆焉。雖然，不可以不養也，行之乎仁義之途，游之乎詩書之源，無迷其途，無絕其源，終吾身而已矣。
>
> 氣，水也；言浮物也。水大而物之浮者大小畢浮。氣之與言，猶是也。氣盛則言之短長與聲之高下者皆宜。雖如是，其敢自謂幾於成乎？①

又送高閑上人序云：

苟可以寓其巧智，使機應於心，不挫於氣，則神完而守固；雖外物至，不膠於心。堯舜禹湯治天下，養叔治射，庖丁治牛，師曠治音聲，扁鵲治病，僚之於丸，秋之於弈，伯倫之於酒，樂之終身不厭，奚暇外慕！夫外慕徙業者，皆不造其堂，不嚌其胾者也。②

明允上歐陽內翰第一書、上田樞密書，東坡南行集敘、超然臺記、子由上田樞密書，上兩制諸公書，與韓愈上文所論，如出一轍。東坡、子由雖深研佛、老之說，所爲文受釋氏、老、莊思想影嚮甚廣，但觀東坡答畢仲舉書、子由老子解後、子由書傳燈錄後、書金剛經後諸文，仍化佛、老於儒道之中，與韓愈送高閑上人序之思想一致。

附註

①見韓昌黎文集卷十六。

②見韓昌黎文集卷三十四。

第六章　三蘇文之特色

第一節　自成一家之言

玉貴而脆，石賤而堅，寸有所長，尺有所短，物皆有所不足，文恒有其所偏，此理所必然，固無待辭費者。故韓剛歐柔，各有其美，雖在父兄，不能以移其勝。三蘇之文，有其長，或亦有其偏，然此正是蘇文自成一家之言，而爲他家所未逮者也。試觀明允上歐陽內翰書云：

執事之文章，天下之人莫不知之，然竊自以爲，洵知之特深，愈於天下之人。何者？孟子之文，意約而意盡，不爲巉刻斬絕之言，而其鋒不可犯。韓子（愈）之文，如長江大河，渾然流轉，魚黿蛟龍，萬怪惶惑，而抑遏蔽掩，不使自露，而人望見其淵然之光，蒼然之色，亦自畏避，不敢迫視。執事之文，紆餘委備，往復百折，而條達疏暢，無所間斷，氣盡語極，急言竭論，而容與閑易，無艱難勞苦之態。此三者，皆斷然自爲一家之文也。惟李翺之文，其味黯然而長，其光油然而幽，俯仰揖讓，有執事之態；陸贄之文，遣言措意，切近的當，有執事之實。而執事之才，又自有過人者。蓋執事之文，非孟子、韓子之文，而歐陽子之文也。①

在上田樞密書云：

數年來退居山野，自分永棄，與世俗日疏闊，得以大肆其力於文章，詩人之優柔，騷人之精深，孟、韓之溫醇，遷、固之雄剛，孫、吳之簡切，投之所向，無不如意。常以爲董生得聖人之經，其失也流而爲迂，晁錯得聖人之權，其失也流而爲詐；有二子之才而不流者，其惟賈生乎！②

在上述兩段之文中，歷評先秦之詩經，離騷、孫子兵法、吳子、孟子，兩漢之賈誼、董仲舒、晁錯、司馬遷、班固之文，唐代韓愈、陸贄、李翺之文，與同朝代之歐陽文忠之文。強調諸家之文之所以可貴，在於各有其特色。並微指董仲舒、晁錯之差失。其所持論，全在以文論文，特重作家之風格與藝俗特色，不爲「文以載道」之說所囿。至於理學家之迂腐氣，自更不爲蘇家所欣賞也。再觀東坡上曾丞相書云：

軾不佞，自爲學至今，以爲凡學之難者，難於無私；無私之難者，難於通萬物之理；故不通乎萬物之理，雖欲無私不可得也。己好則好之，己惡則惡之；以是自信則惑。是故幽居默處，而觀萬物之變，盡其自然之理，而斷之於中。其所不然者，雖古之所謂賢人之說，亦有不取。雖以此自信，而亦以此自知其不悅於世也。③

子由墨竹賦云：

夫予以所好者道也，放乎竹矣！始予隱乎崇山之陽，廬乎修竹之林，視聽漠然，無槪乎予心。

朝與竹乎爲游，莫與竹乎爲朋。飲食乎竹間，偃息乎竹陰，觀竹之變多矣。若夫風止雨霽，山空日出，猗猗其長，森乎滿谷。葉如翠羽，筠如蒼玉。澹乎自持，淒兮欲滴。蟬鳴鳥噪，人響寂歷。忽依風而長嘯，眇掩冉以終日。筍含籜而將墜，根得土而橫逸。絕澗谷而蔓延，散子孫乎千億。至若叢薄之餘，斤斧所施；山石犖埆，荊棘生之。蹇將抽而莫達，紛既折而猶持。氣雖傷而益壯，身已病而增奇。淒風號怒乎隙穴，飛雪凝沍乎陂池。悲衆木之無賴，雖百圍而莫支。猶復蒼然於既寒之後，凜乎無可憐之姿。追松柏以自偶，竊仁人之所爲。此則竹之所以爲竹也。始也余見而悅之，今也悅之而不自知也。忽乎忘筆之在手與紙之在前，勃然而興，而修竹森然。雖天造之無朕，亦何以異於茲焉。④

東坡在上曾丞相書中強調爲文須「觀萬物之變」、「通萬物之理」，而「斷之於中」之自己見解，「其所不然者，雖古之所謂賢人之說，亦有所不取。」子由在墨竹賦中強調「朝與竹乎爲游，莫與竹乎爲朋，飲食乎竹間，偃息乎竹陰，觀竹之變多矣」，而後「始也余見而悅之，今也悅之而不自知也。忽乎忘筆之在手與紙之在前，勃然而興，而修竹森然，雖天造之無朕，亦何以異於茲焉？」與明允太玄論上所論「言無有善惡也，苟有得乎吾心而言也，則其詞不索而獲」⑤之見解如出一轍。正因爲三蘇文以「得乎吾心」，反對模擬於「時文」，要「自成一家」，要有其作家自身藝術風格之特色，故「自知其不悅於世」也。

第二節　蘇文之特色

後世之論文者，以蘇文之特色有六，茲分述如次：

第一、質而實綺，簡而多姿。

三蘇之文，篇篇古樸精煉，而覺新鮮生動：明允管仲論：

管仲相桓公，霸諸侯，攘夷狄，終其身齊國富強，諸侯不叛。管仲死，豎刁、易牙、開方用，桓公薨於亂，五公子爭立，其禍蔓延，訖簡公齊無寧歲。⑥

全段十一句，僅用五十四字，無多餘之狀詞與虛寫。一句一事，概括管仲一生之功過，可謂字字珠璣，句句貼切。且全段氣勢緊湊，一氣呵成，古樸精煉，生動感人。蘇文短句如此，長句又何獨不然？如衡論養才：

雖古之所謂仁與義與信與廉者不止若是，而天下之人亦不曰是非能人、是非義人、是非信人、是非廉人，此則無諸己而可勉強以到者也。⑦

全段僅三句，而取用五十三字，但讀之只覺其流暢，而不覺其晦澀，只覺其緊湊，而不覺其鬆散。氣劫磅礴，一如前段。東坡潮州韓文公廟碑：

是氣也，寓於尋常之中，而塞乎天地之間。卒然遇之，則王公失其貴，晉、楚失其富，良、平失其智，賁、育失其用，儀、秦失其辯。⑧

與上文明允文中常有排偶之句，但均「高下相傾，自然成對」，而致連類引發，一氣貫注之美，成蘇家散文之特色。如心術篇：

泰山崩於前而色不變，麋鹿興於左而目不瞬。未戰養其材，將戰養其力，既戰養其氣，既挫分其心。

怒不盡則有餘勇，欲不盡則有餘貪。

智則不可測，嚴則不可犯。

知理而後可以舉兵，知勢而後可以加兵，知節而後可以用兵。

知理則不屈，知勢則不沮，知節則不窮。

一忍可以支百勇，一靜可以制百動。

吾之所愛，吾出而用之，彼將不與吾校；吾之所短，吾蔽而置之，彼將強與吾用。⑨

東坡潮州韓文公廟碑：

匹夫而爲百世師，一言而爲天下法。

其生也有自來，其逝也有所爲。

王公失其貴，晉、楚失其富，良、平失其智，賁、育失其勇，儀、秦失其辯。

文起八代之衰，而道濟天下之溺；忠犯人主之怒，而勇奪三軍之帥！

能開衡山之雲，不能回憲宗之惑；能馴鱷魚之暴，而不能弭皇甫鎛李逢吉之謗。⑩

子由武昌九曲亭記：

陂陁蔓延，澗谷深密。

掃葉席草，酌酒相勞，意適忘反。

倚怪石，蔭茂林，俯視大江，仰瞻陵草，旁矚溪谷，風雪變化，林麓向背。

有山可登，有水可浮。

擷林卉，拾澗實。

無愧於中，無責於外。⑪

兩文所用然排偶句，交替互布於散文之中，一如明允之自然天成，「天造之無朕」。

第二　妙喻連篇，窮情盡變。

三蘇之議論文，恒取盡人皆知之自然現象與自然規律，以闡明其理論，故言情達志，特別形象生動，說服力遠勝空洞之說理。如明允諫論下，爲說明人臣「性忠義，不悅賞，不畏罪」而「無不諫者」，有「賞而後諫」者，有「刑而後諫」者，故人臣是否能諫，要在君王以勢趨之，乃作如下生動之比喻：

今有三人焉，一人勇，一人勇怯半，一人怯。有與之臨乎淵谷者，且告之曰：「能跳而越此，謂勇；不然爲怯。」彼勇者恥怯，必跳而越焉。其勇怯半者與怯者則不能也。

又告之曰：「跳而越者與千金，不然則否」。彼勇怯半者奔利，必跳而越焉，其怯者猶未能也。

須臾，顧見猛虎暴然向逼，則怯者不待告，跳而越之如康莊矣。⑫

又如東坡日喻說，為說明學問貴於自得，經世在於歷練，作如下之比喻：

生而眇者不識日，問之有目者。或告之曰：「日之狀如銅盤。」扣盤而得其聲。他日聞鐘，以為日也。或告之曰：「日之光如燭。」捫燭而得其形；他日揣籥，以為日也。』註⑬

以「盲人識日」之妙喻，說明「世之言道者，或即其所見而名之，或莫之見而意之，皆求道之過也」，如此理明義顯，自易使人折服。

再如子由上兩制諸公書，為說明「聖人之道著之六經，後之學者，不循其道，乃以一端之見，自以為己之得之也」，乃作如下之比喻：

聖人之道，譬如山海藪澤之奧，人之入於其中者，莫不皆得其所欲，充足飽滿，各自以為有餘，而無慕乎其外。今天班輸共工，旦而操斧斤以遊其叢林，取其大者以為楹，小者以為桷，圓者以為輪，挺者以為軸，長昔擾雲霓，短者蔽牛馬，大者擁丘陵，小者伏蓁莽，芟夷蹶取，皆自以為盡山林之奇怪矣。而獵夫漁師，結網聚餌，左強弓右毒矢，陸攻則斃，象犀水伏，則執鮫鮀；熊羆虎豹之皮毛，黿龜犀兕之骨革，上盡飛鳥，下及走獸昆蟲之類，紛紛籍籍折翅捩足，鱗鬣委頓，縱橫滿前。肉登鼎俎，膏潤砧几，皮革齒骨，披裂四出，被於器用。求金之工，隨侯夜光，間以類玭磊落，的皪充滿其家，求金之工，輝赫晃蕩，鏗鏘交戛，爲天下冠冕；佩帶飲食之飾，此數者皆自以爲能盡山海之珍，然山海之藏，終滿而莫見其盡。[14]

觀上所舉蘇家父子三人之文，其妙喻能分出其軒輊乎？

第三、用典熟練，徵引貼切：

三蘇之文，不特文詞平易，取喩自然，而其用典之熟練，徵引史事之貼切，可從其間亦段有連用大量，以典代論，以史爲言，毫無堆砌之感，反有雄辯滔滔，氣勢如虹之妙。如明允諫論上列舉五諫之法，每一諫法各舉三個史實以證明之：

觸讋以趙后愛女賢於子，未旋踵而長安君出質；甘羅以杜郵之死詰張唐，而相燕之行有日；趙卒以兩賢王之意語燕，而立歸武臣。此理而諭之也。

子貢以內憂教田常，而齊不得伐魯；武公以麋鹿脅頃襄，而楚不敢圖周；魯連以烹醢懼垣衍，而魏不果帝秦。此勢而禁之也。

田生以萬戶侯啓張卿，而劉繹封；朱建以富貴餌閎孺，而辟陽赦；鄒陽以愛幸悅長君，而梁王釋；此利而誘之也。

蘇秦以牛後羞韓，而惠王按劍太息；范雎以無王恥秦，而昭王長跪請教；酈生以助秦凌漢，而沛公輟洗聽計。此激而怒之也。

蘇代以土偶笑田文；楚人以弓繳感襄王；蒯通以娶婦悟齊相。此隱而諷之也。[15]

上文並不說明何謂「理而諭之」、「勢而禁之」、「利而誘之」、「激而怒之」、「隱而諷之」。亦無說明何以用五諫，則能「使君必納諫」。但一看所舉史實，便知何謂「理而諭之」、「勢而禁之」、「利而誘之」、「激而怒之」、「隱而諷之」之義矣。亦因之而知何以五諫能「使君必納諫」之由矣。

東坡之文，如范文正公文集序：

古之君子，如伊尹、太公、管仲、樂毅之流，其王霸之略，皆定於畎畝之中，非仕而後學者也。淮陰侯見高帝於漢中，論劉、項之短長，盡取三秦，如指諸掌，及佐帝定天下，漢中之言，無一不酬者。諸葛孔明臥草廬中，與先生策曹操、孫權，規取劉璋，因蜀之資，以爭天下，終身不易其言。⑯

上文用一連串衆所皆知之史事，以說明范文正公「在天聖中，居太夫人憂，則已有憂天下致太平之意。故爲書萬言，以遺宰相，天下傳誦。至用爲將，擢爲執政，考其平生所爲，無出此書者」，故能使「天下信其誠，爭師尊之。」

韓文公廟碑：

孟子曰：「吾善養吾浩然之氣。」是氣也，寓於尋常之中，塞乎天地之間。卒然遇之，則王公失其貴，晉、楚失其富，良、平失其智，賁、育失其勇，儀、秦失其辯。⑰

以此有如串珠之筆，以引起下文，如：

自東漢以來，道弊文喪，異端並起，歷唐貞觀，開元之盛，輔以房、杜、姚，宋而不能救。獨韓文公起布衣，談笑而麾之，天下靡然從公，復歸於正，蓋三百年矣。文起八代之衰，而道濟天下之溺；忠犯人主之怒，而勇奪三軍之帥。⑱

由於上文之史事，足以說明韓文公「匹夫而爲百世師，一言而爲天下法。是皆有以參天地之化，關盛衰之運，浩然而獨存。」故能「廟食百世」也。與明允諫論上所引史事同是有力之筆！明允、東坡如是，子由亦何嘗不如是。如子由新論三首：

新論上：

先之齊桓用管仲，辨四民之業，連五家之兵，卒伍整於里，軍旅整於郊，相地而征，山林川澤各致其時；陵阜陸墐，各均其宜，邑鄉縣屬，各立其正，舉齊國之地，如書一之可數，於是北伐山戎，南伐楚，九合諸侯，存刑、衛、定魯之社稷，西尊周室，施義於天下，天下稱伯。晉文反國，屬其百官，賦職任功，輕關易道，通商寬農，懋穡勸分，省財足用，利器明德，舉善援能，政平民阜，財用不匱，然後入定襄王，救宋、衛，大敗荊人於城濮，追齊桓之烈，天下稱之曰二伯。其後，子產用之於鄭，大夫種用之於越，商鞅用之於秦，諸葛亮孔明用之於蜀，王猛用之於苻堅，而其國皆以富強，是數人者雖其施之不同，而其所以爲地一也。⑲

新論中：

首文王之法岐也，耕田九一，故周公因之，建爲步畝溝洫之制。何者？其所以因者治世之成法也。孔子之治魯也，魯人獵較，孔子亦獵較。何者？其所以因者衰世之餘制也。當戰國之強，諸侯無道，然孟子亦以爲有王者起。今之諸侯不可盡誅，惟教之不改，而後誅之。故漢之興也，因秦之故，而不害其爲漢，唐之興也，因隋之故，而不害其爲唐。⑳

新論下：

周公之治周也，修其井田，封建百辟，可得而知也，其所以使天下歸周者，不可得而知也。孔子之治魯也，隳其三都，誅其亂政，可得而知也，其所以使羔豚不飾賈，男女別於道者，不可得而知也。孟子之所以治郲者，正其疆界，五口之家桑麻雞豚必具，可得而知也，其所以使之至於王者，不可得而知也。㉑

新論三篇，上篇列舉史實，以說明宋室「祖宗之法具存而不舉，百姓之患略備而未極，賢人君子不知尤其地之不立，而罪其所施之不當，種之不生，而不知其無容種之地也。」而使人君知「其地立而天下定矣。」中篇列舉「有地而可以有容，有所爲者舉而就之可也」之史實，以說明「當今之事，祖宗之法或具存而不舉，或簡略而不備，具存而不舉，是有地而不耕也，簡略而不備，是地有所廢缺而不究也。欲築室者先治其基，基完以平，而後加木石焉，故其爲室也堅」之理，以使人君知「當今天下有三不立，由三不立，故百患並起，而百善並廢。何者？天下之吏媮隳苟且，不治其事，事己日敗，而上不知使，是一不立也。天下之兵驕脆無用，召募日廣，而臨事不獲其力，是二不立也。天下之財出有限，而用之無極，爲國百年而不能以富；是三不立也」之弊，而「立爲治之地……爲擇所以施也。」

新論下續舉「天下之未治也，患三事之不立，苟其既立，則患其無以施之。蓋君子爲國，正其綱紀，治其法度，皆可得而知也。惟其所以施之，則不可得而知」之史實。以說明「治國之地，聖人無之，不得以施其聖」，使人君能「立其爲治之地……則身修而天下可化。」以上三論，徵引史例類舉分明，次序井井，絕不亞於乃父乃兄之高妙也。

第四、開闔抑揚，氣勢磅礴：

劉大櫆嘗謂三蘇之文「出入起伏，縱橫如志，甚雄而暢。」「風雨馳驟，極揮斥之致。」㉒茅坤謂三蘇之文「崛起蜀徼，其學本申韓，而其行文雜出於荀卿、孟軻，戰國策諸家。」㉓戰國散文，感情充沛，開闔抑揚，氣勢磅礴。如明允項籍論開門見山謂：「項籍有取天下之才，而無取天下之慮；曹操有取天下之慮，而無取天下之量；劉備有取天下之量，而無取天下之才。故三人者終其身而無成焉。」㉔全文之旨在論證「項籍有取天下之才，而無取天下之慮。」而論證項籍不直搗咸陽之失策，卻以曹操、劉備爲襯托，一開始即造成強大之聲勢。繼以「地有所不取，城有所不攻，勝有所不就，敗有所不避」之作戰原則，指出項籍不乘勝直趨咸陽，「而區區與一秦將爭一旦之命」，使劉邦得失入關中，如此「天下之勢在漢不在楚，雖百戰百勝尚何益哉」之局遂定。以上所言是指項籍直趨咸陽之必要性。有其可能乎？項籍「必能入秦」乎？明允復從章邯輕敵，亡秦守關不如劉邦守關，劉邦攻關。不如項籍攻關等三方面作肯定之回答。「或曰：秦可入矣，如救趙何？」明允以虎方捕鹿，羆搏虎子，虎必回救之，喻與圍魏救趙之戰例，證明直搗咸陽，必能解趙之圍。經此曲折分析，已充分證明項籍不直趨咸陽之失策，行文至此本可結束，但又奇峯突起，轉出「諸葛孔明棄荊州而就西蜀，吾知其無能爲也」問題，從側面再次證明項籍不直趨咸陽之失策。明允一面提出問題，一面分析問題，文中復大量使用排比句，成開闔抑揚，雄辯磅礴之勢，讀之益人神智。

東坡之教戰守策、留侯論，潮州韓文公廟碑等，亦一開始便點出全文中心之旨，架空行危，而後輾轉曲折，一如明允之文「大雲之出於山，忽布無方，倏散無餘，如大川之滔滔，東至於海源。」㉕令人激賞。

第五　婉轉含蓄，雋永有味

三蘇之小品，往往內涵豐富，婉轉紆餘，雋永有味。如明允木假山記劈頭即謂：

木之生或蘗而殤，或拱而夭；幸而至於任爲棟樑則伐。不幸而爲風之所拔，水之所漂，或破折，或腐；幸而得不破折，不腐，則爲人之所材，而有斧斤之患。其最幸者漂沈汩没于湍沙之間，不知其幾百年，而其激射齧食之餘，或髣髴於山者，則爲好事者取去，強之以爲山，然後可以脫泥沙而遠斧斤。而荒江之濆如此者，幾何不爲好事者所見？而爲樵夫野人所薪者，何可勝數？則其最幸者之中，又有不幸者焉。㉖

觀此段可知作者一開始即借物興懷，以洩其胸中塊壘。蓋明允本是「田野匹夫，名姓不登於州閭」；雖曾「僥倖於陛下之科舉，有司以爲不肖，輒以擯落」；若無歐陽修諸人之推挽，亦難名聞於朝廷。

木假山能否爲「好事者取去」而供之堂上，個人能否嶄然見頭角而名留青史。誠諸多之偶然因素，「不爲好事所見，而爲樵夫野人所薪者，何可勝數？」其感慨之深，可以想見。本文之後一部分以其家所蓄之木假山三峯，暗寓其父子三人之「凜然不可犯」、「巍然無阿附意」之崇高人格：

> 中峯魁岸踞肆，意氣端重，若有以服其旁之二峯；二峯者莊栗刻削，凜乎不可犯，雖其勢服於中峯，而岌然無阿附意。㉗

二蘇一生遭遇，雖數經艱困，甚至垂老投荒，仍始終「無阿附意」，蘇家子弟「莊栗刻峭」「意氣端重」之遺風，歷久而彌新，此所以使人讀其文，而覺回味無窮也。

東坡方山子傳：

> 方山子、光、黃間隱人也。少時慕朱家、郭解爲人，閭里之俠皆宗之。稍壯，折節讀書，欲以此馳騁當世，然終不遇。晚乃遯於光、黃間，曰岐亭。庵居蔬食，不與世相聞。棄車馬，毀冠服，徒步往來山中，人莫識也。見其所著帽，方屋而高，曰：「此豈古方山冠之遺像乎！」因謂之方山子。」㉘

頭段故意神秘方山子其人，並隱諷北宋朝廷未能人盡其材，材盡其用之失政。讀之，令人不覺扼腕嗟嘆中，又急欲續讀下文，以揭曉方山子之眞面目爲快。

> 余謫居於黃，過岐亭，適見焉。曰：「嗚呼！此吾故人陳慥季常也。何爲而在此？」方山子亦矍然問余所以至此者。余告之故，俯而不答，仰而笑，呼余宿其家，環堵蕭然，而妻子奴婢皆

有自得之意，余既聳而異之。獨念方山子少時，使財如糞土，前十有九年，余在岐下，見方山子從兩騎，挾二矢，遊西山，鵲起於前，使騎逐而射之，不獲？方山子怒馬獨出，一發得之，因與余馬上論兵，及古今成敗，自謂一時豪士。今幾日耳？精悍之色，猶見於眉間，而豈山中之人哉？㉙

次段始驀然點出方山子乃作者故人陳慥季常，使人有奇峯突起之快感！寫方山子遊俠之氣，則令人鬚眉欲動；馬上論兵，暗指朝廷不崇尚武勇，頹風瀰漫，更不禁有英雄氣短之慨！

然方山子世有勳閥，曾得官，使從事於其間，今已顯聞。而其家在洛陽，園宅壯麗，與公侯等。河北有田，歲得帛千匹，亦足以富樂。皆棄不取，獨來窮山中，此豈無得而焉哉！㉚

第三段以方山子視富貴如浮雲，棄爵祿如敝屣，往來窮山之中，悠然自得其樂。此莊子所以寧爲孤豚，而不爲衣繡郊祭之犧牛；不爲巾笥藏廟堂之神龜，寧爲曳尾於塗中之生龜也。最後以：

「余聞光、黃間多異人，往往陽狂垢污，不可得而見。方山子儻見之與」短短四句收結，大有「松下問童子，言師採藥去；只在此山中，雲深不知處」之妙境，讀之，只覺雋永有味，令人神往不已。

至於子由東軒記、墨竹賦亦均富有莊子神趣，細翫之，益人神智。

第六　文論近歐，文風獨異：

北宋散文運動自歐陽修以主典貢舉之力，對「時士尚爲險怪奇澀之文；……皆黜。」㉛，始使文風丕變。但歐陽修「道與事功並重，內容與辭采兼顧」之散文主張：

1.「道勝者，文不難而自至也。」㉜

2.「中充實則發爲文者輝光。」㉝

3.「修之於身，施之於事，見之於言，是三者故以能不朽也」，「施於事矣，不見於言可也。」否則，「勤一世以盡心於文字之間者，皆可悲也。」㉞

4.君子之所學也，言以載事，而文以飾言。事信言文，乃能表現於後世。」㉟

至曾鞏、王安石，雖承繼其學，但其爲文之觀點，則各有不同。曾鞏散文主張重道而輕辭章，與道學家相近，渠於答李沿書云：

足下之書，始所云者欲至乎道也，而所質者則辭也，無乃務其淺，忘其深；當急者，反徐之歟？夫道之大歸，非也，欲其得諸心；充諸身，擴而被之國家天下而已，非汲汲乎辭也。㊱

王安石爲文則主張重事功，而輕文辭，渠在上人書中曾設喻云：

所謂文者，務有補於世而已；所謂辭者，猶器之有刻鏤繪畫也。誠使巧且華，不必適用；誠使適用，不必巧且華。要之，以適用爲本，以刻鏤繪畫爲之容而已矣。不適用，非所以爲器也；不爲之容，其亦若是乎？否也。㊲

在與祖無擇書中更明言：「治教政令，聖人之謂文也。」與「文以載道」之說相近。

三蘇爲文則主張「道在吾心」，只要「得乎吾心，則其辭可不索而獲。」但三蘇之所謂道是指儒道，而非當時道學家。明允史論上云：「雖然經以道法勝，史以事詞勝。經不得史，無以證其褒貶；史不得經，無以酌其輕重。」諫論上云：「仲尼之說，純乎經者也；吾之說參乎權而歸乎經者也。……是以龍逢、比干，吾取其心，不得其術；蘇秦、張儀，吾取其術，不取其心。」強調（經）與詞（史）之不可失衡，心與術之不可偏廢；東坡策略總敘云：

戰國之際，其言語文章，雖不能盡通於聖人，而皆卓然盡於可用，出其意之所謂誠然者。自漢以來，世之儒者忘己以徇人，務爲射策決科之學，其言雖不叛於聖人，而皆泛濫於辭章，不適於用。臣嘗以爲鼂、董、公孫之流，皆有科舉之累，故言有浮意，而意有不盡於言。……而天下之士，方且掇拾三代之遺文，補葺漢、唐之故事，以爲區區之論，可以濟世，不已疏乎！[38]

東坡稱讚戰國之文，「雖不能盡通於聖人」，但其可貴，在於「卓然盡於可用」；而嘲諷「世之儒者，忘己徇人……泛濫於辭章，不適於用。」父子二人與歐陽修「道與事功並重；內容與辭采兼顧」之文論，大抵相同。但其文風則與歐迥異，蓋前者文道並重，而後者則較恣肆於文，唯其如此，故能開拓其至大無窮之域者也。

第三節　結語

總之，在純文藝觀點論蘇文者，以爲蘇文之長有如下三點：

1. 文辭平易而流暢，易師易法。
2. 立論閎肆，架空行危，益人神智。
3. 識見深遠，文行一致，感人深刻。故三蘇之文，若論於波瀾壯闊處，足能氣吞山嶽、胸藏海宇；說理圓活處，但覺妙喻橫生，玉盤珠走；辭辯閎偉處，有似游龍夭矯，飛舞天際；委婉幽約處，有似水風斜度，令人神往；筆致細膩處，恍如煙光花氣，若有若無；恣情今古，放懷天地，蕭洒脫略，超然塵表，眞古今未有之大文章家也。前人讚東坡挾天下之才，縱汪洋之筆，有如「以燈取影，橫見側出，逆來順往，各相乘除。」㊴東坡如此，明允、子由又何獨不然？

在「文以載道」之觀點論蘇文者，以爲蘇文之偏亦有如下三點：

1. 論事輒挾縱橫，非儒家正道，甚或謂之爲雜學。
2. 才氣橫逸，往往信手成文，後世文家或有譏之爲泛筆者。
3. 敘事記狀，鹿門謂其不得太史公法門。

但此三點，如以純文藝立場觀之：論事輒挾縱橫，此正蘇文所以獨擅設喻醒意，而又飄忽變滅之入神也。唯其才氣橫逸，所以能「如萬斛源泉，隨地而出，行乎其所不得不行，止乎其所不得不止。」非如世之華士未知搦管，勉爲塗鴉，滿紙斧鑿之痕，連篇堆砌之語，味之生厭。若夫敘事記狀不得太史公法門，亦不得謂之正評。閻百詩云：「文之談理而達者，無如莊子；論事而達者，無如國策。後之作者能兼顧二書之勝，無如蘇長公。自韓昌黎振累代之衰，力去浮漫，以爲奇怪。然其句琢字鍊，猶在虛實之間，至學歐學韓而益暢之，並去雕刻，而務出於平易，又一變焉。長公後出，與歐同出於用虛，而筆力豪橫，倏忽變化，後有作者無以復變，亦無復能逮矣。」㊵東坡如是，明允、子由亦如是也。

附註

①見嘉祐集。
②同①。
③見蘇東坡全集。
④見欒城集。
⑤同①。
⑥同①。
⑦同①。
⑧同③。
⑨同①。
⑩同①。
⑪同④。
⑫同①。

⑬同③。
⑭同④。
⑮同①。
⑯同③。
⑰同③。
⑱同③。
⑲同④。
⑳同④。
㉑同④。
㉒見海峯文集。
㉓見唐宋八大家文鈔。
㉔同①。
㉕見樂全集。
㉖同①。
㉗同①。
㉘同③。
㉙同③。
㉚同③。

㉛見宋史歐陽修傳。
㉜見歐陽文忠公集
㉝同㉜。
㉞同㉜。
㉟同㉜。
㊱見元豐類稿。
㊲見王臨川全集。
㊳見蘇東坡全集。
㊴見唐宋八大家文鈔。
㊵見潛丘箚記。

第七章　後世學者對三蘇文之評價

唐宋八家之文，灝灝如長江之流者，韓愈之文也；嶄巖峻整，渺不可攀者，柳宗元之文也；和風麗日，湖光山色宜人者，歐陽修之文也。其他王安石、曾鞏諸家各有擅勝，惟三蘇之文，兼具諸家之長，平易而易爲力，故古來文家，對三蘇之文評論獨多，嘉言褒語，無累千百，茲擇其有代表者，節述如次。

第一節　有關於明允者

㈠歐陽修薦布衣蘇洵狀稱：

其議論精於物理，而善識變權，文章不爲空言，而期於有用。其所撰權書、論衡、機策二十二篇，辭辯閎偉，博於古而宜於今，實有用之言非特能之士也。①

㈡歐陽修故霸州文字縣主簿趙郡蘇明允墓誌銘並序稱：

君之文博辯宏偉，讀者悚然，想見其爲人。既見溫溫，似不能言，及即之與居，愈久而愈可愛，間而出其所有，愈叩而愈無窮。………下筆頃刻數千言，其縱橫上下，出入馳驟，必造成深微而後止。②

㈢曾鞏蘇明允哀詞稱：

蓋少或百字，多或千言，其指事析理，引物託諭，侈能盡之斂，遠能見之近，大能使之微，小能使之著，煩能不亂，肆能不流，其雄壯俊偉，若挾江河而下也，其輝光明白，若引星辰而上也。③

㈣宋史文苑蘇洵傳：

通六經百家之說，下筆頃刻數千言，至和、嘉祐間歐陽修上其所著書二十二篇，既出，士大夫爭傳一時，學者競效蘇氏爲文章。④

㈤張方平老蘇先生墓表稱：

聽其言，知其博物洽聞矣，既而得其所著權書，論衡讀之，如大雲之出於山，忽布無方，倏散無餘，如大川之滔滔東注於海源也，左丘明國語，司馬遷史記善敘事，賈誼之明王道，君兼之矣。⑤

㈥明儒吳興凌濛初稱：

老泉槖籥子瞻，驗子瞻之火候於老泉，庶得窺其一斑耳。⑥

㈦明茅坤評其上皇帝書一文曰：

此書反覆數千言，如抽繭中之絲，段段有情緒可愛，而中間指陳時政處，又往往深中宋嘉祐閒事，宜老泉一生文章政事，略見於此矣。⑦

(八)茅坤又在其任茅一桂校刋老泉文集序云：

蘇文公崛起蜀徼，其學本申韓，而行文雜出於荀卿、孟軻及戰國策諸家，不敢謂得古六藝之遺。然其鑱畫之議，幽情之思，博大之識，奇崛之氣，非近代儒生所及。要之，韓、歐而下與諸名家相爲表裏，及其二子繼響，嘉祐之文，西漢同風矣。⑧

附註

①見歐陽修全集故霸州文安縣主簿趙郡蘇明允墓誌銘並序。
②同①。
③見元豐類稿蘇明允哀詞。
④見宋史文苑蘇洵傳。
⑤見樂全集老蘇墓表。
⑥見凌濛初刋本蘇老泉文集。
⑦見明刋本合刻三蘇先生文集老泉文集茅一桂校刋本。
⑧同⑦。

第二節　有關於東坡者

㈠孝宗文集敘贊：

蘇軾忠言讜論，立朝大節，一時廷臣無出其右，負其豪氣，志在行其所學，放浪嶺海，文不少衰，力斡造化，元氣淋漓，窮理盡性，貫通天人，山川風雲，草木華實，千彙萬狀，可喜可愕，有感於中，一寓於文，雄視百代，自作一家，渾涵光芒，至是而大成矣。朕萬幾餘暇，紬繹詩書，他人之文，或得或失，多所取舍，至於軾所著，讀之終日亹亹忘倦，常寘左右，以爲矜式，信可謂一代文章之宗也歟！①又贊云：

成一代之文章，必能立天下之大節，非其氣足以塞天地者未之能焉。誥辭云：

「尊其氣以剛大，尊所聞而高明。博觀載籍之傳，幾海涵而地負，又觀表啓諸作，殆玉玉振而金聲。知言自況於孟軻，論事肯卑於陸贄。方嘉祐全盛，嘗膺特起之詔，至熙寧紛更，乃陳長治之策，歎異人之間出，驚讒口之中傷，放浪嶺海而如在朝廷，斟酌古今而若斡造化。不可奪者浩然之節；莫之致者自然之名。經綸不究於生前，議論常公於身後，人傳元祐之學，家有眉山之書。②

㈡蘇文忠公贈太師制：

博觀載籍之傳，幾海涵而地負；遠追正始之作，殆玉振而金聲。知言自況於孟軻；論事肯卑於陸贄！③

㈢燕石齋補語林稱：

歐陽公稱蘇氏父子曰：「自學者變格爲文，迨今三十年，始得子瞻。不惟遲久而後獲寶，恐此後未有能繼者爾。」④

㈣潘子眞詩話稱：

大蘇之文，即如政敵王荊公亦極爲贊賞云云。據謂：東坡作表忠觀碑，荊公置坐隅。有客問曰：「相公亦喜斯人之作否?」公曰：「斯文絕似西漢。」坐客歡賞不已。公笑曰：「西漢誰文可擬?」坐客或比以司馬遷、揚雄之流。公曰：「相如子虛、大人洎諭蜀文封禪書耳。（此處疑有脫字）揚雄著太玄、法言以準易、論，未見其敍事曲瞻如此。直須與子長馳騁上下，如漢以來諸侯王年表。」⑤

㈤明儒李紹云：

公爲人英傑奇偉，善議論，有氣節。其爲文章，才落筆四海已皆傳誦，下至閭巷田里，外及夷狄，莫不知名。其盛蓋當時所未有，其文名蓋與韓、柳、歐、曾、王氏齊驅而並稱，信如天之星斗，地之山嶽，人所快見而欽仰者。⑥

㈥明儒楊四知云：

蓋其氣節素定，故能雄視百代，冠冕當時，馳騁賈、馬，頡頏韓、柳，渾涵光芒，非襲取也。⑦

㈦明儒焦竑謂：

蘇子瞻氏少而能文，以賈誼、陸贄自命，已從武人王彭遊，得竺乾語而好之，久之心凝形釋，悟無思無僞之宗，慨然嘆曰：「三藏十二部之文皆易理也。自是橫口所發，皆爲文章，肆筆而書，無非道妙，神奇出之淺易，纖穠寓於澹泊，讀者人人以爲己之所欲言，而人人之所不能言也。」⑧

㈧明儒茅維云：

長公之文，猶夫雲霞在天，江河在地，日遇之而日新，家取之而家足，若無意而意合，若無法而法隨，其亢不迫，其隱無諱，澹而腴，淺而蓄，奇不詭而正，激不乖於和，虛者有實功，汎者有專詣，殆無位而據隆中之抱，無史而畢龍門之長，至乃羈愁瀕死之際，而居然樂香山之適，享黔婁之康，偕柴桑之隱也者，豈文士能乎哉？⑨

㈨王鞏甲申雜記云：

天下之公論，雖仇怨不能奪也。李承之奉世知南京，嘗謂予曰：「昨在侍從班時，李定資深於崇政殿門，忽謂諸人曰：『蘇軾誠奇才也。』衆莫敢對。已而曰：『雖二三十年所作文字詩句，引證經傳，隨問即答，無一字差舛，誠天下之奇才也。』」歎息不能已。⑩

㈩神宗答近臣云：

白有軾之才，無軾之學。贊大蘇詩有勝於李白者，其實文亦如此。⑪

附註

①見嘉樂齋選評三蘇文範。明楊愼編袁宏評釋。明天啓壬戌二年刋本。

②見明天啓壬戌二年刋本。

③同②。

④見燕石齋補語林。

⑤見潘子眞詩話。

⑥見明成化四年重刋蘇文忠公文集。

⑦見萬曆二十七年宋蘇文忠公選集刋本。

⑧見萬曆三十四年茅刻蘇文忠公文集。

⑨同⑧。

⑩見王鞏甲申雜記。

⑪見陳巖肖庚溪詩話。

第三節　有關於子由者

㈠王珩欒城集序：

文定之文與詩，又素稱沖雅，不事豔麗。①

㈡劉大謨云：

文定者天性高明，資稟渾厚，既有父文安以爲之師，又有兄文忠以爲之友，故其文章遂成大家，議者謂其汪洋澹泊，深醇溫粹似其爲人，文忠亦嘗稱之，以爲實勝於己，信不誣也。②

㈢李廌師友談記謂：

國朝試科，初在八月中旬，適轍病，恐不及試。相國韓魏公知之，輒奏上曰：「今歲召制科三士，惟蘇軾、蘇轍最有聲望，今聞蘇轍病未可試。如此人兄弟不得就試，甚失衆望。」欲展限以候，上許之。魏公並數使人問安否。既問痊安，方引試。其爲人深慕如此。③

㈣陳後山次韻黃樓詩：

一代蘇長公，四海名未已；少公作長句，班馬安得擬？④

㈤蘇文定公謚議云：

惟公挺生西蜀……以補子長雜亂殘缺之失。⑤

附註

①見王玠欒城集序。
②見嘉樂齋選評註三蘇文範。
③見師友談記。
④見后山集。
⑤見欒城集卷首。

第四節　結語

明允橐籥子瞻、子由，子瞻、子由統宗於明允，二子之成就，幾奪明允之席。然無明允之才之學，固不足以發子瞻、子由，無子瞻、子由之才之藝，亦自不足以傳明允之學，必欲從三蘇中軒此輊彼，是猶吹毛以求疵，畫蛇而添足也。

楊升菴曰：

評三蘇文者，以奇崛評文安；以雄偉評文忠；以疏宕評文定。又謂子得之父，弟受之兄，而不知三賢之文，其致一也：奇正相生，冥明互藏，虛實代投，疾徐錯行，歧合迭乘，順逆旋宮，方圓遞施，有無相君，倘亦五行之無常勝邪，四時之無常位邪，而其變又如神無跡而水無創邪？眉陽氏之文也，又以爲非眉陽氏之文而漢以上之文也。雖奇偉疏宕名之也可，雖不以奇偉疏宕名之也可。①

楊東里曰：

高山巨川，巉巖萬狀，浩漫千頃，可望而不可竟者，蘇之大也；名園曲檻，繞翠環碧，十步一停，百步一止，而不欲去者，蘇之細也；疏雨微雲啜清茗，白雲濃淡總相宜者，蘇之閒雅也；風清烟樹，曉夕百變，剡巒夷曲，轉入轉佳，令人驚顧錯愕而莫可控揣者，蘇之奇怪也。知此而三蘇之品定矣。②

羅一峯曰：

眉陽三蘇，歐陽公首推轂之，一日而父子名重朝野。由其氣之弘毅，文之卓越，所以當世稱之，後世傳之。至其父之重子，子之重父，父子交相重，讀其書，凝心澄慮，以神會神，於是書始有所得云。③

孫月峯曰：

戰國之言，非縱橫則名法，于先王之仁義道德禮樂刑政無當焉，而其文終古不廢者，以其雄博高逸之氣，紆回峭拔之情，常存於天地之間也。有文於此，能全持其雄博高逸之氣。紆回拔峭之情，以出入於仁義道德禮樂刑政之中，取不窮而用不敝，體屢遷而物多姿者，其惟三蘇乎！

陶石簣曰：④

三蘇文自然驚天動地，世人只以文章稱之，不知文章直彼餘事耳。未有其人不能卓立，而文章垂不朽者，固其篇中洪鐘大呂，大扣大鳴，小叩小鳴，俱係彼精神骨髓所在，平生心事，宛然如見，若對三蘇披襟面語，朝夕共遊也，今舉業家置之案頭，初場二場三場畢具矣。⑤

總觀以上五家之論，可知三蘇文章「家傳學脈之正，父子兄弟並有巍然之節，浩然之氣在，故理溢於文，鮮澄爽澈，敻雙秦漢以來作者，」實集「莊之幻，馬之竅，陶之逸，白之超」之大成⑥。亦因「能持其雄博高逸之氣，紆回峭拔之情，以出入於仁義道德禮樂刑政之中，取不能而用不敝，體委遷而物多姿」⑦，而使其如長河不廢，萬古長流。噫嘻！誠乃「一門父子三詞客，千古文章八大家」也。⑧

附註

①見嘉樂齋選評註三蘇文範。
②同①。
③同①。
④同①。

⑤同①。
⑥同①。
⑦同①。
⑧見龍眠聯選長泰戴方伯憬題三蘇祠聯。

第八章　三蘇文之影響

第一節　三蘇文雄視千秋

六朝盛行駢四儷六之文體，矯揉造作，徒工塗飾，正當之意思與情緒，反置之其次，故爲文家所攻擊。駢儷之文，非盡無文學價值，其作之美者，亦妙絕時人。顧此類文章，只宜於少數才學過人之士爲之，非一般士子所樂接受，故散文運動（散文運動實即復歸自然運動）應時而生，當大衆爲駢文之陳腐與其無謂之桎梏所苦之際，韓愈登高一呼，萬山響應，散文運動便告成立。

惟駢文之根基已固，除有志於不朽之業之文家，時人仍以駢體爲文。寖及五代，文風益靡，宋初「西崑派」諸作家，亦沿襲此通行之大路，而不光顧「散文之門」。自石介「怪說」一文出，以其十足之「黑旋風」式作風，韓愈式之熱情與技倆，大聲攻擊西崑、柳開、穆修、宋祁、祖無擇、李覯、尹師魯、蘇舜欽相繼而起，力宗散文，非韓、柳之言不道。惟柳、穆之徒，學詣未醇，才具不足，追逐險怪奇澀，仍難脫西崑體窠臼，歐陽修嘗書「宵寐匪禎札闥洪庥」以嘲宋祁好用奇僻之字。並向明允稱尹師魯、石介之文「意常有所未足。」意即指其文章生澀不自然也。歐陽修以文學泰斗之尊，出而力倡之，猶阻力橫生，若非親知貢舉，排除萬難，盡黜奇澀之文，二蘇、曾鞏不得出，則散文運動恐又將功虧一簣。據宋史歐陽修傳：

> 知嘉祐二年貢舉，時士子尚爲險怪奇澀之文，號太學體。修痛排抑之，凡如是者輒黜。畢事，向之囂薄者，伺修出，聚譟於馬首，街邏不能制，然場屋之習，從此遂變。①

可見當時對歐公所倡「道勝者，文不難而自至也。」②「中充實則發爲文者耀光」③之平易流暢之文，反對之烈。然此一運動得以雄烈之開展，而終成宋代散文之復興，實歸功於眉山蘇氏父子三人。東坡嘗言：

> 文章之任，亦在名世之士，相與主盟，則其道不墜。方今太平之盛，文士輩出，要使一時之文，有以宗主。昔歐陽文忠公嘗以是任付與某，故不敢不勉。異時文章盟主，責在諸君，亦如文忠公之付授也。④

從東坡上述之言，可知歐陽修對其期望之殷，而東坡亦樂於自任之重矣。

曹子桓云：「文章經國之大業，不朽之盛事。」若三蘇父子者，可謂開一代之文運，立不朽之事業矣。古來大文家，奚啻千百？顧父子同以文名家者，除魏武外厥惟蘇氏一門而已。魏武一世之雄，橫槊賦詩，晝治軍，夜治文，平原兄弟，克紹箕裘，海內文士，萃於魏國，遂成建安文學之巨流。然此固當路者易爲之豪耳。若蘇氏父子，一介平民，崛起於西裔，卒能卓然大家，而規模之壯，影響之大，又豈建安諸子所可相擬哉？建安諸子缺乏崇高之理想，偉大之氣節，故所爲文或「理不勝辭」

，或「和而不壯」，或「壯而不密」，或「有逸氣而不遒」，或「因體弱而不振」，寖成魏晉纖巧之文學，而終歸於式微。

若夫三蘇父子，氣節卓偉，風骨岸然，建安諸子有知當悚愧無地。據明允寄梅堯臣書云：

自思少年時，嘗舉茂才，夜起裹飯攜餅，待曉東華門外，逐隊而入，屈膝就席，俯首就案，其後每思至此，即為寒心。⑤

此老節概，足使懦夫振志。又據春渚紀聞載：

初奏上，舒亶之徒，力詆上前，必欲置之死地，而裕陵初無深罪之意。密遣小黃門至獄視某起居狀。適某晝寢，鼻息如雷，即馳以聞，裕陵顧謂左右曰：「朕知蘇軾胸中無事。」於是有黃州之命。⑥

龍川別志載：

君實作相，議改役法，事多不便。予兄子瞻與其事，持論甚勁，君實不能堪。子瞻徐曰：「昔親聞相公言：與韓魏公言義勇，無一言假借之者，今日作相而不容某一言，豈忘昔日事邪？」

東坡此種臨危不懼，遇理力爭，胸次灑然之風節，能不使鄙夫寬，薄夫敦乎？明允、東坡如是，子由亦如是也。試讀其乞誅竄惠卿狀稱：

近日言事之官，論奏姦邪，至於鄧綰、李定之徒，微細畢舉，而不及惠卿者，蓋其凶悍殘忍如蝮蝎，萬一復用，睚眥必報，是以言者未敢輕發，臣愚蠢寡慮，以為備位言責，與元惡同時，而畏避隱忍，辜負朝廷，是以不憚死亡，獻此愚直。⑦筆下秋霜烈日，足以振君子正氣，落姦人之膽。三蘇父子，能立天下之大節，故能成一代之文章，雄視千秋，光極八表。而蘇門六君子：黃庭堅、秦觀、晁補之、張耒、陳師道、李廌等，師承有自，不特長於文，精於詞，而其高介有節，安貧樂道，一如三蘇之爲人焉，更非建安諸子之可望而及，因能鼓舞文風，代有名賢，使散文運動直至清季而不少衰，甚至外國之歷代文學家亦以效法。蘇文蔚而成風，影響之深遠，洵曠古所未有也。

附註

①見宋史歐陽修傳。
②見歐陽修答吳充秀才書。
③見歐陽修答祖無擇書。
④見師友談記。
⑤見嘉祐集寄梅堯臣書。
⑥見春渚紀聞。
⑦見龍川別志。

⑧見欒城集乞追竄呂惠卿狀。

第二節　蘇門六君子對當時文壇之影響

一、黃庭堅

黃庭堅，字魯直，洪州分寧人。「幼警悟，讀書數遍輒成誦。」①據道山清話記載：

黃庭堅年五歲已誦五經，一日問其師曰：「人言六經，何獨讀五經？」師曰：「春秋不足讀。」庭堅曰：「是何言也？」即曰：「經何得不讀？」十日成誦，無一字遺。②

七歲能詩。治平丙午赴鄉舉，詩題「野無遺賢」。主文衡者廬陵李詢，讀先生詩有二句云：「渭水空藏月，傅巖深鎖煙。」批云：「此人不惟文理冠場，異日當以詩名擅四海。」③氣度恢宏豁達，一如東坡。據梁谿漫志云：「東坡教人讀檀弓，山谷謹守其言，傳之後學。④」觀其文藝思想亦與東坡相近，便可知其言之不虛。東坡主張「用事當以故爲新，以俗爲雅。⑤」黃庭堅乃有「點鐵成金」、「脫胎換骨」之論。蘇氏父子自己爲文至多，而未嘗敢有作文之意，黃庭堅亦云：「子美詩妙處，乃在無意於文。⑥」年十七、八時即自稱清風客，俞清老澹見而目之曰：「奇逸通脫，眞驥子墮地也。⑦」又據孫公談圃紀載：

黃魯直得洪州解頭，赴省試。公（按：公指孫升也，下同）與喬希聖數人待榜。相傳魯直爲省元同舍置酒，有僕自門被髮大呼而入，舉三指，問之乃公與同舍三人，魯直不與。座上數人皆散去，至有流涕者，魯直飲酒自若。飲酒罷，與公同看榜，不少見顏色。公嘗爲其婦翁孫莘老言，甚重之。後妻死作發願文，絕嗜欲，不御酒肉。至黔州命下，亦不少動。公在歸州日，見其容貌愈光澤，留貶所累年，有見者無異在官日……。⑧

又據晁氏客語記載：

申公薨，范淳夫嘗託山谷草遺，表成不用。又託草司馬公休謝起碑樓表，竄改止餘數字，以示山谷，略無忤色。但遜謝而已。⑨

其爲人豁達如此。是以宋史有「移戎州，庭堅泊然不以遷謫介意，蜀士慕從之游」⑩之語。東坡見其詩文以爲超軼絕塵，獨立萬物之表，世久無此作，由是聲名始震。與東坡交往甚密，蜀、江西君子以庭堅配東坡，故世以蘇、黃並稱。雖彼此間謔語時聞，固不害其尊師之心也。據邵氏聞見後錄載：

趙肯堂親見魯直晚年懸東坡像於室，每蚤衣冠薦香肅揖甚敬，或以同時聲名相上下爲問，則離席驚避曰：「庭堅望東坡門弟子耳，安敢失其序哉？」今江西君子曰蘇黃者，非魯直本意。⑪

據宋史云：「堅與張耒、晁補之、秦觀具游蘇軾門，天下稱爲四學士。而庭堅於文章尤長於詩，蜀、江西君子以庭堅配軾，故稱蘇、黃。軾爲侍從時，舉庭堅自代，其詞有『環偉之文，絕妙當世，孝友之行，追配古人』之語，其重之也如此。⑫」復據宋元學案云：「一時文人如黃庭堅、晁補之、秦觀、張耒、陳師道，舉世未之識，先生（按：即東坡）待之如朋儔。⑬」黃庭堅與東坡關係之密如此。

庭堅精於文，尤長於詩，陳無己爲詩高古，目無古人，獨自言師庭堅。庭堅爲江西詩派之開山祖，追踪逐跡者爲數之多，規模之壯，得未曾有。陳振孫云：「自黃山谷而下三十五家……又曾紘、曾思父子詩，詳見詩集類。⑭」是所謂江西詩派者，連曾氏父子在內，共有三十七人。宋史藝文志記載：「呂本中江西宗派詩集一百十五卷」而呂本中宗派圖所列爲二十五人。苕溪漁隱叢話云：「呂居仁近時以詩得名，自言傳衣江西。嘗作宗派圖。自豫章以降，列陳師道、潘大臨、謝逸、洪芻、饒節、僧祖可、徐俯、洪朋、林敏修、洪炎、汪革、李錞、韓駒、李彭、晁沖之、江端本、楊符、謝薖、夏倪、林敏功、潘大觀、何覬、王直方、僧善權、高荷合，二十五人，以爲法嗣，謂其源流皆出於豫章也。⑮」其影響之遠，當爲蘇門六君子之最鉅者也。

二、秦觀

秦觀，字少游，一字太虛，揚州高郵人，東坡曾稱之爲山抹微雲君⑯，文章長於議論，辭麗而思深。二十六歲時聞蘇公軾爲時文宗，欲往游其門，未果。會東坡自杭倅知密州，道經揚州，乃作東坡筆，預題壁於一山寺，東坡見之，果不能辨，大驚。及見孫莘老，出少游詩詞數百篇，讀之，乃嘆曰：向書壁者必此郎也。遂結神交。熙寧十年丁巳二十九歲，謁東坡于徐州，爲賦黃樓，東坡曰：「雄辭雜今古，中有屈宋姿。」以介之於王荊公。荊公在回簡中，借葉之遠之言以爲淸新婉麗，與鮑謝似之。捫蝨新話曰：「呂居仁常言少游從東坡游，而其文字乃學自西漢，以余觀之，少游文格似正，所進策論，頗若刻露，不甚含蓄，若比東坡，不覺望洋而歎，然亦自成一家。」東坡亦嘗言其文，如美玉無瑕，而磨琢之功，殆未有出其右者，可稱定評，其爲人豁達，亦一如東坡。據春渚紀聞載：

先生（東坡）自惠移儋耳，秦七丈少泓亦自郴陽移海康。渡海相遇，二公共語，恐下石者更啓後命。少游因出自作挽詞呈公，公撫其背曰：「某常憂少游未盡此理，今復何言？某亦嘗自作墓誌文封付從者，不使過子知也。」遂相與嘯詠而別。⑰

據曲洧舊聞云：

東坡嘗語子過曰：「秦少游、張文潛才識學問爲當世第一，無能優劣二人者。少游下筆精悍，心所默識，而口不能傳者，能以筆傳之。然而氣韻雄拔，疏通秀朗當推文潛。兩人皆曾與予游，同升而並黜。有自雷州來者，遞至少游所惠書詩累幅。近居蠻夷。得此如在齊聞韶也，汝可記之，忽忘吾語。⑱」其交誼有如此者。著有淮海集行世。

三、晁補之

晁補之，字無咎，濟州清豐縣人。才氣飄逸，聰明強記，纔解事即善爲文。補之識東坡，始于東坡通判杭州時。時補之年十七，從父端有官於杭州新城，以錢塘山川風物之麗，著錢塘七述謁東坡。東坡先欲有所賦，讀之，歎曰：「吾可以閣筆矣。」又稱其文博辯雋偉，絕人遠甚，必顯於世，由是知名。晚年常慕陶淵明，一度忘情仕進。節槪可風。所著雞肋集七十卷，文多溫潤典縟，其凌麗奇卓，出於天成。

四、張耒

張耒，字文潛，楚州淮陰人。據老學庵筆記稱：「張文潛生而有文在手曰耒。」遂以爲名。儀觀魁偉，無己有詩云：「張侯便然腹如鼓，雷爲飢聲汗爲雨。」山谷有詩云：「六月火雲蒸肉山。」又云：「形模彌勒一布袋，文字江河萬古流。」皆亦諧亦莊之語也。十三歲能文，十七歲能作函關賦已傳人口。爲文主理，嘗云：「文學之端急於明理，如知文而不務理，求文之工，世未嘗有也。」又云：「江河淮海之水，理達之文也，不求奇而奇至矣。」此即明允風水相依之說也，學者以爲至言。子由愛之，因得從東坡游，東坡亦深知之，稱其文汪洋沖澹有一唱三歎之聲。久於投閑，家貧，郡守翟汝文欲爲買公田，謝不取，耿介足以風世。而其尊師重道精神，深得蘇氏之風，（東坡衆妙堂記云：「眉山道士張易簡教小學常百人。予幼時亦與焉……謫居南海，一日夢至其處見道士如平昔。」想見其平居慕望師門之殷也。）更可爲後人楷模。據清波雜志載：「張文潛知潁州，聞坡卒，出己俸，於薦福禪寺修供，以致師尊之哀，乃遭論列。」二蘇及黃山谷，晁無咎輩相繼辭世。文潛獨存，從游者日衆，故其影響，亦不亞於山谷也。著有張耒集七十卷。

五、陳師道

陳師道，字履常，一字無己，號后山居士，彭城人。元祐初，東坡等薦其文行，起爲徐州教授，其文精深雅奧，門人彭城魏衍云：「先生之文，簡重典雅，法度謹嚴。」任淵稱：「陳無己天下士也，其讀書如秦之治水，知天下之脈絡，有開有塞，至於九州滌源，四海會同者也。其論事救首救尾，如常山之蛇，其作文知古人之關鍵。⑲」允稱知言。其爲人高介有節，初游京師踰年，未嘗一至貴人之門，朱元章、李伯時同爲東坡友，而皆叛坡，獨無己爲坡公遠謫，瀕死不悔。據江西詩社宗派圖錄云：

> 元祐三年蘇軾，傅堯俞、孫覺薦爲徐州教授。章惇在樞府，將薦之於朝，以書招之。後山答云：「公卿不下士，尚矣，乃獨見於今。夫相見所以成禮，師道於公有貴賤之嫌，無平生之舊，公雖可見，禮不可見矣。」終不往。東坡出知杭州，道由南京。後山爲教授時欲往迎之，告徐守孫莘老，孫不之許。乃託疾私行至南京，與坡公同舟直下，抵宿而後返，爲劉安世所彈。余觀後山越境而見東坡，當軸而不見子厚，曾何得喪足繫其胸次哉？⑳

莊子云：「至人無己。」陳無己可謂名實相符之「至人」矣。復據宋史文苑載：「無己家酷貧，郡守傅堯俞懷金以贈，見其詞色，不敢出。」大節凜然，照耀千古。而其死後魂隨東坡之傳說，尤其風世。據春渚紀聞稱：

> 建中靖國元年，陳無己以正字入館，未幾得疾。樓異世可時爲登封令，夜夢無己見別，行李匆匆，樓問「是何行之？」曰：「暫往杏園，東坡、少游諸人皆在彼已矣。」樓起視事，得參寥子報云：「無己逝矣。㉑」

其受蘇家之影響有如此者。李端叔謂其文似兩蘇，豈獨此哉？著有后山叢話，后山集等書。

六、李薦

李薦，字方叔，少長以學問稱鄉里。謁坡公於黃州，贄文求知，坡公謂其筆墨瀾翻有飛沙走石之勢，附其背曰：「子之才萬人敵也。㉒」元祐間坡知貢舉，方叔不第，坡公以詩自責曰：「平生漫說古戰場，過眼欲迷日五色。㉓」據宋史文苑傳載：

> 坡公亡，方叔哭之慟曰：「吾愧不能死知己，至於事師之勤，渠敢於生死爲問？」即走許、汝間相地卜兆，授其子作文祭之曰：「皇天后土鑒一生忠義之心，名山大川還萬古英靈之氣。」遂絕意仕進。㉔

其尊師之誠，一至於此。石林詩話謂其「嘗以書責子瞻不薦己，子瞻後稍薄之。」豈非面壁虛構之語乎！且此事東坡事類交友類賞識查註辨正尤詳：

> 李方叔之父名惇，字憲仲，東坡同年友也。故平生與方叔極相周恤。集中有答方叔書云：「累書見責以不相薦引，讀之甚愧。」然所諄諄期望者，實欲方叔守道自信，相勉於道，而不務相引於利，則先生之自待與所以待方叔者，直以古處爲期。偶閱宋人趙濳養　漫筆云云，果若所言，乃末俗濳通關節，冒犯科條者所爲，先生豈肯出此？此必章惇父子造爲此語，以誣先生，趙氏不察其誣，傳諸記載，於先生品望所損不細，特爲辨正。㉕

史論其文條暢曲折，辯而中理，當喧溷倉卒間，如不經意，睥睨而起，落筆如馳，可謂正評，著有濟南集。

附註

①見宋史文苑黃庭堅傳。
②見道山清話。
③見名臣言行錄。
④見梁谿漫志。
⑤見蘇東坡全集題柳子厚詩。
⑥見后山集。
⑦見芥隱筆記。
⑧見孫公談圃。
⑨見晁氏客語。
⑩見宋史文苑黃庭堅傳。
⑪見邵氏聞見後錄。
⑫見宋史文苑董庭傳。
⑬見宋元學案。
⑭見陳振孫直齋書錄解題、江西詩派卷一百三十七、續派卷十三。

⑮見苕溪漁隱叢話。
⑯見藝苑雌黃
⑰見春渚紀聞
⑱見曲洧舊聞
⑲見精華錄
⑳見江西詩社宗派圖錄
㉑見春渚紀聞
㉒見宋史文苑傳
㉓見鶴林玉露、養痾漫談、詩話總龜。
㉔見宋史文苑傳。
㉕見東坡事類交友類賞識。

第三節　對南宋及明清文壇之影響

南宋之陸游、楊萬里、明代之袁宗道、袁宏道、袁中道、鍾惺、譚元春、歸有光、清代之嚴羽、袁枚、方苞、劉大櫆、姚鼐等文藝思想與創作風格，均深受蘇家父子之影響。玆分述如次：

一、陸游

陸游，字務觀，號放翁，越州山陰人。早年從曾幾游，曾幾屬江西詩派作家，故後人亦將陸游列爲江西派詩人。四庫總目提要云：「游詩法傳自曾幾，而作呂居仁集序，又稱源出居仁，二人皆江西派也。然游詩清新刻露，而出以圓潤，實能自辟一宗，不襲陳、黃之舊格。」然陸游受三蘇之影響，殆不必詞費矣。其辛巳四月上執政書云：

生無他長，不幸束髮有文字之愚。自上世遺文，先秦古書，晝讀夜思，開山破荒，以求聖賢致意處。雖才識淺闇，不能如古人迎見逆決。然譬於農夫之辨菽麥，蓋亦專且久矣，原委如是，派別如是，機杼如是，邊幅如是，自六經左氏離騷以來，歷歷分明，皆可指數，不附不絕，不誣不紊，正有出奇，舊或以爲新，橫騖別驅，層出問見。每考觀文詞之變，見其雅正，則纓冠肅衽，如對王公大人；得其怪奇，則出帽大叩，如魚龍之陳前，梟盧之方勝也。①」

答邢司戶書云：

某（指陸游）辱賜書及聖人之道與作者之文章。又以世之稱師弟子，而徒事科舉，求利祿者爲羞，卓乎偉哉……科舉之文……固亦推尊明主六藝而論說古今，雖小有出入，要其歸亦何負於道哉？若言之而弗踐，區區於口耳，而不自得於心，則非獨科舉之文無益也。近時頗有不利場屋者，退而組織古語，剽裂奇字，大書深刻，以眩世俗。考其實，更出科舉不遠甚，讀之使人面熟。足下謂此等果可言文章乎？尚不可欺僕輩，安能欺足下哉？故自科舉取士以來，如唐韓氏、柳氏、吾宋歐氏、王氏、蘇氏，以文章擅天下者，莫非科舉之士也，此無他，徒以在場屋時，苦心耗力，凡陳言淺說之可病者，已知厭棄，如都市之玉工，珉玉雜治，積日既久，望而識之矣。一旦取荊山之璞，以爲黃琮蒼璧萬乘之寶，珉其可復欺邪？凡今不利場屋而名古之文者，往往多未嘗識，珉者也，又安知玉哉？乃如足下識之可謂精矣，當棄珉剖玉而已。至於聖人之道，足下往昔朝夕所講習者，豈外於是，言之而必踐焉，心之而不徒口耳焉，無餘道矣。②

上文強調文章重在自然流暢，不爲剽裂奇字，讀書貴在自得於心，別出機杼，行之於道，其觀點顯脫胎於明允上歐陽內翰第一書，以及東坡策略總敘等文。明允上歐陽內翰第一書：

洵少年不學（指不喜聲律場屋之學），生於二十七，始知讀書，從士君子遊。年既已晚，而又不遂，刻意厲行，以古人自期，而視與吾同列者，皆不勝己，則自以爲可矣。其後困益甚，然後取古人之文而讀之，始覺其出言用意，與己大異。時復內顧自思其才，則又似夫不遂止於是而已者。由是盡燒曩時所爲文數百篇，取論語、孟子、韓子及其他聖人賢人之文，而兀然端坐，終日以讀之者，七、八年矣。方其始，入其中而惶然，博觀於其外而駭然以驚。及其久也，讀之益精，而其胸中豁然以明，若人之言，固當然者，然猶未敢自出其言也。時既久，胸中之言，日益多，不能自制，試出而書之，已而再三讀之，渾渾乎，覺其來之易矣。③」東坡策略總敘：

戰國之際，其言語文章，雖不能盡通於聖人，而皆卓然屬於可用，出其意之所謂誠然者。自漢以來，世之儒者忘己以徇人，務爲射策決科之學，其言雖不叛於聖人，而皆氾濫於辭章，不適於用。……而天下之士，方且掇拾三代之遺文，補昔漢、唐之故事，以爲區區之論，可以濟世，不已疏乎！④

陸游上辛給事書：

君子之有文也，如日月之明，金石之聲，江海之濤瀾，虎豹之炳蔚，必有是實，乃有是文。夫心有所養，發而爲言，言之所發，此而成文，人之邪正，至觀其文，則盡矣決矣，不可復隱矣。爝火不能爲日月之明，瓦釜不能爲金石之聲，潢汙不能爲江海之濤瀾，犬羊不能爲虎豹之炳蔚，而或謂庸人能以浮文眩世，烏有此理也哉？使誠有之，則所可眩者，亦庸人耳。某聞前輩以文知人，非必鉅篇大筆，苦心致力之詞也，殘章斷藁，憤譏戲笑，所以娛憂而舒悲者，皆足知之。甚至於郵傳之題詠，親戚之書牘，軍旅官府倉卒之間，符檄書判，類皆可以洞見其人之心術才能。與夫平生窮達壽夭，前知逆決，毫芒不失。……賢者之所養，動天地，開金石，其胸中之妙，充實洋溢，而後發見於外，氣全力餘，中正閎博，是豈可容一毫之僞於其間哉？某束髮好文，才短識近，不足以望作者之藩籬，然知文之不容僞也。故務重其身而養其氣，貧賤流落，何所不再，而自信愈篤，自守愈堅，每以其全自養，以其餘見之於文。……⑤

上文不但與東坡南行前集敘之文藝觀點相一致，亦即子由上樞密韓太尉書：

轍生好爲文，思之至深，以爲文者氣所形。然文不可以學而能，氣可以養而致……其氣充乎其中，而溢乎其貌，動乎其言，而見乎其文，而不自知也⑥」之文章理念之翻版。

再觀陸游姚平仲小傳：

姚平仲字希晏，世爲西陲大將。幼孤，從父古養爲子。年十八，與夏人戰臧底河，斬獲甚衆，賊莫能枝梧。宣撫使童貫召與語，平仲負起不少屈，貫不悅，抑其賞，然關中豪傑皆推之，號小太尉。睦州盜起，徽宗遣貫討賊，貫雖惡平仲，心服其沈勇，復取以行。及賊平，平仲功冠軍，乃見貫曰：「平仲不願得賞，願一見上耳。」貫愈忌之，他將王淵、劉世光皆得召見，平仲獨不與。欽宗在東宮，知其名，及即位，金人入寇，都城受圍，平仲適在京師，得召對福寧殿，厚賜金帛，許以殊賞。於是平仲請出死士砍營，擒虜帥以獻。及出。連破兩寨，而虜已夜徙去。平仲功不成，遂乘青騾亡命，一晝夜馳七百五十里，抵鄧州，始得食。入武關，至長安，欲隱華山，顧以爲淺，奔蜀，至青城山上青宮，人莫識也。留一日復入大面山，行三百餘里，度采藥者莫能至，乃解縱所乘騾，得石穴以居。朝廷數下詔物色求之，弗得也。乾道、淳熙之間始出，至丈人觀道院，自言如此。時年八十餘，紫髯郁然，長數尺，面奕奕有光，行不擇崖塹荊棘，其速若奔馬，亦時爲作草書，頗奇偉，然秘不言得道之由云。⑦

上文之筆法，一如東坡之方山子傳，讀之令人神往。

二、楊萬里

楊萬里，字廷秀，號誠齋，吉州吉水人。早歲學詩於江西詩派，深受三蘇「得乎吾心」、「自成一家」之文藝論影響，卒能出黃、陳窠臼，自成一格，張鎡南湖集卷二評之「後山格律非窮苦，白傅風流造坦夷。」可謂中肯。誠齋亦自謂「黃九陳三外，諸人總解詩；甘心休作許，若語竟何爲？」其跋徐恭仲省幹近詩：

「傳派傳宗我替羞，作家各自一風流；黃、陳籬下休安腳，陶、謝行前更出頭。⑧」更言之坦率而著明矣。此即所謂誠齋之「活法」、「誠齋體」也。

誠齋荊溪集序：

> 予之詩，始學江西諸君子……學之愈力，作之愈寡。嘗與林謙之屢歎之。謙之云：『擇之之精，得之之艱，又欲作之之不寡乎？』予謂曰：『詩人蓋異病而同源也，獨予乎哉！』故自淳熙丁酉之春，上暨壬午，止有詩五百八十二首，其寡如此。其夏之官荊溪；既抵官下，閱訟牒，理邦賦，惟朱墨之爲親；詩意時往日來于予懷，欲作未暇也。戊戌三朝，時節賜告，少公事，是日即作詩。忽有所寤，於是辭謝唐人及王陳、江西諸君子，皆不敢學，而後欣如也。試令兒輩操筆，多口占數首，則瀏瀏焉無復前日之軋軋矣。自此，每過午，吏散庭空，即攜一便面，步後園，登古城，採擷杞菊，攀翻花竹，萬象畢來獻予詩材。蓋麾之不去，前者未讎，而後者已迫，渙然未覺作詩之難也。……⑨

上文不但自述其學詩之經過，而「忽有所寤，於是辭謝王、陳、江西諸君子，皆不敢學，而後欣如也。」正是「傳派傳宗我替羞，作家各自一風流」之自我表白。「每過午，吏散庭空，即攜一便面，步後園，登古城，採擷杞菊。」顯係活用東坡後杞菊賦之妙法，「攀翻花木，萬象畢來獻予詩材。蓋麾之不去，前者未讎，而後者已迫，渙然未覺作詩之難也。」與明允上歐陽內翰第一書：

及其久也，讀之益精，而其胸中豁然以明，若人之言，固當然者，然猶未敢自出其言也。時既久，胸中之言，日益多，不能自制，試出而書之，已而再三讀之，渾渾乎覺其來之易矣。⑩

以及子由墨竹賦：

朝與竹乎爲游，莫與竹乎爲朋，飲食乎竹間，偃息乎竹陰，觀竹之變多矣。……始也余見而悅之，今也悅之而不自知也。忽乎忘筆之在手與紙之在前，勃然而興，而修竹森然，雖天地之無朕，亦何異於茲焉⑪。

二文之見解完全吻合。他如見蘇仁仲提舉書中所謂「舍己以徇於人，與夫信己以俟於人，其巧拙未易以相遇也。」亦與東坡之見解相一致。至於答徐賡書中所謂「顧愷之曰：『傳神寫照，正在阿堵中。』以及『頰上加三毛，殊甚。』得愷之論畫之意者，可與論文矣。⑫」眞可謂東坡傳神記之發揮。

再觀誠齋之文，筆法、筆調，似與三蘇文同出一爐之作者，比比皆是，如論兵下，其起筆一如東坡之潮州韓文公廟碑，留侯論，其用史實，一如蘇文之貫串連珠。又如文帝曷不用頗牧論，更與三蘇之史論，兔起鶻落，鳶飛魚躍，毫無二致。

三　公安三袁

明代文壇受三蘇文影響最顯著者爲公安三袁：袁宗道、袁宏道、袁中道。宗道，字伯修，萬曆會武第一。時王、李之學盛行。宗道在翰苑與同館黃輝，弟宏道、中道力排其說。於唐好白樂天，於宋好蘇軾。因名其齋曰白蘇。世目之爲公安體。著有白蘇齋集。宏道，字中郎，年十六爲諸生，即結社城南爲之長。舉萬曆進士，著有觴政、瓶花齋雜錄、袁中郎集及瀟碧堂、破研齋諸集。袁中道，字小修，十歲作黃山、雪二賦，長益豪邁，游蹤半天下。萬曆進士，著有珂雪齋集。

公安三袁文論主妙悟，或薰陶於東坡兄弟之老莊佛釋思想，或脫胎於三蘇「今夫玉非不溫然美矣，而不可與乎自然。」與「竹石風流各一時」、「短長肥瘠各有態，玉環飛燕誰敢憎」之文藝觀。

袁宗道論文（上）：

> 口舌代心者也，文章又代口者也。展轉隔礙，雖寫得暢顯，已恐不如口舌矣；況能如心之所存乎？故孔子論文曰：「辭達而已」。達不達，文不文之辨也。唐、虞、三代之文，無不達者。今人讀古書，不即通曉，輒謂古文奇奧，今人下筆不宜平易。夫時有古今，語言亦有古今；今人所詫謂奇奧字句，安知非古之街談巷語耶？方言謂楚人稱「知」曰「覺」，稱「慧」曰「䜭」，稱「跳」曰「蹠」，稱「取」曰「挻」。余生長楚國，未聞此言，今語異古，此亦一證。故史記五帝三王紀，改古語從今字者甚多；「疇」改爲「讎」，「俾」爲「使」，「格奸」爲「至奸」、「厥田」、「厥賦」爲「其田」、「其賦」，不可勝記。左氏去古不遠，然傳中字

句，未嘗肖書也。司馬去左亦不遠，然史記句字，亦未嘗肖左也。至于今日，逆數前漢，不知幾千年遠矣。自司馬不能同于左氏，而今日乃欲兼同左、馬，不亦謬乎？中間歷晉、唐，經宋、元，文士非乏，未有公然撏扯古文，奄爲己有。昌黎好奇，偶一爲之，如毛穎等傳，一時戲劇，他文不然也。空同不知，篇篇模擬，亦謂反正。後之文人，遂視爲定例，尊若令甲。凡有一語不肖古者，即大怒罵爲野路惡道，不知空同模擬，自一創之，猶不甚可厭。迨其後，以一傳百，以訛益訛，愈趨愈下，不足觀矣。且空同諸文，尚多己意，紀事述情，往往逼眞，其尤可取者，地名官銜，俱用時制。今卻嫌時制不文，取秦、漢名銜以文之，觀者若不檢一統志，幾不識爲何鄉貫矣。且文之佳惡，不在地名官銜也。司馬遷之文，其佳處在敘事如畫，議論超越，而近說乃云：「西京以還，封建宮殿，官師郡邑，其名不馴雅，雖子長復出，不能成史。」則子長佳處，彼尚未夢見也，而況能肖子長也乎？或曰：信如子言，古不必學耶？余曰：古文貴達，學達即所謂學古也。學其意，不必泥其字句也。今之圓領方袍，所以學古人之綴協蔽皮也；今之五味煎熬，所以學古人之茹毛飲血也。何也？古人之意，期于飽口腹，蔽形體；今人之意，亦期于飽口腹，蔽形體，未嘗異也。彼摘古字句入己著作者，是無異綴皮協于衣袂之中，投毛血于殽核之內也。大抵古人之人，專期于「達」；而今人之文，專期于「不達」。以「不達」學「達」，是可謂學古者乎？①

袁宗道此文反對當時文壇復古摹擬，而不期於達。但知「古字句入己著作者」，實「無異綴皮協於衣袂之中，投毛血於殺核之內」，其與蘇文主張「自成一家之言」，「作文如行雲流水，初無定質；但常行於所當行，止於不可不止，雖嬉笑怒罵之詞，皆可書而誦之」之觀點相一致。又如其論文下云：

今之文士浮浮泛泛，原不曾的然做一項學問，叩其胸中，亦茫然不曾具一絲意見，徒見古人有立言不朽之說，又見前輩有能詩能文之名，亦欲搦管伸紙，入此行市，連篇累牘，圖人稱揚。夫以茫昧之胸，而妄意鴻巨之裁，自非行乞左、馬之側，募緣殘溺，盜竊遺矢，安能寫滿卷帙乎？試將諸公一編，抹去古語陳句，幾不免於曳百矣！其可愧如此，而又號於人曰：引古詞，傳今事，謂之屬文。然則二典三謨，非天下至文乎？而其所引果何代之詞乎？余少時喜讀滄溟、鳳洲二先生集，二集佳處，固不可掩，其持論大謬，迷誤後學，有不容不辨者。滄溟贈王序謂「視古修詞，寧失諸理」。夫孔子所云「辭達」者，正達此理耳，無理則所達爲何物乎？無論典謨、語、孟，即諸子百氏，誰非談理者？道家則明清淨之理，法家則明賞罰之理，陰陽家則述鬼神之理，墨家則揭儉慈之理，農家則敘耕桑之理，兵家則列奇正變化之理。漢、唐、宋諸名家，如董、賈、韓、柳、歐、蘇、曾、王諸公，及國朝陽明，荊川，皆理充於腹，而文隨之。彼何所見，乃強賴古人失理耶？鳳洲藝苑卮言不可具駁，其贈李序曰：六經固理藪，已盡，不復措語矣。滄溟強賴古人無理，而鳳洲則不許今人有理，何說乎？此一時遁辭，聊以解一二識者模擬之嘲，而不知其流毒後學，使人狂醉，至於今，不可解喻也。然其病源，則不在模擬而在無識。若使胸中的有所見，苞塞於中，將墨不暇研，筆不暇揮，兔起鶻落，猶恐或逸，況有閑力暇晷，引用古人詞句耶？故學者誠能從學生理，從理生文，強驅之使模，不可得矣！

②

上文進而強調「從學生理，從理生文」之文學知識與思想修養之重要，與東坡「百工居肆以成其事，君子學以致其道」、子由「其氣充乎其中，而溢乎其貌，動乎其言，而見乎其文，而不知自知也」、明允「取論語、孟子、韓子及其他聖人賢人之文，而兀然端坐，終日以儥之者，七、八年矣。方其始也，入其中而惶然，博觀於其外而駭然以驚。及其久也，讀之益精，而其胸中豁然以明，若人之言，固當然者，然猶未敢自出其言也。時既久，胸中之言，日益多，不能自制，試出而書之，已而再三讀之，渾渾乎，覺其來之易矣」之論點亦一致。

袁宏道的敘小修詩云：

> 顧獨喜讀老子、莊周、列禦寇諸家言，皆自作注疏，多言外趣；旁及西方之書，教外之語，備極研究。既長，膽量愈廓，識見愈朗，的然以豪傑自命，而欲與一世之豪傑爲友。其視妻子之相聚，如鹿豕之與羣而不相屬也；其視鄉里小兒，如牛馬之尾行而不可與一日居也。泛舟西陵，走馬塞上，窮覽燕、趙、齊、魯、吳、越之地，足迹所至，幾半天下，而詩文亦因之以日進。大都獨抒性靈，不拘格套，非從自己胸臆流出，不肯下筆。有時情與境會，頃刻千言，如水東注，令人奪魄。其間有佳處，亦有疵處，佳處自不必言，即疵處亦多本色獨造語。然予則極喜其疵處；而所謂佳者，尚不能不以粉飾蹈襲爲恨，以爲未能盡脫近代文人氣習故也。蓋詩文

至近代而卑極矣。文則必欲準於秦、漢，詩則必欲準於盛唐，剿襲模擬，影響步趨，見人有一語不相肖者，則共指以爲野狐外道。曾不知文準秦、漢矣，秦、漢人曷嘗字字學六經歟？詩準盛唐矣，盛唐人曷嘗字字學漢、魏歟？秦、漢而學六經，豈復有秦、漢之文？盛唐學漢、魏，豈復有盛唐之詩？唯夫代有升降，而法不相沿，各極其變，各窮其趣，所以可貴，原不可以優劣論也。且夫天下之物，孤行則必不可無，必不可無，雖欲存焉而不能；雷同則可以不有，可以不有，則雖欲存焉而不能。故吾謂今之詩文不傳矣。其萬一傳者，或今閭閻婦人孺子所唱劈破玉、打草竿之類，猶是無聞無識眞人所作，故多眞聲。不效顰於漢、魏，不學步于盛唐，任性而發，尚能通於人之喜怒哀樂嗜好情欲，是可喜也。蓋弟既不得志於時，多感慨；又性喜豪華，不安貧窘；愛念光景，不受寂寞。百金到手，頃刻都盡，故嘗貧；而沈湎嬉戲，不知樽節，故嘗病；貧復不任貧，病復不任病，故多愁。愁極則吟，故嘗以貧病無聊之苦，發之於詩，每每若哭若罵，不勝其哀生失路之感。予讀而悲之。大概情至之語，自能感人，是謂眞詩，可傳也。而或者猶以太露病之，曾不知情隨境變，字逐情生，但恐不達，何露之有？且離騷一經，忿懟之極，党人偷樂，衆女謠諑，不揆中情，信讒齌怒②，皆明示唾罵，安在所謂怨而不傷者乎？窮愁之時，痛苦流涕，顛倒反覆，不暇擇音，怨矣，寧有不傷者？且燥濕異地，剛柔異性，若夫勁質而多懟，峭急而多露，是之謂楚風，又何疑焉！③

由上文可知宏道文章之思想淵源於「老、莊、列諸家之言」此與東坡兄弟相同者一；其文有時情與境會，「頃刻千言，如水東注。」正如東坡：「如萬斛泉源，不擇地而出」，不謀而合，此其二；其「泛舟西陵，走馬塞上，窮覽燕、趙、齊、魯、吳、越之地，足跡所至，幾半天下，而詩文亦因之以日進」，與三蘇父子縱覽名山大川，「其氣充乎其中，而溢乎其貌，動乎其言，而見乎其文。④」誠先後相輝映也，此其三；其「今閭閻婦人孺子所唱劈破玉，打草竿之類，猶是無聞無識眞人所作，故多眞聲。不效顰於漢、魏，不學步於盛唐，任性而發，尚能通於人之喜怒哀樂嗜好情欲。」，此非三蘇「文貴自然」「自創一家」之主張乎？此其四，其敍陳正甫會心集云：

世人所難得者唯趣。趣如山上之色，水中之味，花中之光，女中之姿，雖善說者不能下一語，唯會心者知之。今之人慕趣之名，求趣之似，於是有辨說書畫，涉獵古董以爲清；寄意玄虛、脫跡塵紛以爲遠；又其下則有如蘇州之燒香煮茶者。此等皆趣之皮毛，何關神情。夫趣得之自然者深，得之學問者淺。當其爲童子也，不知有趣，然無往而非趣也，面無端容，目無定睛，口喃喃而欲語，足跳躍而不定，人生之至樂，眞無逾於此時者。孟子所謂不失赤子，老子所謂能嬰兒，蓋指此也。趣之正等正覺最上乘也，山林之人，無拘無縛，得自在度日，故雖不求趣而趣近之。愚不肖之近趣也，以無品也，品愈卑故所求愈下，或爲酒肉，或爲聲伎，率心而行，無所忌憚，自以爲絕望於世，故舉世非笑之不顧也，此又一趣也。迨夫年漸長，官漸高，品漸大，有身如梏，有心如棘，毛孔骨節俱爲聞見知識所縛，入理愈深，然其去趣愈遠矣。余友陳正甫，深于趣者也，故所述會心集若干卷，趣居其多，不然雖介若伯夷，高若嚴光，不錄也。噫！孰謂有品如君，官如君，年之壯如君，而能知趣如此者哉！⑤

論詩文創作，重在「自然」之「趣」，與「敘小修詩」同其見解。

袁中道之文論，概言之與其兩兄同，亦反對模擬剽竊，崇尚心靈個性，崇尚純眞、自然。其宋元詩序云

> 宋、元承唐之後，殫工極巧，天地之英華幾泄盡無餘，爲詩者處窮而必變之地，寧各出手眼，各爲機局，以選其意所欲言，終不肯雷同剿襲，拾他人殘唾，死前人語下。於是乎情窮而遂無所不寫，景窮而遂無所不收。無所不寫，而至寫不必寫之情；無所不收，而至收不必收之景，甚且爲迂爲拙，爲俚爲狷，若倒囷傾囊而出之，無暇揀擇焉者，總之，取裁胸臆，受法性靈，意動而鳴，意止而寂，即不得與唐爭盛，而其精采不可磨滅之處，自當與唐並存于天地之間。此宋、元詩所以刻也。吾觀宋、元諸君子，其卓然者，才既高，趣又深，於書無所不讀，故命意鑄詞，其發詠也甚遠。即古今異調，而不失爲可傳。後來學者，才短腸俗，束書不觀，拾取唐人風雲月露皮膚之語，即目無宋、元諸人，是可笑也。蓋近代修詞之家，有創謂不宜讀宋、元人書者。夫讀書者，博采之而精收之，五六百年間才人慧士，各有獨立，取其菁華，皆可發人神智。而概從一筆抹殺，不亦冤甚矣哉？自有此說，遂爲固陋慵懶者托逃之藪。⑥

袁中郎先生全集序云：

> 先生詩文如錦帆、解脫，意在破人之執縛，故時有游戲語，亦其才高膽大，無心千世之毀譽，

聊以抒其意所欲言耳。黃魯直曰：「老夫之書，本無法也。但觀世間萬緣，如蚊蚋聚散，未嘗有一事橫於胸中，故不擇筆墨，遇紙即書，紙盡則已，亦不暇計人之品藻譏彈。譬如木人舞中節拍，人稱其工，舞罷又蕭然矣。」此眞先生言前意也。然先生立言，雖不逐世之顰笑，而逸趣仙才，自非世匠所及。即少年所作，或快爽之極，浮而不沉，情景大眞，近而不遠；而出自靈竅，吐於慧舌，寫於銛穎，蕭蕭冷冷，皆足以蕩滌塵情，消除熱惱。況學以年變，筆隨歲老，故自破硯以後，無一字無來歷，無一語不生動，無一篇不警策，健若没石之羽，秀若出水之花，其中有摩詰，有杜陵，有昌黎，有長吉，有元白，而又自有中郎。意有所喜，筆與之會，合衆樂以成元音，控八河而無異味，眞天授，非人力也。天假以年，不知爲後人拓多少心胸，豁多少眼目！恐亦造化妒人，不肯發泄太盡耳。甫四十餘即化去，傷哉！嗟呼，自宋、元以來，詩文蕪爛，鄙俚雜沓。本朝諸君子出而矯之，文準秦、漢，詩則盛唐，人始知有古法。及其後也，剽竊雷同，如贋鼎僞觚，徒取形似，無關神骨。先生出而振之，甫乃以意役法，不以法役意，一洗應酬格套之習，而詩文之精光始出。如名卉爲寒氛所勒，索然枯槁，而杲日一照，竟皆鮮敷。如流泉壅閉，日歸腐敗，而一加疏瀹，波瀾掀舞，淋漓秀潤。至於今天下之慧人才士，始知心靈無涯，搜之愈出，相與各呈其奇，而互窮其變，然後人人有一段眞面目溢露於楮墨之間。即方圓黑白相反，純疵錯出，而皆各有所長，以垂之不朽，則先生之功於斯爲大矣。……總之，先生天縱異才，與世人有仙凡之隔，而學問自參悟中來，出其緒餘爲文字，實眞龍一滴之雨。不得其源，而強學之，宜其不似也。要以衆目自虛，衆心自靈，不美不能強之愛，不愛不能強之傳。今美而愛，愛而傳者，已大可見矣，亦無俟後來之子雲也。先生之學，以晤然退藏爲主，其所造莫可涯涘。生平作人，沖粹夷雅，同於元氣，若得志，可使萬物各得其所。⑦

宋元詩集序，肯定宋、元諸家「不肯雷同剿襲，拾人殘唾」，由「變」而存其人之「眞」之精神，開創別具一格之詞曲。袁中郎先生全集序，雖強調「心靈無涯，搜之愈出」之心靈作用，但「自破硯以後，無一字無來歷，無一語不生動」，亦強調讀書與生活爲創作之源泉，與明允所謂上歐內翰第一書、子由上韓密書之見，已復相同。

四、李 贄與焦 竑

公安三袁之前，李贄與焦竑，實亦三蘇文論繼響之巨擘。李贄之童心說、雜說，即明允「仲兄字文甫說」、「上歐陽修內翰第一書」二文之發揚。焦竑刻蘇長公集序、刻蘇長公外集序及刻兩蘇經解序，更見其對蘇文寢饋之深。

童心說云：

然童心胡然而遽失也？蓋方其始也，有聞見從耳目而入，而以爲主於其內而童心失；其長也有道理從聞見而入，而以爲主於其內而童心失。其久也道理聞見日以益多，則所加所覺，日以益廣，於是焉又知美名之可好也，而務欲以揚之，而童心失；知不美之名之可醜也，而務欲以掩之而童心失。夫道理聞見，皆自多讀書識義理而來也。古之聖人曷嘗不讀書哉！然縱不讀書，童心固自在也。縱多讀書，亦以護此童心而使之勿失焉耳。非若學者反以多讀書識義理而反障之也。……夫既以聞見道理爲心矣，則所言者皆聞見道理之言，非童心自出之言也。言雖工，於我何與！豈非以假人言假言，而事假事，文假文乎？蓋其人既假，則無所不假矣。由是而以假言與假人言，則假人喜；以假事與假人道，則假人喜。無所不假，則無所不喜，滿場是假，矮場何辯也！然則雖有天下之至文，其湮滅於假人而不盡見於後世者，又豈少哉！何也？天下之至文，未有不出於童心焉者也。苟童心常存，則道理不行，聞見不立，無時不文，無人不文，無一樣創制體格文字而非文者。詩何必古選！文何必先秦！降而爲六朝，變而爲近體，又變而爲傳奇，變而爲院本，爲雜劇，爲西廂曲，爲水滸傳，爲今之舉子業，大賢之言，聖人之道，皆古今至文，不可得而時勢先後論也。⑧

雜說云：

且夫世之能文者，比其初皆非有意於爲文也。其胸中有如許無狀可怪之事，其喉間有如許欲吐而不敢吐之物，其口頭又時時有許多欲語而莫可以告語之處。蓄極積久，勢不能遏，一旦見景生情，觸目興嘆，奪他人之酒杯，澆自己之壘塊，訴心中之不平，感數奇於千載。既已噴玉唾珠，昭回雲漢，爲章於天矣；遂亦自負，發狂大叫，流涕慟哭不能自止。寧使見者聞者切齒咬牙，欲殺欲割而終不忍藏於名山，投之水火。⑨

上述二文不但爲三蘇文之論點，亦爲公安三袁最痛快之主張。

焦竑與友人論文書云：

夫詞非文之急也，而古之詞又不以相襲爲美。書不借於易，詩非假途於春秋也。至於馬、班、韓、柳乃不能無本祖；顧如花在蜜，蘗在酒，始也不能不藉二物以胎之，而脫棄陳骸，自標靈采。……斯不謂善法古者哉！近世不求其先於文者，而獨詞之知，乃曰以古之詞屬今之事，此爲古文云爾。韓子不云乎？「惟古於詞必己出，降而不能乃剽賊」。夫古以爲賊，今以爲程。……謬種流傳，浸以成習，至有作者當其前，反忽視而不顧，斯可怪矣！⑩

上文攻擊模擬剽竊，主張「脫棄陳骸，自標靈采」，洵可謂蘇氏之學。而最能闡明東坡之旨者，爲刻蘇長公外集序：

孔子曰：「辭達而已矣。」世有心知之而不能傳之以言，口言之而不能應之以手；心能知之，口能傳之，而手又能應之，夫是之謂詞達。唐宋以來如韓歐曾之於法，至矣，而中靡獨見，是非議論或依傍前人。子厚習之，子由及有窺焉，於言有所鬱勃而未暢。獨長公洞覽流略，於濠上竺乾之趣，貫穿馳騁，而得其精微，以故得心應手，落筆千言，坌然溢出，若有所相。至於忠國惠民，鑿鑿可見之實用，絕非詞人哆口無當者之所及。⑪

又刻蘇長公集序云：

> 譬之嗜音學者必尊信古始，尋聲布爪，唯譜之歸，而又得碩師焉以指授之。乃成連於伯牙，猶必徙之岑寂之濱，及夫山林之杳，海水洞涌，然後恍有得於絲桐之表，而水山之操爲天下妙。若矇者偶觸於琴而有聲，輒曰音在是矣；遂以爲仰不必師於古，俯不必悟於心，而傲然可自信也。豈理也哉？⑫

上一文以東坡論文之語，論東坡之文論，下一文以師古必求悟於心，始玲瓏爲通。與東坡釋道思想相一致，故其闡發東坡之文，眞有入木三分之妙。

五、桐城三祖

桐城方苞、劉大櫆、姚鼐被稱爲桐城三祖，應始於方東樹之標榜。方東樹於書惜抱先生墓誌銘後一文稱方深於學，劉優於才，而姚尤以識稱，稱方文靜重博厚，象地之德，劉文風雲變態，象天之德，姚文淨潔精微，象人之德，於是此三家遂若鼎足之不可廢一。

方苞，字靈皋，號望溪。倡古文義法之說始於方苞，其答申謙居書云：

> 僕聞諸父兄，藝術莫難於古文；自周以來，各自名家者僅十數人，則其艱可知矣。苟無其材，雖務學不可強而能也；苟無其學，雖有材不能驟而達也。有其材，有其學，而非其人，猶不能以有立焉。蓋古文之傳，與詩賦異道。魏晉以後姦僉污邪之人，而詩賦爲衆所稱者有矣。以彼瞑瞞於聲色之中，而曲得其情狀，亦所謂誠而形者也；故言之工而爲流俗所不棄。若古文則本

經術而依於事物之理，非中有所得不可以爲僞。故自劉歆承父之學，議禮稽經而外，未聞姦僉污邪之人，而古人爲世所傳述者。韓子有言：「行之乎仁義之途，游之乎詩書之源」，玆乃所以能約六經之旨以成文，而非前後文士所可比並也。⑬

謂古文本於經術而依於事物之理，所以必須有其學。謂古文必中有所得，不可以爲僞，致以更須是其人而後始能以有立。核其文而平生所學不能自掩，與明允「渾渾乎覺其來之易矣」之文藝觀完全吻合。

劉大櫆，字耕南，一字才甫，號海峯，讀其論文偶記即知其文論實受三蘇之影響。論文偶記云：

行文之道，神爲主，氣輔之。曹子桓、蘇子由論文以氣爲主，是矣。然氣隨神轉，神渾則氣灝，神遠則氣逸，神偉則氣高，神變則氣奇，神深則氣靜，故神爲氣之主。至專以理爲主，則未盡其妙。蓋人不窮理讀書，則出詞鄙倍空疏；人無經濟，則言雖累牘，不適于用。故義理書卷經濟者，行文之實；若行文自另是一事。譬如大匠操斤，無土木材料，縱有成風盡堊手段，何處施設；然有土木材料，而不善設施者甚多，終不可爲大匠。故文人者，大匠也。神氣音節者，匠人之能事也。義理書卷經濟者，匠人之材料也。⑭

上文謂「人不窮理讀書，則出詞鄙倍空疏；人無經濟，則言雖累牘，不適於用。故義理書卷經濟者，行文之實。」義理，即方望溪之所謂道；書卷，相當於姚惜抱之所考據；經濟，即三蘇之所謂用。合義理、考據、詞章、經濟於一爐，即明允「經以道法勝，史以詞事勝，經不得史，無以證其褒貶；史不得經，無以酌其輕重」、東坡「盡通於聖人，而皆卓然盡於可用」與子由「其氣充於中，而溢其貌，動乎言，而見其文，而不自知也」諸文論之發揮。

姚鼐，字姬傳，學者稱惜抱先生。其答翁學士書云：

夫道有是非，而技有美惡。詩文皆技也，技之精者必近道，故詩文美者命意必善。文字猶人之言語也；有氣以充之，則觀其文也，雖百世而後如立其人而與言於此；無氣則積字焉而已。意與氣相御而爲辭，然後有聲音節奏高下抗墜之度，反覆進退之態，采色之筆，故聲色之美因乎意與氣而時變者也。是安得有定法哉！⑮

上文謂「文以氣積」，「意與氣相御而爲辭」，並拈出陰陽二氣相調，剛柔二性相濟以成文之說，發揮其師劉海峯之文論，亦即子由「以爲文者氣之所形。」「其氣充乎其中，而溢乎其貌，動乎其容，而見其文，而不自知也」之文藝觀點。

姬傳復魯絜非書，對陰陽剛柔之說，論之尤詳：

鼐聞天地之道，陰陽剛柔而已。文者天地之精英，而陰陽剛柔之發也。惟聖人之言，統二氣之會而弗論，然而易詩書論語所載，亦間有可以剛柔分矣。値其時其人告語之體，各有宜也。自諸子而降，其爲文無弗有偏者；其得於陽與剛之美者，則其文如霆，如電，如長風之出谷，如崇山峻崖，如決大川，如奔騏驥；其光也如杲日，如火，如金鏐鐵；其於人也，如馮高視遠，如君而朝萬衆，如鼓萬勇士而戰之。其得於陰與柔之美者，則其文如升初日，如淸風，如雲，如霞，如煙，如幽林曲澗，如淪，如漾，如珠玉之輝，如鴻鵠之鳴而入寥廓。其於人也，漻乎其如歎，邈乎其如有思，暵乎其如喜，愀乎其如悲。觀其文，諷其音，則爲文者之性情形狀，舉以殊焉。且夫陰陽剛柔，其本二端，造物者糅而氣有多寡進絀，則品次億萬，以至於不可窮，萬物生焉。故曰一陰一陽之爲道。夫文之多變亦若是已！糅而偏勝可也。偏勝之極，一有一絕無，與夫剛不足爲剛，柔不足爲柔者，皆不可以言文。⑯

上文強調陰陽剛柔，不可偏勝，始可以言文，與明允強調道（經）與詞（史）之不可失衡，心與術之不可偏廢之論，前後相呼應。

附　註

①見白蘇齋集論文上
②同白蘇齋集論文下
③同白蘇齋集敘小修詩
④見欒城集上韓樞密書
⑤見袁中郎集敘陳正甫會心集
⑥見珂雪齋集宋元詩序

⑦見珂雪齋集袁中郎先生全集序
⑧見李氏焚書，童心說
⑨見李氏焚書，雜說
⑩見澹園集
⑪見澹園續集
⑫見澹園集
⑬見望溪文集
⑭見海峯詩文集
⑮見惜抱軒文集
⑯同⑮

第四節　韓國文學受蘇文之影響

韓國文學受蘇文影響，不亞於我國之南宋、明、清各代。公元一〇七五年（宋神宗熙寧八年）出生之韓國文人，金富軾與金富轍兄弟，即取用蘇軾、蘇轍兄弟之名名之，其爲韓人欽慕有如此①。尤其因戒於高麗與仇虜契丹關係至密，東坡於哲宗元祐四年（公元一〇九八年）拒介壽獻金塔於前，哲宗元祐八年（公元一一〇二年）復反對買書於後，措詞語筆嚴峻，二議如出一轍。

論高麗進奉狀云：

臣伏見熙寧以來，高麗人屢入朝貢，至元豐之末，十六、七年間，館待賜予之費，不可勝數，兩浙淮南京東三路，築城造船，建立亭館，調發農工，侵漁商賈，所在騷擾，公私告病。朝廷無絲毫之益，而夷虜獲不貲之利。使者所至，圖畫山川，購買圖書籍，議者以爲所得賜予，大半歸之契丹，雖虛實不可明，而契丹之彊，足以禍福高麗，若不陰相計構，則高麗豈敢公然入朝。……②

論高麗買書利害箚子：

臣所憂者，文書積於高麗而流於北虜，使敵人周知山川險要邊方利害，爲患至大。……又高麗人入朝，動獲所欲，頻步數來，馴致五害。……③

但當時之韓國文士，並不因此而排拒東坡之文，反而愛之滋甚。當時統稱高麗「人中龍」之李奎報（公元一一六八－一二四一年），主掌高麗文壇，即全力效法東坡文風，從其答全履之論文一書可知梗概：

足下以爲世之紛紛效東坡而未至者，已不足道也。雖詩鳴如某某輩數四君子，皆未免效東坡，非特盜其語，兼攘取其意以自爲之，獨吾子不襲蹈古人，其造語皆出新意，是以驚人耳目，非今世人，彼以此見褒抗僕於九霄之上，茲非過當之譽耶。獨其中所謂之創造語意者信然矣。然此非欲自異於古人而為之也，勢有所不得而然耳。何則？凡效古人之體者，必先讀其詩，然後效而能至也。否則，剽掠猶難，譬之盜者，先窺諜富人之家，習熟其門戶墻籬，然後善入其室，奪人所有為己之有，而使人不知也。不爾，未及探囊胠篋，必見捕捉矣，財可奪乎？僕自少放浪無檢，讀書不甚精，雖六經子史之文，涉獵而已，不至窮源，況諸家章句之文哉？既不熟其文，又可效其體，盜其語乎？是新語所不得已而作也。且世之學者，初習場屋科舉之文，不暇事風月。及得科第，然後，方學為詩，則尤嗜讀東坡詩，故每歲榜出之後，人人以為今年又三十東坡出矣。足下所謂世之紛紛者是矣。其若數四君子，效而能至者也，然則是亦東坡也。如見東坡而敬之可也，何必非哉。東坡近世以來，富贍豪邁，詩之雄者也。其文如富者之家，金玉錢貝，盈帑溢藏，無有紀極。雖為寇盜者，所嘗攘取而有之，終不至於貧也，盜之何傷耶？④

高麗因李奎報之鼓吹東坡文風，故凡當時科舉之士，亦皆以學東坡之文為榮。其受東坡影響最深者有：

1.海東之江西派：據金台俊韓國文學史所稱，「海東江西派」為申緯主張之學說。其中朴誾、李荇、鄭士龍、盧守慎、朴祥、成俔、申光漢、黃庭或等，均以學東坡與黃庭堅而名聲大震。如朴誾人稱小東坡，其挹翠軒文集中「七月既望與士華、擇之，浮舟蚕頭下，點語韻各賦。」「月之望，與擇之復遊蚕頭下，點霄韻各賦。」等句，顯脫胎於東坡前後赤壁賦。李荇輓朴誾詞：「斯人合在白雲鄉，一謫塵區海變桑，痛哭廣陵今已絕，此生無復聽峨洋。」豈非東坡潮州韓文公廟碑：

公昔騎龍白雲鄉，手抉天漢分天章。天孫爲織錦衣裳，飄然乘風來帝旁。下與濁世掃粃糠，西遊咸池略扶桑。草木衣被昭回光，追逐李、杜參翺翔，汗流籍、湜走且僵，滅沒倒影不能望。……鈞天無人帝悲傷，謳吟下招遣巫陽。犦牲雞卜羞我觴，於粲荔丹與蕉黃。公不少留我涕滂，翩然被髮下大荒」⑤之縮影乎？

2.李達：李達與白光勳、崔慶昌三人，均學晚唐詩，號稱韓國三唐詩人。而李達獨醉心東坡風格。據許筠惺所著覆瓿藁載：

從崔孤竹慶昌、白玉峯、光勳遊，相得摧心，結詩社，達方法蘇長公得其髓，一操筆輒寫數百篇，皆穠贍可詠⑥。

可見李達受東坡影響之深。

3.崔笠：韓護之筆法、車天駱之詩與崔笠之文，高麗人稱爲松都三絕。崔笠學蘇、黃詩，自成一家。我國明儒王士禎嘗謂：「簡易（崔笠字）詩大有蘇長公口氣。⑦」其詩甚多次東坡韻者，如：「立春次東坡韻」、「除夜次東坡韻」、「雪後次東坡韻」。⑧

4.鄭澈：鄭澈爲韓國歌辭大家，性格飄逸，酷似東坡，特仰慕東坡文學，所作長歌辭，多類東坡赤壁賦。

5.車天駱：車軾長子天駱，次子雲輅，韓國人以之比喻三蘇。車天駱之作品以模倣東坡赤壁賦之江村別曲最著，可知其與東坡關係之密。

6.尹善道：尹善道在韓國文學史上爲時調（猶唐人之近體詩）詩人之冠冕。神往東坡「飄飄乎遺世獨立，羽化而登仙」之境界，辭官隱居韓國南海之甫吉島，一如東坡黃州、海南之黃冠草履，閒雲野鶴生活。⑨

7.朴趾源：朴趾源爲實學派主流人物，反對朱子性理之學，痛斥儒人主「敬」之僞善。其文如行雲流水，天馬行空，一似東坡之隨物賦形。燕岩集嘗有「先生爲文有司馬遷、韓愈之風餘波，浸淫乎蘇軾⑩」之評語。

8.申緯：申緯兼長詩、書、畫、人稱三絕。金澤榮抄選紫霞詩集序謂：「公（指申緯）美風儀。豪宕不羈，於詩始學盛唐，後改學蘇東坡，悉棄前作。⑪」崔笠、李奎報等均喜用東坡詩韻。

其他如柳尋春、權韠等，沈淫於東坡意趣之文人，不勝枚舉。東坡兄弟之文，實明允之繼響，東坡因與韓國關係特深，名氣特大，故獨爲彼邦文士所喜愛耳。是則，三蘇文之影響於異邦文學者，自非他子所可凝而望之矣。

附註

①見趙潤濟韓國文學史

②見蘇東坡全集奏議集
③見蘇東坡全集奏議集
④見李奎報東國李相國集
⑤見蘇東坡全集潮州韓文公廟碑
⑥見許筠所著覆瓿藁
⑦見天台山人朝鮮漢文學史
⑧同上。
⑨見趙潤濟韓國文學史
⑩見燕岩集燕岩先生本傳
⑪見金澤榮抄選紫霞傳集序

第五節　結　語

散文運動，實濫觴於南朝之劉勰，北朝之蘇綽。①劉勰反對南北朝時代，只重形式，不尚情實之文。故云：「言隱榮華。②」「眞宰不存，翩其反矣。③」「心術旣形，英華乃贍。④」「心生而立言，言立而文明，自然之道也。⑤」主張文貴自然、眞實。但文心雕龍仍以駢儷之筆書論。迨唐韓愈始專主文尚散體，力排駢儷，故劉勰文尚眞實自然之主張，其成就遠不逮韓愈。而韓愈散文運動之大纛，到晚唐、五代復爲駢文逆風所襲捲。及北宋三蘇父子出，力尊韓愈，重開散文運動之洪流，賴其文行一致，學博才高，故文貴眞實妙悟、自然之論，寖成海內外文家所一致主張。南宋之陸游、楊萬里、嚴羽、明代之公安、竟陵、歸有光、淸代之袁枚、桐城三鉅子、陽湖之惲敬、湘鄉之曾國藩，無不深受其影響，民國八年之五四運動，更是三蘇文藝論點，發揮至另一個高潮。世之儒士，或以爲散文運動，至民國而告終，此實大謬不然。五四之白話文運動，實即散文運動、與散文運動之新名詞而已。故三蘇文之影響，不因時間而移易也。不特中國如此，即鄰邦如韓國，其文壇亦早受蘇文之薰陶，歷久而彌新。余故曰三蘇文影響之深遠，可謂超越時空，如不廢長河萬古流也。

附註

①見中國文學批評史一〇五頁
②見文心雕龍情采篇
③同②
④同②
⑤見文心雕龍原道篇

第九章　結論

唐、宋八家文，而以三蘇文對後世文壇影響最深最遠者，以筆者深入研究三蘇之生平（年譜）及其著述，而知應屬思想崇高，文行一致；性情豁達，胸襟磊落；文藝創作，見解卓絕，茲分述於下：

第一　思想崇高，文行一致

舉凡偉大之作家，亦必爲偉大之思想家。其思想之所以偉大，蓋學問研究深，人生閱歷富，而文行一致，終身不移，有以致之耳。孟子云：「觀於海者難爲水，遊於聖人之門者難爲言①。」韓愈云：「德者，水也；言者，浮物也；水大而物之浮者小大畢浮，德盛則其言也旨必遠②。」後人尊屈原爲南方詩歌之始祖，杜甫爲詩聖者，即其思想崇高（旨遠），文行一致（德盛），三蘇父子即如是也。其愛國愛民之思想，發乎文，行於事，故德音流行，天下傳誦。

西漢賈誼爲愛國思想卓然高越之文士，如陳政事疏，其遠見可照耀古今。明允嘉祐三年上皇帝書，條陳十事；東坡上神宗皇帝書，條陳三事；子由熙寧二年上皇帝書條陳三事，均見其謀國之忠，慮事之遠，足可與賈誼之奏，前後輝映。賈誼之奏，驗於景、武之世；三蘇父子之奏，迨北宋淪亡，而後人始謂其知言。

三蘇愛國思想之所以爲後世特別崇仰者，即在其天涵地負，慮事深遠之見識，文行一致，「守死善道」之精神。譬如：明允嘉祐三年上皇帝書云：

臣愚以爲舉人者，當使明著其跡，曰：某人廉吏也，嘗有某事以知其廉；某人能吏也，嘗有某事以知其能；雖不必有非常之功，而皆有可紀之狀，其特曰廉能而已者不聽。如此，則夫庸人雖無罪而不足稱者，不得入其間，老於州縣不足甚惜，而天下之吏必皆務爲可稱之功，與民興利除害，惟恐不出諸己，此古之聖人所以驅天下之人，而使爭爲善也。③

史論上云：

史何爲而作乎？其有憂也。何憂乎？憂小人也。何由知之？以其名知之。楚之史曰檮杌，檮杌四凶之一也，君子不待褒而勸，不待貶而懲。然則史之所懲勸者獨小人耳。仲尼之志大，故其憂愈大，憂愈大故其作愈大，是以因史修經卒之論其效者，必曰亂臣賊子懼。由是知史與經皆憂小人而作，其義一也。其義一其體二，故曰史焉曰經焉。大凡文之用四：事以實之，詞以章之，道以通之，法以檢之，此經史所兼而有之者也。雖然經以道法勝，史以事詞勝。經不得史無以證其褒貶，史不得經，無以酌其輕重。經非一代之實錄，史非萬世之常法。體不相沿，而用實相資焉。夫易禮樂詩書言聖人之道與法詳矣。然弗驗之行事，仲尼懼後世以是爲聖人之私言，故因赴告策書以修春秋，旌善而懲惡，此經之道也。猶懼後世以爲己之臆斷，故本周禮以爲凡此經之法也，至於事則舉其略，詞則務於簡，吾故曰經以道法勝。史則不然，事既曲詳，詞亦夸耀，所謂褒貶論贊之外無幾，吾故曰史以事詞勝。使後人不知史而觀經，則所褒莫見其善狀；所貶弗聞其惡實，故曰經不得史無以證其褒貶。使後人不通經而專史，則稱謂不知所法，懲勸不知所沮。吾故曰史不得經，無以酌其輕重，經或從僞赴而書，或隱諱而不書，若此者衆，皆適於教而已。吾故曰經非一代之實錄，史之一紀一世家一傳，其間美惡得失，固不可以一二數。則其論贊數十百言之中，安能事爲之褒貶，使天下之人動有所法如春秋哉！吾故曰史非萬世之常法。夫規矩準繩，所以制器，器所待而正者也。然而不得器，則規無所效其圓，矩無所用其方，準無所施其平，繩無所措其直，史待經而正，不得史則經晦。吾故曰體不相沿，而用實相資焉。噫！一規、一矩、一準、一繩，足以制萬器。後之人其務希遷固實錄可也，愼無若王通、陸長源輩囂囂然，冗且僭則善矣。④

上皇帝書基於「天下之吏必皆務爲可稱之功，與民興利除害，惟恐不出諸己，此古之聖人所以驅天下之人，而使爭爲亮」之愛國思想，而創「史與經皆憂小人而作」之說，以期後世觀史而知經，而不致「無以證其褒貶」、「稱法不知所法，懲勸不知所沮。」故於奉敕修禮書時，嘗上議修禮書狀云：

右洵先奉敕編禮書，後聞臣寮上言，以爲祖宗所行，不能無故差不經之事，欲盡芟去，無使存錄。洵竊見議者之說，與敕意大異。何者？前所授敕，其意曰：「纂集故事，而使後世無忘之耳。」非曰制爲典禮，而使後世遵而行之也。然則洵等所編者，是史書之類也。遇事而記之，不擇善惡，詳其曲折，而世後世得知，而善惡自著者，是使之體也。若夫存其善而去其不善，則是制作之事，而非職之所及也。而議者以責洵等，不已過乎？……班固作漢志，凡漢之事悉載而無所擇，今欲如之，則先世之小有過差者，不足以害以其大明，而可以使後世無疑之之意……⑤。」

由此可知其識見深遠，文行一致也。至於其愛民思想，原本於愛國思想之延伸，其上韓丞相論山陵書云：

漢昭即位，休息百役，與天下更始。故其爲天子，曾未逾月而恩澤下布於海內。……先帝以儉德臨天下……今一旦奄棄臣下，而有司迺欲以末世葬送無益之費，侵削先帝休息長養之民，掇取厚葬之名而遺之，以累其盛明。故洵以爲當今之議，莫若薄葬。竊聞頃者癸酉赦書既出，郡縣無以賞兵，例皆貸錢於民，民之有錢者，莫肯自輸。於是有威之以刀劍，驅之以笞箠，爲國結怨，僅而得之者，小民無知，不知與國同憂，方且狼顧而不寧。而山陵一切配率之科，又以復下。計今不過秋冬之間，海內必將騷然，有不自聊賴之人。……昔者華元厚葬其君，君子以爲不臣。漢文葬於霸陵，木不改列，藏無金玉，天下以爲聖明，而後世安於太山。故曰莫若建薄葬之議，上以遂先帝恭儉之誠，下以紓百姓目前之患，內以解華元不臣之譏，而萬世之後，以固山陵不拔之安。……夫君子之爲政，與其坐視百姓之艱難，而重改令之非；孰若改令，以救百姓之急。……」⑥

如此不顧「狂易之誅」之愛民思想，眞可驚天地、泣鬼神。

東坡兄弟愛國愛民思想，一如乃父剛直耿亮之至性，而守死善道之精神，尤過之而無不及。東坡上神宗皇帝書以結人心、厚風俗，存紀綱三事進言，見事深遠，利害分析精詳；子由上神宗皇帝書以理財必先去三冗：冗吏、冗兵、冗費，其見解與明允、東坡同，而痛切時弊，亦不亞於賈誼、陸贄之懇摯也。東坡進呈唐陸贄奏議箚子云：

臣等才有限，而道無窮，心欲言，而口不逮，以此自愧，莫知所爲。竊謂人臣之納忠，譬如醫者之用藥，藥雖進於醫手，方多傳於古人，若已經效於世間，不必皆從於己出。伏見唐宰相陸贄，才本王佐，學爲帝師，論深切於事情，言不離於道德，知如子房，而文則過；辯如賈誼，而術不疏，上以格君心之非，下以通天下之志。但其不幸，仕不遇時。德宗以苛刻爲能，而贄諫之以忠厚；德宗以猜疑爲術，而贄勸之以推誠；德宗好用兵，而贄以消兵爲先；德宗好聚財，而贄以散財爲急。至於用人聽言之法，治邊馭將之方，罪己以收人心，改過以應天道，去小人以除民患，借名器以待有功。如此之流，未易悉數。可謂進苦口之藥石，鍼害身之膏肓，使德宗盡用其言，則貞觀可得而復。臣等每退自西閣，即私相告言，以陛下聖明，必喜贄議論，但使聖民之相契，即如臣主之同時。……如贄之論，開卷了然，聚古今之精英，實治亂之龜鑑。……願陛下置之坐隅，如見贄面，反復熟讀，如與贄言，必能發聖性之高明，成治功於歲月……⑦。

由上文可知東坡愛國愛民之思想，一承之於陸贄。仁宗優游，則勸其勵精庶政、督察百官、果斷力行；神宗剛愎，則勸其忠恕仁厚，含垢納汙，屈己裕人，皆效陸贄之所爲也。他如拒受高麗不稱正朔書；諫買浙燈；徐州大水，廬城上過家而不入；書鄂守朱壽昌，立法以變岳鄂溺兒事；在徐州上乞醫療病囚狀；到儋州爲詩示儋州軍守張中勸農治田，以改善其生活；不顧王安石之不悅，上議學校貢舉狀，而悟神宗；過金陵以大兵大獄，勸王安石向神宗建言；整飭定州軍政，折服驕兵悍將；謀國之忠，愛民之切，無一不是吐之於文，而行之於事者也。

嘉裕六年八月二十五日，仁宗御崇政殿，試賢良方正、能言極諫科。時上春秋高，始倦於勤，子由就所問極言得失，無我無畏之愛國愛民思想，廿三歲即已震撼朝野。四十八歲任右司諫時，一年之內連上五十餘篇論事狀，竭智直言，除弊不遺餘力，而無懼權奸，尤見忠烈之氣。綜其一生，思想崇高，文行一致，斯所以與父兄而爲千秋並仰之三蘇也。

第二　性情豁達，胸襟磊落

三蘇父子性情豁達，胸襟磊落，無得失之心，無成敗之想，無窮達之念，無禍福之思，與其家世有密切之關係。明允之父蘇序，爲人豁達，輕財好施，不喜讀書，視功名富貴如敝屣。師友談記云：

東坡新遷東國之第，廌與李端叔秦少游往見之，東坡曰：今日乃先祖太傅之忌，祖名序，甚英偉，才氣過人，嗜酒與村父箕踞高歌大飯，忽伯父封誥至，並外纓、公服、笏、交椅、水罐子、衣版等，太傅時露頂戴一小冠子如指許大，醉後取告，箕踞讀之畢，並諸物置一囊，有餘牛肉亦置一囊，令村童荷而歸，城內人聞受告，或就郊外觀，遇諸途，見擔二囊，莫不大笑。⑨

昨非菴日纂云：

東坡祖端正道人，樂善好施，有一異人頻受施捨，因謂曰，吾有二穴，一富一貴，惟君所擇，道人曰，吾欲子孫讀書不願富，於是偕住眉上，指示其處，命取一燈燃之於地，有風不滅，道人遂以葬母。⑩

明允少不喜屬對、聲律之學，一如乃父蘇序。其憶山送人詩：

少年喜奇氣，落拓鞍馬間。縱目視天下，愛此宇宙寬。山川看不厭，浩然遂忘還。⑪

其豁達放浪，亦一如其父焉。

東坡、子由兄弟，不僅承乃父豁達不羈之性情，復因寖饋佛老，而歸本於儒，更能無得失之心，無成敗之想，無窮達之念，無禍福之思。宋史東坡本傳載：

治平二年，入判登聞鼓院，英宗自藩邸聞其名，欲以唐故事召入翰林院知制誥。宰相韓琦曰：「軾之才，遠大器也；他日自當為天下用，要在朝廷培養之，使天下之士，莫不畏慕降伏，皆欲朝廷進用，則人人無復異辭矣。今驟用之，則天下之士，未必以為然，適足以累之也。」英宗曰：「且與修注如何？」琦曰：「記注與制誥為鄰，未可遽授。不若於館閣中，近上帖職與之，且請召試。」英宗曰：「試之未知能否？如軾有不能邪？」琦猶不可。及試二論，復入三等，得直史館。軾聞琦語曰：「公可謂愛人以德矣。」⑫

前赤壁賦云：

客亦知夫水與月乎？逝者如斯，而未嘗往也；盈虛者如彼，卒莫消長也。蓋將自其變者而觀之，則萬物曾不能以一瞬；自其不變者而觀之，則物與我皆無盡也，而又何羨乎？惟江上之淸風，山間之明月，耳得之而為聲；目遇之而成色，取之無禁，用之不竭，而吾與子之所共適。⑬

又超然臺記云：

凡物皆有可觀。苟有可觀，皆有可樂，非必怪奇瑋麗者也。餔糟啜醨，皆可以醉；果蔬草木，皆可以飽。推此類也，吾安往而不樂？夫所為求福而辭禍者，以福可喜而禍可悲也。人之所欲無窮，而物之可以足吾欲者有盡；美惡之辨戰乎中，而去取之擇交乎前；則可樂者常少，而可悲者常多，是謂求禍而辭福。夫求禍而辭福，豈人之情也哉？物有以蓋之矣。彼遊於物之內，而不遊於物之外。物非有大小也。自其內而觀之，未有不高且大者也。彼挾其高大以臨我，則我常眩亂反覆，如隙中之觀鬥，又烏知勝負之所在？是以美惡橫生，而憂樂出焉，可不大哀乎！予自錢塘移守膠西，釋舟楫之安，而服車馬之勞；去雕牆之美，而庇采椽之居；背山湖之觀，而適桑麻之野。始至之日，歲不比登，盗賊滿野，獄訟充斥；而齋廚索然，日食杞菊，人固疑予之不樂也。處之期年而貌加豐，髮之白者日以反黑；予既樂其風俗之淳，而其吏民亦安予之拙也。於是治其園圃，潔其庭宇，伐安邱高密之木，以修補破敗，爲苟完之計。而園之北，因城以爲臺者，舊矣，稍葺而新之。時相與登覽，放意肆志焉。……方是時，予弟子由適在濟南，聞而賦之，目名其臺曰：「超然」，以見予之無所往而不樂者，蓋遊於物之外者也。⑭

子由超然臺賦敘云：

子瞻既通守餘杭，三年不得代。以轍之在濟南也，求爲東州守。既得請高密，其他介於淮海之間，風俗朴陋，四方賓客不至。受命之歲，承大旱之餘孽，驅除螟蝗，逐捕盗賊，廩卹饑饉，日不遑給。幾年而後少安。顧居處隱陋，無以自放，乃因其城上之廢臺而增葺之。日與其僚覽其山川而樂之，以告轍曰：「此將何以名之？」轍曰：「今夫山居者知山，林居者知林，耕者知原，漁者知澤，安其所而已，其樂不相及也，而臺則盡之。天下之士，奔走於是非之場，浮沉於榮辱之海，囂然盡力而忘反，亦莫自知也，而達者哀之。二者非以超然不累於物故邪？老子曰：『雖有榮觀，燕處超然。』嘗試以超然命之可乎？」因爲之賦以告。⑮

黃州快哉亭記云：

士生於世，使其中不自得，將何往而非病？使其中坦然不以物傷性，將何適而非快？⑯

觀上述諸文，可知東坡兄弟，深能以佛老思想而熔之於儒道之精髓，故其無得失之心，無成敗之想，無窮達之念，無禍福之思，不特言之於文，且行之於事。無論黃州、惠州、儋州、或筠州、雷州、循州，兄弟二人何嘗有遷謫意！東坡在惠州有詩云：「百頭蕭散滿霜風，小榻繩床寄病容；報道先生春睡美，道人輕打五更鐘。」子由在穎州有除夜詩云：「老去不自覺，歲除空一驚。深知無得喪，久已罷經營。……」試如方虛谷所謂「了生死，輕得失天人」。

第三　文藝創作，見解卓絕

三蘇父子同爲北宋散文之最偉大作家，實出其創作見解，能超脫歷代文家所遵循之儒道，八家之首韓愈亦以經典之外，均爲異端。三蘇父子之創作則不然，以史通經，衡輕重，通事變，發爲渾涵佛老而歸本於儒之論，以匡濟天下。故明允六經論主張宗經必審勢，而濟其道於無窮，以致力於文藝之創作，而不以學文爲學道之附庸。惟其如此，三蘇父子之文藝理論，乃能超脫各文家之衛道藩籬。主張文貴自創新意，不拘宗派；文貴自然生動，而氣足神充。明允上田樞密書云：

曩者見執事於益州，當時之文淺笑淺狹可笑，飢寒窮困亂其心，而聲律記問又從而破壞其體，不足觀也已。數年來，退居山野，自分永棄，與世俗日疏闊，得以大肆其力於文章。詩人之優游，騷人之清深，孟、韓之溫醇，遷固之雄剛，孫、吳之簡切，投之所向，無不如意。⑰

書中明言其努力學習者，乃文之優游、清深、溫醇、雄剛、簡切而已。故倡文貴自創新意，不拘宗派，其論點見之於上歐陽內翰第二書中：

古之以一能稱，以一善書者，愚未嘗敢忽也。今夫羣羣焉而生，逐逐焉而死者，更千萬人不稱不書也。彼之以一能稱，以一善書者，皆有以過乎千萬人者也。自孔子沒，百有餘年而孟子生，孟子之後，數十年而至荀卿子；荀卿子後，乃稍闊遠二百餘年，而揚雄稱於世；揚雄之死，不得其繼千有餘年。而後屬之韓氏。……洵一窮布衣，於今世最爲無用，思以一能稱，以一善書而不可得也。……」⑱

上文所謂「一能」、「一善」，即爲文貴自創新意，固不必自囿於經典之內也。基於爲文而學文，乃有文貴自然生動，氣足神充之主張。仲兄字文甫說一文中云：

嘗見夫水之與風乎？風油然而行，淵然而留。渟洄汪洋，滿而上浮者水也，而風實起之。蓬蓬然而發乎太空，不終日而行乎四方，蕩乎其無形，飄乎其遠來，既往而不知其跡之所存者，是風也，而水實形之。今夫風水之相遭乎大澤之陂也，紆餘委蛇，蜿蜒淪漣。安而相推，怒而相凌，舒而如雲，蹙而如鱗，疾而如馳，……順流至乎滄海之濱，滂薄洶湧，號怒相軋……殊狀異態，而風水之極觀備矣。故曰風行水上，渙，此天下之至文也。然而此二物者，豈有求乎文哉？無意乎相求，不期而相遭，而文生焉。是其爲文也，非水之文也，非風之文也，二物者非能爲文而不能不爲文也。物之相使而文出於其間也，故此天下之至文也。今夫玉非不溫焉美矣，而不得以爲文；刻鏤組繡非不文矣，而不可與論乎自然。故夫天下之無營而文生之者，唯水與風而已。⑲

文中充分說明「風水相遭」始能成文，然必「風水相遭乎大澤之濱」，則「紆餘委蛇，蜿蜒淪漣。」（自然生動）「汨乎順流至乎滄海之濱」，則「滂薄洶湧，號怒相軋。」（氣足神充）而「風水之極觀備矣。」「此亦天下之至文也。」（自成一家）

　　東坡、子由兄弟自幼即學乃父明允之爲文，故其散文創作之論點，幾全與明允同。東坡創「文統」之說，代替韓愈「道統」之論，在韓愈論一文中謂：

　　韓愈之於聖人之道，蓋亦知其名矣，而未能樂其實，何者？其爲論甚高，其待孔子、孟軻甚尊，而拒楊、墨、佛、老甚嚴，此其用力亦不可謂不至矣。然其論至於理而不精，支離蕩佚，往往自叛其說而不知。⑳

日喻云：

　　南方多没人，日與水居也。七歲而能涉，十歲而能浮，十五而能没矣。夫没者豈苟然哉！必將有得於水之道者。日與水居，則十五而得其道；生不識水，則雖壯見舟而畏之。㉑

以上文釋其散文之「道」，實生活歷練之累積，而不得不言之於文也。故「道可致而不可求。」猶明允「風水相遭而成文，天下之至文也」之論。

答王庠書云：

　　孔子曰：「辭達而已矣。」辭至於達，止矣，不可以有加矣。㉒

答虔倅俞括奉議書云：

　　孔子曰：「辭達而已矣。」物固有是理，患不知，知之患不能達之於口與手。所謂文者，能達

是而已。㉓

與謝民師推官書云：

孔子曰：「言之不文，行之不遠。」又曰：「辭達而已矣。」夫言止於達意，則疑若不文，是大不然。求物之妙，如繫風捕影，能使物了然於心者，蓋千萬人而不遇也，而況能使了然於口與手者乎？是之謂辭達，辭至於能達，則文不可勝用矣。㉔

南行前集敘云：

夫昔之爲文者，非能爲之爲工，乃不能不爲之爲工也。山川之有雲，草木之有華實，充滿勃鬱而見於外，夫雖欲無有，其可得耶？自少聞家君之論文，以爲古之聖人有所不能自已而作者。故軾與轍爲文至多，而未嘗敢有作文之意。㉕

以上諸文分別推闡及父明允「風水相遭，自然成文」之論點，更明言兄弟二人之文，皆承受其父之教，強調自由創作之重要，大凡自由創作之文，必然氣足神充，自然生動也。

子由上樞密韓太尉書云：

轍生好爲文，思之至深。以爲文者，氣之所形。然文不可學而能，氣可以養而致。孟子曰：「我善養吾浩然之氣。」今觀其文章，寬厚博辯，充乎天地之間，稱其氣之大小。太史公行天下，周覽四海名山大川，與燕趙間豪俊交游，故其文疏蕩，頗有奇氣。此二子者豈嘗執筆學爲如此之文哉？其氣充乎其中而溢乎其貌，動乎其言而見其文，而不自知也。㉖

上文強調生活實踐深，自然理足氣充而見之於文，與明允、東坡提倡自由創作之理念相一致。

當前文壇自由創作之風氣，瀰漫全球，欲提昇吾人散文創作之地位，唯有竭力提倡創作自由，不囿門戶。而三蘇父子思想崇高，天涵地負；文行一致，震古鑠今。性情豁達，胸襟磊落，數古來文士，幾人能及？尤其力倡散文創作自由，見解之卓絕，允為百代文壇之宗師。有志散文創作者，欲提昇創作之境界，進軍世界文壇，三蘇及其散文自更有研究之價值，固不待言也。

附註

①見孟子盡心篇上
②見韓昌黎集答李翊書
③見嘉祐集上皇帝書
④見嘉祐集史論上
⑤見嘉祐集議脩禮書狀
⑥見嘉祐集上韓丞相論山陵書
⑦見蘇東坡全集奏議集乞校正陸贄奏議上進箚子
⑧見蘇東坡全集奏議集辨試館職策問箚子
⑨見李廌師友談記
⑩見宋人軼事類編卷十二
⑪見嘉祐集雜詩憶山送人
⑫見宋史蘇軾傳

⑬見蘇東坡全集前集前赤壁賦
⑭見蘇東坡全集前集超然臺記
⑮見欒城集超然臺賦幷敘
⑯見欒城集黃州快哉記
⑰見嘉祐集上田樞密書
⑱見嘉祐集上歐陽內翰第二書
⑲見嘉祐集仲兄字文甫說
⑳見蘇東坡全集應詔集韓愈論
㉑見蘇東坡全集前集日喩
㉒見蘇東坡全集後集答王庠書
㉓見蘇東坡全集後集答虔倅俞括奉議書
㉔見蘇東坡全集後集答謝民師書
㉕見蘇東坡全集前集南行前集敘
㉖見欒城集上樞密韓太尉書

附錄　本書參考書目

一、有關蘇明允蘇東坡蘇子由之文集

三蘇文集　清宣統二年刊本

二、有關蘇明允之文集

重編嘉祐集　明崇禎十年仁和黃氏貴堂刊本

重刊嘉祐集　明天啓元年刊本

嘉祐集　舊抄朱批本、明嘉靖壬辰太原府刊本、明粵中刊清康熙間蔡士英修補三蘇全集本、台灣商務印書館萬有文庫本

蘇老泉先生全集　明刊本

老泉先生文集　明巾箱本、宋紹興本
嘉祐選集　明天啓元年刋本
嘉祐謚法　清文淵閣四庫全書本
蘇評孟子　明朱墨印本
蘇洵　宋杜大珪名臣碑傳琬琰集宋刋本
蘇洵　宋朱熹五朝名臣言行錄四部叢刋本
蘇洵　曾國永四川人民出版社本
蘇洵評傳　曾棗庄四川人民出版社本

三、有關東坡之文集

蘇文忠公文集　宋眉山刋大字本
東坡先生集　宋慶元間黃州刋本、明末文盛堂刋本
蘇文忠公全集　明成化四年吉安知府程宗刋本
蘇文忠公集　明嘉靖十三年江西布政司重刋本、明萬曆茅維刋本

宋蘇文忠集選　明萬曆二十七年崔亮邦大粱刋本

東坡全集　清康熙蔡士英本

東坡七集　清宣統元年寶華盦影刋明成化本

經進東坡文集事略　宋刋十二行本、民國九年上海蟫隱廬刋本、商務四部叢刋初編本

蘇氏易解　明萬曆二十二年甲午南京吏部冰玉堂刋本

蘇氏易傳　明末虞山毛氏汲古閣刋津逮秘書本

東坡先生易傳　明萬曆二十五年丁酉畢氏刋兩蘇經解本

東坡先生書傳　明萬曆二十五年丁酉畢氏刋兩蘇經解本

東坡書傳　明吳興凌氏刋朱墨套印本、清嘉慶十年刋學津討原本、清順治乙未傅青主手寫本

蘇沈內翰良方　明鈔本、四庫全書本、清武英傳聚珍本、閩覆聚珍本、清乾隆吳郡程永培刻本、清乾隆癸丑山鮑廷博知不足齋本、藝

海珠塵本、日本寬政十一年風月堂孫助刊本

仇池筆記　南京曾慥類說本、說郛百卷本、明萬曆三十年壬寅海虞趙開美刊本、明白鶴山房藍格抄本

東坡先生志林集　百川學海本

東坡手澤　說郛百卷本

東坡先生志林　明萬曆三十年海虞趙開美本、明焦竑朱墨套印本、稗海本

東坡志林　學津討原本、叢書集成本

廣成子解　明嘉靖刻本、藝文印書館百部叢書本

東坡題跋　明虞山毛晉汲古閣津逮秘書本、商務印書館叢書集成本

王狀元集注分類東坡先生詩　元建安虞平齋務本堂刊本、元盧陵坊刊本、元刊巾箱二十卷本、明成化間注氏誠意齋集書堂刊本、明萬曆吳興茅維刊

	本、明崇禎間梁谿王永積刊本、日本明曆二年松柏堂刊本、清康熙三十七年新安朱從延刊本
施注蘇詩	宋嘉泰二年淮東倉司刊本、清康熙三十八年己卯商丘宋氏宛委堂刊本、乾隆古香齋袖珍十種本、廣文書局影印本
坡仙集	明萬曆己未程明善重刊本、明末重刻本
蘇長公小品	明萬曆三十九年辛亥章萬椿心遠軒刊本、明吳興凌啓康朱墨套印本
蘇長公集選二十二卷附艾子龍說一卷	明萬曆二十六年戊戌福寧府刊本
東坡詩選十二卷	明天啓元年白門刊本
東坡文選二十卷	明萬曆庚申四十八年刊本、明天啓刊本、明刊朱墨套印本
蘇文忠公文選六卷	明閔爾容以朱墨藍三色套版印刷本
蘇長公表啓	明凌濛初朱墨套印本

東坡禪喜集	明萬曆熊玉屛刋本、明天啓元年辛酉吳興淩濛初刋朱墨套印本
蘇長公合作	明鄭圭評選淩啓康增編本
蘇長公密語	明吳京輯評本
蘇長公文燧	明崇禎四年辛未陳紹英編本
蘇文奇賞	明崇禎四年陳仁錫選評本
蘇公寓黃集	明萬曆十一年癸未嘉禾陸志孝校梓本
寓惠錄	明萬曆四年惠州官刻藍印本
東坡集選	明萬曆間陳夢槐選刻本
蘇文忠居儋錄	明萬曆間刻本
補註東坡編年詩	清乾隆辛巳白娷開刋本
蘇詩補註	清乾隆四十七年翁方剛蘇齋叢書刻本、咸豐元年伍崇曜粵雅堂叢書重刋本、台北廣文書局影印本
漁樵閒話	寶顏堂祕笈本
蘇詩查注補正	清光緒八年蔣鳳藻心矩齋叢書刋本、台

北廣雅書局翻印本

蘇文忠公詩合註　清乾隆五十八年馮應榴刋印本

蘇長公二妙集　明天啓元年辛酉錢塘徐雲橒曼山館刋行本

蘇文忠公詩編註集成　清嘉慶二十四年刋板、光緒十四年浙江書局重刻本、台灣學生書局原刻影印本

角山樓蘇詩評註彙鈔　清咸豐二年刋本

東坡尺牘　明末刻本

東坡詞　元仁宗延祐七年庚申葉曾南阜書堂刻本、明萬曆三十四年吳興茅維刋七十五卷東坡全集本、明萬曆四十六年瑯琊焦刋編蘇長公二妙集本、明崇禎三年庚午毛晉汲古閣刋六十名家詞本、明海陽黃嘉惠校刋本、民國十五年中華書局排印林大椿輯本、民國二十五年商務印書館排印龍榆生校箋朱祖謀編年圈點本、民國

二十六年上海商務印書館排印之唐圭璋編全宋詞本、民國五十六年香港曹樹銘編東坡詞本

四、有關於蘇子由之文集

蘇文定公文集	宋孝宗時眉山刊大字本
欒城集	明東吳王執禮清夢軒刊本、明嘉靖辛酉蜀府活字本、清初抄本、中華書局本
合刻三先生潁濱文匯	明末刊茅坤等評本
潁濱文抄	明末宜和堂刊本
潁濱先生詩集傳	明萬曆刊兩蘇經解本
潁濱先生春秋集解	四庫全書本
蘇轍論語拾遺一卷	明萬曆刊兩蘇經解本、清順治刊說郛本
蘇轍孟子解	明萬曆兩蘇經解本、四庫全書本
古史	明萬曆三十九年豫章刊本、明南監刊本

龍川志略　明弘治刊百川學海本、舊抄本、四庫全書本

龍川志略、別志　明會稽商氏刊稗海本、明刊說海彙編本、清順治刊說郛本、明刊清康熙間修補稗海本

遊仙夢記　明末刊五朝小說宋人百家小說傳奇家本

道德經解　明萬曆刊兩蘇經解本、明吳興淩氏刊朱墨套印本

五、一般參考書目

歐陽文忠集　宋　歐陽修　四庫全書本

司馬文正全集　宋　司馬光　明嘉靖十八年刊本

王臨川全集　宋　王安石　四庫全書本

元豐類稿　宋　曾鞏　明成化六年楊參刊本

王荊公年譜考略　清　蔡上翔　上海人民出版社本

黃山谷詩集注　宋　黃庭堅　朝鮮舊活字本
山谷全集　宋　黃庭堅　四庫全書本
淮海集　宋　秦觀　四部叢刊本
後山集　宋　陳師道　明弘治刊本
濟南集　宋　李廌　四庫全書本
濟北集　宋　晁補之　四部叢刊本
宛邱集　宋　張耒　四庫全書本
徂徠集　宋　石介　四庫全書本
後山詩註　宋　任淵　四部叢刊本
南游記舊　宋　曾紆　說郛本
漢書　漢　班固　鼎文書局本
戰國策　漢　劉向　四部叢刊本
史記　漢　司馬遷　鼎文書局本
呂氏春秋　周　呂不韋　四部叢刊本
師友談記　宋　李廌　百川學海本
晁氏客語　宋　晁說之　百川學海本

左傳	周　左丘明	藝文印書館本
宋史	宋　脫克脫	鼎文書局本
宋元學案	明　黃宗羲	世界書局本
新五代史	宋　歐陽修	鼎文書局本
三國志	魏　陳壽	鼎文書局本
晉書	唐　房喬等	鼎文書局本
宋書	梁　沈約	鼎文書局本
新唐書	宋　歐陽修	鼎文書局本
樂全集	宋　張方平	明談生堂鈔本
資治通鑑	宋　司馬光	世界書局本
文獻通考	元　馬端臨	元泰定元年西湖書院刋本
夢溪筆談	宋　沈括	世界書局本
唐宋八家文抄	明　茅坤	明茅闇叔刋本
藝苑卮言	宋　王世貞	明萬曆十七年武林樵雲書舍刋本
中國文學史	民國　鄭振鐸	明倫書局本
宋詩紀事	清　厲鶚	清乾隆十一年錢唐刋本

歷代詩話　清　何文煥　民國十六年上海醫學書局影印本
宋元詩會　清　陳焯　四庫全書本
江西詩派小序　宋　劉克莊　知不足齋叢書本
河南穆公集　宋　穆修　四庫全書本
尹洙集　宋　尹洙　四庫全書本
苕溪漁隱叢話　宋　胡仔　四庫全書本
紫微詩話　宋　呂本中　百川學海本
堅瓠集　宋　褚人穫　清代筆記叢刋本
宋文鑑　宋　呂祖謙　四庫全書本
聲畫集　宋　孫紹遠　四庫全書本
茶餘客話　清　阮葵生　清代筆記叢刋本
瀛奎律髓　元　方回　四庫全書本
古文辭類纂　清　姚鼐　中華書局本
經史百家雜鈔　清　曾國藩　世界書局本
東山談苑　清　余懷　民國二十二年襄社影印本
孫公談圃　宋　孫升　百川學海本

雞林類事	宋　孫穆	重編說郛本
道山清話	宋　王口	百川學海本
藝苑雌黃	宋　嚴有翼	重編郛本
春渚紀聞	宋　何薳	四庫全書本
游宦紀聞	宋　張世南	稗海本
明道雜志	宋　張耒	重編說郛本
避暑錄話	宋　葉夢得	稗海本
宋稗類鈔	宋　潘永因	四庫全書本
步里客談	宋　陳長方	四庫全書本
老學庵筆記	宋　宋陸游	稗海本
曲洧舊聞	宋　朱弁	四庫全書本
貴耳集	宋　張端義	四庫全書本
昨非庵日纂	明　鄭瑄	筆記小說大觀本
邵氏聞見錄	宋　邵伯溫撰、招博續	四庫全書本
石林燕語	宋　葉夢得	四庫全書本
石林詩話	宋　葉夢得	百川學海本

芥隱筆記　宋　龔頤正　百川學海本
蘇詩編年總案　清　王文誥　學生書局本
黃嬭餘話　清　陳錫路　嘯園叢書本
冷齋夜話　宋　釋惠洪　稗海本
愛日齋叢鈔　宋　葉口　四庫全書本
侯鯖錄　宋　趙令畤　稗海本
誠齋雜記　宋　周達觀　重編說郛本
瑞桂堂暇錄　宋　不著撰人　重編說郛本
簡齋集　宋　陳與義　四庫全書本
卻掃篇　宋　徐度　四庫全書本
捫蝨新話　宋　陳善　津逮秘書本
碧雞漫志　宋　王灼　四庫全書本
清波雜志　宋　周煇　四庫全書本
誠齋詩話　宋　楊萬里　四庫全書本
鶴林玉露　宋　羅大經　稗海本
養疴漫筆　宋　趙溍　重編說郛本

詩話總龜	宋	沅閱	四部叢刊本
敖陶孫詩評	宋	敖陶孫	叢書集成初編本
潘子眞詩話	宋	潘子眞	重編說郛本
十國春秋	宋	吳任臣	四庫全書本
人間詞話	民國	王國維	海寧王靜安先生遺書本
古文關鍵	宋	呂祖謙	四庫全書本
中國文學史	民國	易君左	華聯出版社本
歷代名人年譜	民國	楊家駱	世界書局本
歷代名人年里碑傳總表	民國	姜亮夫	台灣商務印書館本
古文析義	清	林雲銘	清宣統元年油印本
古文評注	清	過商侯	民國上海鴻章書局石印本
齊東野語	宋	周密	稗海本
鐵圍山叢談	宋	蔡絛	四庫全書本
古今文選	民國	國語日報	國語日報本
後村題跋	宋	劉克莊	適園叢書本
甕牖閒評	宋	袁文	四庫全書本

困學紀聞　宋　王應麟　四部叢刊三編本
清暑筆談　明　陸樹聲　寶顏堂秘笈本
揮麈錄　宋　楊萬里　四庫全書本
六一居士詩話　宋　歐陽修　百川學海本
後山居士詩話　宋　陳師道　百川學海本
因話錄　宋　趙璘　稗海本
烏台詩案　宋　朋九萬　重編說郛本
宋人軼事彙編　民國　丁傳靖　台灣商務印書館本
永樂大典　明　姚廣孝　世界書局本
青箱雜記　宋　吳處厚　稗海本
白蘇齋集　明　袁宗道　五洲出版社本
袁中郎全集　明　袁宏道　五洲出版社本
珂雪齋集　明　袁明道　五洲出版社本
惜抱軒文集　清　姚鼐　台灣商務印書館本
望溪文集　清　方苞　台灣商務印書館本
海峯詩文集　清　劉大櫆　台灣商務印書館本